读客® 知识小说文库

读小说，学知识

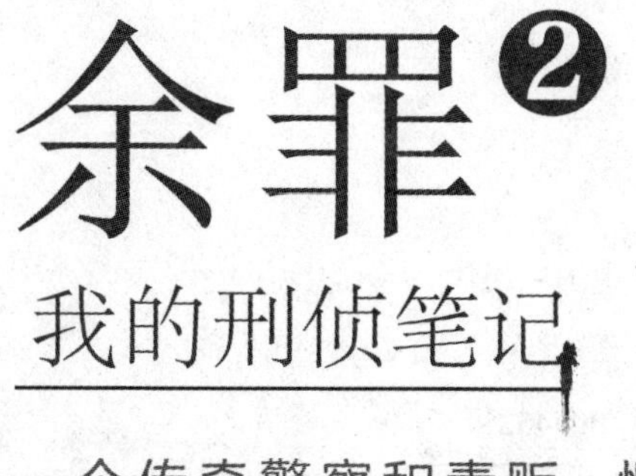

一个传奇警察和毒贩、悍匪、
黑道大佬的交锋实录

带你窥探这个时代的黑暗角落，
领略触目惊心的真实景象。

常书欣 著

图书在版编目（CIP）数据

余罪：我的刑侦笔记. 2 / 常书欣著. -- 海口：海南出版社, 2015.12

ISBN 978-7-5443-6365-5

Ⅰ. ①余… Ⅱ. ①常… Ⅲ. ①侦探小说－中国－当代 Ⅳ. ①I247.5

中国版本图书馆CIP数据核字（2015）第304452号

余罪：我的刑侦笔记2

作　　者	常书欣
责任编辑	王振德　陈　霞
封面设计	读客图书　021-33608311
印刷装订	北京海石通印刷有限公司
策　　划	读客图书
版　　权	读客图书
出版发行	海南出版社
地　　址	海口市金盘开发区建设三横路2号
邮　　编	570216
编辑电话	0898-66817036
网　　址	http://www.hncbs.cn
开　　本	700毫米 x 990毫米 1/16
印　　张	21
字　　数	268千
版　　次	2015年12月第1版
印　　次	2016年5月第2次印刷
书　　号	ISBN 978-7-5443-6365-5
定　　价	38.00元

如有印刷、装订质量问题，请致电010-85866447（免费更换，邮寄到付）

目录

第四章　从跑腿的成为大佬 /152

就这一天，一个新的团伙横空出世了，而且是强势上位，当天便在寓港追砍原团伙老大潮哥，把潮哥人砍伤了，不知下落，据说是吓跑了。又过数日，马仔余二开始收拢郑潮的部下，团伙迅速壮大，已经有十数人之多，在万顷、新垦、港口一带屡次抢同行生意，这一行从来都是谁横谁就吃得开，一时间此团伙风头日盛，为走私猖獗的万顷、新垦一带，又添一支新军。

第五章　正邪博弈 /215

场面肃杀而恐怖，站在车上的刑警咬牙切齿，照地上就是一枪，吓得趴着的被俘人员不敢动了。听到枪声的邵万戈回声疯狂地嘶吼着："谁要再敢动，当场击毙！"

被俘的嫌疑人脸贴地趴着，浑身一阵哆嗦。作为"污点诱饵"的嫌疑人张安如蹲着，双腿发抖，不敢看那位躺在地上被击中颌部的贩毒分子。此时他才感觉到，自己的裤子湿了一片。

突突的直升机声音响起来了，大型探照灯照在路面刚刚爆炸后的现场，两位北方汉子在挥手，在声嘶力竭地呼喊着，他们的怀里，抱着一位满身是血的人……

第六章　曙光来临的前夜 /272

他看到了余罪，看到了坐在预审席上的余罪，他的眼睛几乎凸出了眼眶，那是一千一万个不相信。不过瞬间他又恢复了常态，一下子像苦修冥想的顿悟一般，脸上浮现着兴奋的笑容，然后他毫无征兆地开始大笑，哈哈大笑，声音怪异得像夜枭，直到笑得猛咳起来，还是边咳边笑，笑得眼泪都流出来了。

余罪也在笑，两人像是揭开了一个玩笑的谜底，都笑得不可自制。

这一对狱友、一对冤家、一对猫鼠终于又见面了。

第一章
监狱纪事

深牢大狱

咕咚……咕咚……

沉闷的声音响彻在薄雾冥冥的清晨，睡在水泥地上的余罪猝然惊醒时，猛然间发现自己居然在这个恐惧的环境里沉睡了不知道几个小时。

一天经历那么多事，无论生理上还是心理上，再强悍的人也承受不住了。

余罪回忆着，进监仓的时候大部分人已经睡下了，有一位光头恶汉指着格子窗外，让他把脏衣服往外扔，然后又被人踹到马桶池边上睡觉。这个二十多平米的地方横七竖八，床上、地上已经人满为患，只有马桶池边上尚余一人宽窄的地方可供栖身。

困了，也累了，余罪就那样不知不觉地睡过去了。此时惊醒，他不敢动作，又一次悄悄挪身打量这个陌生的环境，地方不大，离头顶五米高，白惨惨的白炽灯亮着，三面半是铅灰的水泥墙，后墙一半是拇指粗的钢筋，上面是方便监视的甬道。隐约能想起似乎有持枪的武警经过，最高处的墙角，有一个高频的摄像头俯瞰着监仓。

他突然有一个奇怪的想法，这个环境哪怕是把世界上最凶的悍匪关进来，也未必有脱逃的可能，曾经看得兴奋的《越狱》《监狱风云》之类的故事，都是扯淡。最起码以他的常识判断，那半尺厚的铁门，接近一尺厚的混凝土墙，就算爆破都得需要好手，别说身上连起码的金属物品都被搜走的犯人了。

对了，我究竟是谁？“犯人”这个通俗的字眼，让人本能地抗拒。可现实又生生地摆在面前，他已经无法拒绝地成了其中的一员。而且他知道，这绝对不是一个简单的任务，而是一次有预谋的安排，肯定是想让他进来接触到某个用正常方式无法拿下的嫌疑人。

难道是狱侦耳目[1]，可那种事，一般由犯人自身完成就可以了。

“妈的，老子偏偏不让你们如愿。”

余罪恶狠狠地想着，那股怒气再起。即便主宰不了局势，可他能主宰自己，最好的报复方式莫过于让算计他的人什么也得不到，让他们空欢喜一场。他在想自己该怎么做，可脑子里除了恨意什么也装不下。

咕咚……咕咚……

不知道哪里传来的沉闷声音，一直在有节奏地响着。声音更近了，变得更沉闷了，未知的事物总是会带给人一种莫名的恐惧。在恨意消退，不得不考虑生存问题的时候，有一种恐惧像毒虫一样慢慢地爬上了他的心头。此时余罪感觉到了仓里的变化，有翻身的，有打哈欠的，有挪着身体的。整个监仓有着明显的层次，大通铺上并排躺着十余人，铺着毯子盖着薄被子；甬道也有数人，铺着瓦楞纸板，盖着自己的衣服。而像他一样席地而睡的，在这里毫无例外是属于极为赤贫的。

阶级在这里看起来更明显了，余罪心想。

“啊……起床！”

---

1 狱侦耳目，又叫“狱内耳目”，是指监狱从在押罪犯中建立和使用的秘密侦查力量。他们是在狱侦人员的直接管理和指挥下，搜集、掌握罪犯思想动态和犯罪活动线索，获取证据，侦查破案、制止自伤自残自杀等抗改行为的群体之一。启用他们是监管安全工作的一项重要内容。

门口，被子里钻出来一条全身炭黑的大汉，东北口音，起身裸身光着大脚丫在床沿走着，顺势踹了几位还在睡着的，骂咧咧了几句；到了马桶池边上，旁若无人地把余罪踹过一边，哗啦啦开始“放水”。那全身虬结的肌肉，以及后背上的疤痕，让余罪联想起斯巴达三百勇士的形象，“粗”和“壮”是两个最准确的形容词。

“这是哪类悍匪？”

余罪默默地回头时，看到这人的铺位在门口第二位，应该在监仓里地位不低。可以他的眼光瞧，又觉得这样的人不可能是个什么人物，太嚣张，任何人都会对他下意识地防备。

那人放完水，回铺位的过程中又踹了几个人，醒来的人更多了。余罪瞥到了睡在第三位的，却是一个满脸胡茬的汉子，眼眶深，鼻梁直，一口白森森的牙，皮肤很白，个子很匀称，标准的西北相貌。他到马桶池边放水时瞥了余罪一眼，嘟囔了一句，不用翻译，应该和“去你妈的”是一个意思。

咕咚……咕咚……

沉闷的声音慢慢地在靠近，这个监仓也随着天色在渐渐苏醒，醒来的人陆续到墙角这个马桶池边上小解。大部分人和普通人无甚区别，余罪的担忧稍稍去了几分。

就是嘛，都是两手两脚、四肢五官，没什么更稀罕的。

“昨晚新来的，蹲门口，一会儿出去洗干净啊。”

有人嚷了，余罪反应过来，是当头的一位，睡在离门最近的地方。他起身时，余罪才发现这位传说中的牢头一点也不凶神恶煞，五官清秀，留着一头与众不同的长发，让他在这个土狼群里显得格外耀眼。

他诧异了下，还没反应过来，旁侧的一位撒完尿的踹了他一脚，浓重的川音骂着：“老大说话，不会应声啊？”

余罪愣了，妈的，从昨天开始，就光挨打了。他瞪了一眼，是位个矮的瓜娃子，年纪甚至比自己还小，充大似的一扬手又要打过来。不料余罪出手了，闪电似的出拳，直击瓜娃的鼻子。

“嘭！”

“哎哟……”可怜的瓜娃毫无意外地向后摔倒，哄笑四起。他一骨碌爬起来，恼羞成怒地冲上来，可不料迎面又飞来一脚，直愣愣蹬在小腹上，瓜娃痛吟一声，重重地坐在过道里，半晌喘不过气来。

“哟，有点意思，好长时候没见到过刚进门就还手的了，一会儿兄弟们陪你练啊。”

牢头发话了，不像本地口音，他笑着站在马桶池边上，边“放水”边饶有兴致地打量着余罪。余罪没理他，不过因为这几下出手似乎引起了更多人的兴趣，都像看外星人一样瞅着他，不过大多数是不怀好意的眼光。

“妈的，闹事就闹大，不知道行不行。”

余罪在打着小算盘，闹大，闹大，闹到看守所所长那儿不知道行不行，闹得凶了，不知道能不能出去。不过他想许平秋能安排他进来，那就应该有别的渠道知道，如果胡闹一番待不下去，应该会有一个转机。

一念至此，他又环视这个监仓，不算他在内，十九个人，看体型基本就看个七七八八，东江省人干巴瘦，他们聚了一拨，在铺中段，在这个监仓应该属于小团体；黑大个子、西域人再加上长头发的，聚了一拨，他们的被子有人叠，应该在监仓是上层，至于甬道来回忙碌收拾内务的，差不多就是和自己一样，来自天南海北的苦主了。

咕咚……声音终于响在头顶了，余罪觉得背后一凉，这才发现那是开门的声音。在头顶是胳膊粗的钢管滑道，一开门才发现外面别有洞天，是个小小的活动空间，一个水池和几平方米的空地，头顶依然是拇指粗的钢网，只有抬头可见的一片天空。此时潮湿又冷冽的空气灌过来，一夜的污浊气息顿扫一空。

不等有人吆喝，余罪出去了，外面狭小的钢混笼子，也不知关过多少大奸小恶、小贼大盗，四面斑驳的墙已经磨得光亮可鉴。昨夜扔出来的衣服就在窗底，他就着水龙头草草洗了一把，光着上身胡乱套着裤子，身无长物，但总不能光着屁股吧。

衬衣搭起，套着短裤的余罪心里一动，把薄薄的秋衣捏在手里，指甲开了缝，不被人注意地慢慢撕开了。之所以做这些，是因为他看到很多双不善的眼光在盯着他。他知道，作为新人进门，第一顿揍是难免的，就像传说中的下马威、杀威棒之类的，他可没指望在这里面还会有公正。

闹他妈的！最好闹得谁也收拾不住，老子就不信他敢看着我去死！

他盘算着，恶狠狠地想着，浑身的血脉贲张着。头顶十数米外的武警正在巡逻，余罪心想这帮孙子肯定要趁换岗的时候来动手。他又往监仓里看了看，后仓通过甬道到铁门口，有十米不到的距离，如果擂响铁门的话，应该能惊动外面的管教，虽说这类“挑衅”有可能导致严重后果，可以他的认知，其实谁都怕死，不但怕自己死，更怕别人死，这个仓里真要有人横尸，怕是从嫌疑人到管教，谁也脱不了干系。

妈的，就算死也拖上几个。余罪恶狠狠地想着，想着许平秋那张和蔼却奸诈的脸，想着派出所那些道貌岸然却专门算计人的脸，想着此时全仓一张张狰狞的人渣脸，他心里突然有一种圣洁的感觉，从来没有觉得自己会处在如此高尚的位置。

“小子，够横啊。”

有人在背后说话了，余罪扭头去看，从仓里出来了四位，其中就包括那位被他踹趴下的。说话的是位缺了一颗门牙的，两湖口音，眼睛里带着杀气，十有八九是干了抢劫一类案件的人渣。

余罪慢慢地移动着，退到了墙角，这地方方便龟缩和防守，有墙可依，不会被按倒痛扁。不过他这一个动作让对方以为自己恐惧了，那四位，慢慢围上去了。监仓里，呼啦啦出来了不少，都瞪着眼，那或奸诈或凶恶的眼神，足够聚集杀气吓尿新人。以前吓趴下、吓跪下、吓尿裤子的多得去了，再悍的新人面对一群恶狼，也是待宰的羔羊。

“哟，确实来了个横的。谁打服他，我奖五包面。”

有人隔着格子窗说话了，是那个长头发的帅哥牢头，开出了“赏金”。旁边一黑一白两位哼哈将咧着板牙笑着，像看斗鸡斗狗一般。让余罪不解的是，五包面的悬赏让围攻的人眼睛都亮了，不少人的拳头握紧了，步子迈开了，把他死死地钉在墙角。听到武警岗哨换岗的哨声时，一刹那间，全动了。

群殴正式拉开帷幕，正在一个密封环境监视着现场的警察，被一群狰狞的面孔吓得打了一个寒战……

人渣遍地

曾经在警校，认识余罪的都知道他很贱。不光嘴贱，手也贱，身上的每个部分都贱，贱到在学校攻防课上以及体能训练上已经无人能敌，因为他身上每一个部位都可能成为杀器。

缺门牙的汉子打头冲上来了，后面的拳头已经挥起来了，就这么大地方，别说是个人，就是只老虎也要被群犯按死。

人冲上来的刹那间，新人眼都不眨，牢头的眉头皱了皱，突然意识到了一丝危险，出声喊了句："小心。"

晚了，余罪手捏着鼻子，"哧"一声，对着众犯狂擤鼻涕，湿湿的鼻涕星子乱迸乱溅。当头一位"哎哟"一抹脸，余下几位忙不迭地往后躲，这几乎都是下意识的动作，一下子冲上来的士气被瓦解了。那缺门牙的一抹脸，气得怒火中烧，化掌为拳高高落下时，却不料"啊"一声，两腿夹得紧紧的，低眼看时，那擤鼻涕的新人已经伸手捏住他的命根了。

说时迟，那时快，余罪手上一使劲，那人再惨叫一声。他刚一弯腰，余罪却放手了，瞬间来了个勒脖子的动作，把这人护在身前，恰恰挡住了挥向自己的拳头、踢向自己的脚。

"啊！哎哟……我操……谁他妈打我……"

一阵零乱的叫声，混战中挨得最重的反倒是被挟制的缺牙哥了，那人脖子被勒得喘不过气了，下身又疼得厉害，脑袋又挨了几拳，憋得满脸青筋暴露，腿往后乱蹬，就是蹬不到挟制他的人。余罪胳膊上再加力，以他为支柱，左一指，右一脚，居然奇迹般地和剩下的四五人打了个旗鼓相当。

没办法啊，那出指戳的是眼睛，出脚踹的是裆部，你一捂眼睛，马上变戳为拳，直捣鼻梁；你一捂裆部，手又戳上来了，肾上腺急剧分泌的余罪越战越勇。霎时间进攻的人群叫苦连连，嚷着要拼命，可就是拿躲在墙角的这位没办法。你不动，他不动，你一上去，马上就挨一下子，招招都是要害。

“蠢货。”

大黑个子分开人群出来了，一仓剩下的人直往后退，这个刚刚打乱合并的监仓十九名嫌疑人，就数这位武力值最高，进门就把大部分人恫吓住了，直接坐到了仓里二牢头的位置。可毕竟也是新仓，你吓得住人，可暂时还指挥不了人，除非有机会立威。

而这个时候，正是最合适的机会，牢头笑了笑，隔着格子窗嚷着：“黑子，速度快点，别坠了你们砍手党的威风。”

旁边的那位西北人笑了，这个牢里领导班子也是刚刚建立，牢头因为名声在外而且外面送的东西实在殷实，要论拳头，当然还要数黑子的过硬了，那身肌肉棒子就能震住大多数人。

“都他妈吃屎长大的，收拾不了一个。”黑子拨拉开战圈外的四人，瞪了余罪一眼，手指着道，“放开。”

眼睛里杀气颇浓，放哪儿都不是善类，不过余罪此时早打红眼了，他知道要是这个时候服软，那只能更惨。于是他把那人勒得更死了点，恶狠狠地嚷着：“妈的吓唬谁呢？老子吓大的！”

黑大个气着了，一言不发，飞起一脚，直踹余罪的肉盾。那人惨号一声，勒着他的余罪也感觉到一股大力袭来，避无可避，“咚”的一声重重地撞上了后墙，浑身像遭了一记雷劈，晕乎乎的，喉头有点发甜，手一松，那被挟制的肉盾翻着白眼，软塌塌地倒下了，被旁边的人拉麻包一般拉到一边。

肉盾丢了，余罪直接暴露在一群恶人的面前了。

那黑大个食指一抹鼻子，“呼”地一脚，扫过余罪头顶，饶是他闪过去了，头顶也被掠得生疼。刚一低头，不料那只脚像长了眼睛一样，一个回旋又踢回来了，“嘭”的一声扫在他的软肋上，余罪应声倒地，几乎要把隔夜的饭吐出来。

一脚定乾坤，两脚换日月。脚影翻飞间，那黑大汉满眼不屑，轻描淡写，左一脚，右一脚，或踢，或扫，或踹，或挑，每每踢过去，总听得闷哼一声。余罪被踢得钉在墙上，马上又被下一脚踹到了下巴，还没有回过神来，瞬间又被接下来的一脚挑在肋间，钻心的疼痛还未来得及嚷出来，又来一脚扫在脸颊上。

十数脚之后，停了，刚刚还凶神恶煞的新人嘴里、鼻子里流着血，像被抽掉了筋骨，软塌塌地躺在地上了，抽搐着，翻着白眼，嘴角汩汩流着血。格子窗里，门后、放风圈里靠墙站着的，都吓得噤若寒蝉，大气不敢稍出。

这就是监狱里最悲惨的命运，打趴下，以后再别指望站直腰来。不过那位新人自始至终除了闷哼就一声不吭，隐隐地让全仓的人犯都有点佩服了。

“行了，快点名了。”牢头看了眼躺在地上的余罪，猛然间觉得兴味索然，平时收拾新人都是杀猪宰鸡般地尖叫，监仓的人都快养成听这种喊叫的恶趣味了，偏偏这人一声不吭，好没意思。

黑大个撇了撇嘴，明显感觉到躺在地上的不是个练家子，也就骨头硬点而已，他上前抬脚踢了踢，那人翻了翻白眼，没死。他笑着道：“新人进来，擦一周地，刷一周马桶池，你加倍，一个月。”

“休……想。”

余罪咬着嘴唇，黏黏的，是血。他的手悄悄伸进了口袋，眼睛似乎在积蓄着怒意，慢慢地看向凶神恶煞的犯人。黑大个似乎很有兴趣知道这个人骨头有多硬，他一只脚抬起正准备狠狠地一跺，可不料躺着像死狗一样的余罪一翻身，打了个滚，异样的他还没有反应过来，猛觉得脚脖子一疼，身体要失去控制后仰。

有人注意到了，是躺着的那位，手里变戏法似的拽了一根布条，勒住了黑子的脚脖子。黑子往后一蹬，力道被布条消了不少，跟着他一急，要踢，可不料那人双手一拉，一荡，又消去力道了。黑子吼了声，要弹跳时，可不料那人更损，荡着布条狠狠一拉。

“嘭”地踢到墙上了，再一拉，黑大个吃痛，惨叫了声，“咕咚”一声坐地上了。

余罪仍然没有放手，撕成条的内衣浸水后揉成了绳子，捆个人怕是他挣不脱。突来变故，牢头又奔回来了，眼看着黑子被挟制了，他大吼着“放开”，嚷着让身边人上，要再成群殴之势。一仓人挤在狭小的地方，胆小的，已经开始往后躲了。

饶是牢头出面指挥也失灵了，两个人一个是禽兽附体，一个是牲口转世。满脸是血、眼露凶光的余罪太过吓人，脚踝受伤，依旧悍勇的黑个子吼声连连。这时候已经势成骑虎，余罪死死勒着大汉的脚脖子，疼得黑大个直放狠话：“小子，今天你死定了。”

边放狠话边挣扎，那只脚踢到墙上了，疼得厉害，另一脚被余罪拖拉着却蹬不到余罪。余罪也恶从胆边生，他早被欺骗的事搞得一肚怨气，此时又被打得几欲疯狂了，他拉高布条，怒吼着重重往下一摔：“看谁先死！”

又是“嘭”的一声，只听黑大个如兽般的惨号，脚后跟被砸在地上。余罪放手，猫身一个短踢，拼着全身的力气，直踢黑大个的脑袋，两人俱倒，余罪趴着扑上去，左右开弓，朝黑大个的面部挥起拳头。

一下，两下，每一下都听得犯人们噤若寒蝉，随着声响，慢慢往后退。半晌后，两头野兽撕咬后的结果分晓，余罪慢慢站起来了，黑大个歪着头哼哼，站不起来了。

他向前走了一步，门口的人向后退了一步；他再向前走一步，四周的人都下意识地退一步。

此时的余罪他不知道自己是谁，伴随着浑身的疼痛涌起的全是恶念，满身的血迹让他如孽龙恶虎般散发着恐怖的杀气。一个监仓被羁押的犯人，有点常识的都知道今天要出事了，个个躲着唯恐沾上事，可余罪现在什么也不想，只想着把带头的那小子干死。

对，妈的，干死!

一拳过去，那缺门牙的哥们儿连反抗的意识都没有，直接被打晕了，不知道是装的还是真的，躺在地上像死了一样。余罪踱进了铁门，那位西北人还有点勇气，一回身扑上来了。余罪此时如有神助，腿应声踢去，“踹蛋”的绝招一招见效。那人仿佛把裤裆送到人脚上让踢似的，一个照面捂着裆部坐在床上了。

余罪瞪着眼，怒吼着，疯狂地冲向牢头，牢头吓坏了，紧张地站在原地不敢动了，扯着嗓子喊:“管教，救命！”

随即声音就被“嘭嘭”的一通拳声压住了，余罪在这张帅脸上留了十几记左右勾拳，然后扯着他的头发到了大铁门前，就着脑袋，“咚咚”撞着门。

门开了，警装的管教阴着脸站在门口，吼了声:“谁打架？”

“他打我。”余罪蹲着，一指脑袋晕乎乎的牢头。牢头气得吐血了，一弓身要扑上来，不过被管教一脚踹开了，他这才晓得形势已经不对了，马上按监狱的规矩蹲下，一指余罪道:“胡说，他打我。”

“我是新人，昨晚进来的，他打我。”余罪指着牢头强调着。管教一瞪眼，不管按往常还是眼下的样子判断，新人肯定吃大亏了。

“胡说，我没打。”牢头嚷着。

“进来就让我洗马桶池，我不干，你就打我。”余罪道。

“胡说。”牢头辩着。

“你刚说这个监仓你是老大，谁不听整死谁。”余罪又道，几乎不给对方任何解释的机会。

“胡说！我没有！”牢头瞪着眼，虽然实情如此，可也不能摆到明面上，何况白云看守所正在争创模范监狱，被这人一胡闹，真抓典型给关个单间就惨了。

“你还说管教都是王八蛋，哪个不听话你出去就收拾他……又想否认，说我胡说是不是？”余罪瞪着眼，吓了那牢头一跳，牢头一紧张喷了句：“谁否认了，我偏不说你胡说。”

“管教您听，他终于承认了。”余罪道，抬了抬眼皮，管教的脸色早青了。

想和他这张从小就会为了一毛八分讨价还价的嘴争辩，一般人不是对手。此时情急，人性的奸恶已经发挥到极致，余罪只求自己站在制高点上，哪还管得了其他人死活。

此时蒙头蒙脑的牢头才省悟自己掉坑里了，紧张道：“林管教，别听他胡说，我绝对没说这话。”

“傅老板，你可以呀，我接班第一天你就给我整事是不是？”管教阴着脸，手动了动，夹着根特别粗的橡胶棍，不怀好意地看了牢头一眼。牢头不敢争辩了，老老实实低着头，喃喃了句：“对不起，林管教。”

监狱的规矩可比官场商场大多了，犯人的事一般犯人自己解决，要捅到管教这儿，那就谁都不好受了，所以等闲没人告状。而且毕竟都是一群人渣，谁还指望他们关在一起讲文明礼貌什么的。

这个规矩久而久之已经约定俗成了，而且也成了牢头的职责，你不但得吃得开，而且得压得住，可现在傅牢头明显严重失职了，搞这么大动静，新人被打成这样，还擂门告状。再厉害点，警报就响了。林管教抬抬手：“出来。”

两人一骨碌出了仓门，管教大气地一指吼着：“全部面墙反省，再有类似事件发生，马上封闭监仓。”

那些人仿佛听到了什么恐惧的事情一样，个个兔起鹘落，快速地面向身边的墙站好，不敢回头看，大气也不敢稍出。甚至连刚才被打“晕”的缺牙哥也贴墙站好了，那位一瘸一拐的黑大个被几人掩着，也忍着痛，贴墙边了。

管教满意了，这才重新锁上仓门，摇摇脑袋，表情不耐烦地踢了踢傅牢头道：“我再问你一遍，刚才发生了什么事？”

“啊？”傅牢头一惊，猛地省悟这是息事宁人的意思，立即接口道，“没事，林管教，我们刚才玩呢。一不小心鼻子破了，是不是？”

那眼神投向余罪，似乎有乞求之意，他也满脸是血了，这一场半斤八两。余罪想了想，明显觉得以管教这么低的身份，肯定不是许平秋安插的棋子。而且，甬道里根本没人，万一深究怕是都不好过，权当好汉不吃眼前亏。果不其然，林管教又问余罪：“0022，昨晚来的？”

“嗯。”余罪点点头。

“刚才有人打你？”管教问。

“没有。”余罪愤愤地说了谎话，不是一定要这样说，但他已经知道此时自己该怎么回答。

“哦，是锻炼呀……”管教笑了，一指二十余间监仓的甬道，“这儿锻炼吧，俯卧撑，一人二百个，自己数，别停啊。”

牢头意外地很老实，马上一趴，做势手撑着。余罪稍慢了半拍，马上被管教一巴掌拍在肩膀上，他一瞪眼，管教很不客气地吼道：“快点，我不管你在外面是什么人，可在这儿，你得搞清楚谁说了算！还是说你想试试这个单仓？”

对了，我是犯人。余罪猛然省悟自己的角色了，是被管教的对象。

他一下子趴下，开始做俯卧撑了，做得很标准。管教看两人老实了，没当回事，自顾自地踱着步，向铁栅外走去。关上了大门后他在铁栅外饶有兴致地看着，就像看耍猴戏一般。

以贱制敌

特殊的地方总会有不为外人所知的特殊规则，这里也是，而且身穿警服的管教狱警是这个环境绝对的王者，即便在外面是再凶恶的悍匪，在这里也不敢挑战管教的权威，哪怕对方是个初出茅庐的菜鸟。比如林管教的年纪就不大，二十出头而已，他最喜欢看的就是那些曾经不可一世的大佬、大枭级别的人物，在这里趴着做俯卧撑，那样会让他有一种成就感。

看两人做俯卧撑还算老实，林管教踱着步子，到管教室去了。每天就是把这些人渣训来训去，毫无新意，他准备去倒杯水，再回来挨着个从猫眼瞧瞧，揪几个违反规矩的出来教训教训。

管教的身影刚一离开，牢头开始偷懒了，两条胳膊轻轻一放，胸挨着地面，舒展了一下发酸的胳膊。让他奇怪的是，被打的这个新人体能居然不错，被人揍了，又做了三十多个俯卧撑，居然气都不喘。

“新兵，叫什么？”牢头轻声问着。

“老子姓操。”余罪头也不回地说道，惯于投机摸空的他也停了，也像牢头这么歇着。

“姓曹啊，叫什么？”牢头问，理解有误。

“名叫……你爷。”余罪撇着嘴道。

“曹你……操……骂人？”牢头一愣，咬着嘴唇把后半截吞下去了，瞪着余罪，那眼睛里的凶光犹盛，看得出曾经也是咤叱一方的人物，最起码不是偷包摸口袋的小贼。

“骂你怎么了？老子不敢惹管教，还不敢惹你？只要还在一个仓，我他妈迟早得勒死你。”余罪侧脸，两眼露着凶光，恶狠狠地道。

狭路相逢，凶者胜，恶者赢，这个地方潜规则和警校类似，余罪觉得自己适应得很快。他和牢头没仇，不过如果牢头和你有仇的话，那全仓的人都会和你有仇，日子恐怕就不好过了。余罪下定决心要拿这个货开刀了。

有了前面把黑大个勒倒致伤的经历，余罪的凶相让牢头打了一个寒战。这个很帅的牢头明显不是靠拳头坐到现在这个位置的，估计也就是个有钱主，外面送的东西殷实。余罪早看出来了，果不其然，这人巴结上自己了，小声道：“我叫傅国生，道上都叫我富佬，跟着我干，我保你出去一年赚几十万……就在里面也亏待不了你，想吃什么喝什么，我叫外面送。怎么样，咱们和解？”

怕了，这位养尊处优的牢头看来真怕碰上个不要命的，偌大身家折在个无名小辈手里，那外面的花花世界可与他无缘了，特别是他对这位新兵那招踹裆记忆犹新，他想到了自己被踹的后果，未免又一身冷汗。

余罪笑了，龇着带血的牙齿，不屑地道：“刚才不是还教育我吗，一句话就想扯平……几十万？你他妈也穷得只剩裤裆里的两个蛋了，你拿出几十万我瞧瞧？”

“老兄啊，关公都有走麦城的时候，谁能没个落难的光景……你不信是吧？我换了三个监仓，都是老大，我从来不打架，不过能打架的，都被我养着。想抽什么牌子的香烟，想吃哪家饭店的大餐，你列出来了，一天之内包你满意。”牢头折节下交了，而且越结纳不到，越让他惶恐。

行善不一定有好果子，但作恶的效果可是立竿见影。

“呵呵，我信。”余罪道，似乎被说服了。

“对了，就是这个样子嘛，我傅国生向来以德服人，咱们君子动口不动手，有事好商量啊。”傅牢头道，紧绷的脸色笑开了。

“哦，你是说君子动口不动手？”余罪问，慢慢地回过脸来。两个人的脸几乎贴到了地上，牢头喜出望外，点点头，微笑着向余罪示好。余罪也笑了，两人此刻就像相逢一笑泯恩仇，非常和谐。

可不料余罪一努嘴，猝不及防地“呸”一声。牢头一闪，哎哟，一大口带血的唾沫沾在他上唇部位，黏糊糊的，恶心得他直想吐。他想还击，不过生怕又挨揍，硬憋下了，憋得尴尬不已。

看对方这德性，余罪这才笑着道：“你说的，君子动口，那我就当回君子。”

“你个……”牢头火气上来了，可不料刚一擦脸，余罪又是一阵“呸呸呸”，而后又上手揪着他头发直往脸上唾。傅牢头受此奇侮，挣扎着从余罪手里挣脱，打着滚喊着：“哇！我要杀了你！哇……好恶心啊……”

边擦脸边惊声尖叫，牢头惊恐地离了好远，管教风风火火奔出来，喊着又怎么了。不过等他到时，却看到了新人在中规中矩地做俯卧撑，而牢头却像遭受非礼的女人一般，靠着墙，大喊着救命。这回什么也不顾及了，直指着余罪道："林管教，他唾我……唾我脸上了，好恶心。"

"怎么回事？"管教愣了，看着余罪。余罪单手支地，一指牢头道："他不听管教指挥，不好好俯卧撑，偷懒，这种人谁看见谁也得唾弃，所以我就唾了他一口。"

余罪嘴上边说，边老老实实地做着俯卧撑没停。管教愣了下，且不论谁对谁错，不过这样堂皇的解释可是头回听到。他哈哈笑着，像是听到了什么开心的笑话一样，反过脸却是指着牢头道："你，继续，听到没有，连新人都看不惯你。"

傅国生又恼又羞又气，而且还有点恐惧，不过在管教淫威四射的目光下却不敢造次。他又一次躬身趴下，老老实实地做着俯卧撑，而且还不时地瞄着余罪，生怕自己再中招。做了若干个，余罪估计着他的胳膊快酸了，猛地一停，嘴一撇，喉头一梗，作吐痰状。看到了这个动作，傅国生吓得赶紧拿右胳膊去挡，可不料左胳膊一酸，"咚"地摔了个狗啃屎。疼得他"哎哟"乱叫，耍着无赖，不做俯卧撑了。

管教瞧见这个小动作，看得喉头一噎，差点被一口茶水呛着。刚要训人，可不料又被傅牢头的德性逗乐了，他拎着水杯，捂着鼻子笑着，闪过一边消化这个笑料了。

"就这么点出息，不过如此嘛，有事找管教挡着，你可不配当老大啊。"

紧接着就是一声低沉的叹息，傅国生抬头时，余罪已经平静，却撞到了让他觉得更阴森的眼神。傅国生猛然间省得自己失态了，作为牢头，其责任就是约束一监仓的人，不给管教找麻烦，犯人的事犯人自己解决，可此次破了禁忌的，恰恰是他。

"大佬啊，你是大佬，别唾别唾……"傅国生半掩着脸，生怕再遭唾沫袭击，低声下气地哀求着，"这个大佬你来做，行了吧？我和你远日无怨，近日无仇，没必要搞死我啊！”

“你记性不好了，刚指挥人收拾老子，你都忘了，我不搞死你，搞死谁呀？”余罪翻了翻白眼，惊得刚要支撑起的傅国生一个哆嗦，又趴下了，他苦着脸道：“哪个监仓不是这样的，你还指望这里面搞民主？我也是没办法，是被管教指定当牢头的。”

“现在知道害怕了，那赶紧想想遗书怎么写，今天不弄死你，你就不知道老子是干什么的。”余罪恶狠狠地道。

有道是憨的怕愣的，愣的怕不要命的，你不要命，那要命的就怕你了，这是他从小到大积累下的不多的社会经验之一。这个经验在以雄性为主的警校已经千锤百炼了，余罪下狠心了，要狠到底了。

当然，他期待通过这个举动被带走，不是管教处理，而是更高一层。可他失望了，一直没人来，长长的甬道被拇指粗的铁栅阻着，闻着飘来的食物香味，饥饿感让他的嗅觉格外敏锐，而一旁的傅国生却没有这种感觉。他听得余罪似乎还不准备罢休的话，此时却是怒极反笑了，笑着道：“你要抢我牢头的位置没问题，不过你想要我的命，话就大了啊。这地方别说你杀人，想自杀都难。”

严格地说这地方确实如此，看守所不同于监狱，一来人多、二来管理集中，头顶武警就在咫尺，真要出现炸仓、逃跑、杀人之类的事，下场恐怕得用生不如死来形容。

傅国生找回了点面子似的，哪知刚一得意忘形，又是“呸”的一声，他脑袋一颤，感觉到了额头上湿湿的，估计又被吐了一口。他气得又趴下了，这奇耻大冤算是没法子报了，碰上个根本不懂人话的货，这道理算是讲不成了。

“试试看，监仓上的岗哨巡逻路长四十米，来回走一次十分钟，管教开两道门进去最快得四分钟。你虽然是这监仓的牢头，可大部分人也就仗着人多起个哄，真拼命，黑大个和西北人一伤，你觉得还会有人？”余罪细细数着自己看到的形势，吓得牢头一激灵，余罪适时地补充了句，“天时、地利我都占了，而人和你没有占，要你的命，不算很难吧。”

余罪下定决心了，得干点更大的事，仅仅是管教处罚肯定不够，要想惊动上面，那就得干点更大的事，监视的人未必敢放任他胡来。

“你、你敢？！”傅国生咬牙切齿，不知道是恐惧还是愤怒，不过面对这位出手出口都能伤人的恶人，他却一时无计可施。

冷不丁余罪一个鱼跃起身了，吓得六魂无主的傅国生又是一惊，躲开了，惊恐地要喊救命。可不料余罪并未发难，大声喊着：“报告管教，二百个俯卧撑做完了。”

说完他就老老实实蹲下了，管教从拐角露出身来，强忍着笑，开着铁栅。傅国生却是急了，嚷着要换监仓，此时他帅帅的脸庞也有点变形了，这同一个窝里有人时时想要你命，那还了得？

“进去！你以为这是你家开的，想换就换？”管教不耐烦地训了句，要结束这个锻炼了。

余罪和傅国生弓着身回到了仓里，监仓里面壁而立的一干犯人不敢稍动，管教看了几眼，没吭声，关上了门。

早饭的时间快到了，看守所刑期不长，在此地扮演送饭仔和清洁工角色的，正推着一辆饭车从铁栅外过来，远远地站定打报告。值班的林管教从猫眼里看了一眼，没有什么意外，收拾一顿就能安生一段时间。他掏着钥匙，上前开门，放送饭的进来。

监仓里，余罪站在最前面，挑衅似的直对着摄像头，然后又凶神恶煞地盯着一监仓的犯人，像在寻找对手。可这个监仓里，唯一有资格当对手的黑大个子正用一件破衣服包着脚踝，伤得不轻，肿得老高了；那个貌似凶悍，实则软蛋的西北人也远远地躲着，生怕这人再找碴儿。

“老子今天要弄死个人。”

余罪瞄着众人恶狠狠道，他突然感觉到一种从未有过的疯狂感觉，一监仓的人渣俯首听命，震慑于他的疯狂，那是何等的让人血脉贲张。

他一顿，声音几乎从牙缝里迸出来：“谁敢拦着，老子连他一起弄死。”

说着，手一抽，藏在裤腰后的布条子一挣，露出一条让人恐惧的自制绳。他两手持着，两眼如炬，挨个看过，每走一步，旁边的人都惊惧地后退。这个人的疯狂众人都领教过了，谁自认也没有黑大个那块头，自然不愿意落他那么个下场。

傅国生傻了，他可没想到新人真敢，他紧张地要往大门口跑，不过又不确定能不能冲过去。他推着西北人，祈求帮忙，那西北人上前一步刚要说话，却不料余罪扬头吐了他一脸，然后一瞪眼："滚一边。"

西北人听话了，一侧身躲开了，傅国生最后一道屏障没了，惊恐地鼓着勇气往铁门口跑。不料余罪沉身一扫腿，两手一兜，套猪仔一般，用布条套着他脖子勒了个结实。然后他对着监视镜狂笑着，使劲地勒着，被勒的傅国生凸着眼珠，吐着舌头，嘴里"嗬嗬"有声。

这个恐怖镜头让满仓的嫌疑人后背透凉，头皮发麻，个个看着蹬着两腿挣扎的傅牢头，谁也不敢上前救援。

勒着人的余罪，他期待着听到铁门的响声，听到武警的叱喝声，听到警报的凄厉声。他一刻也不想和这群人渣待在一起，一刻也不想再没有什么尊严地被人训来踢去，他想通过最激烈的方式，让自己离开这个糟糕的地方。

不过他失望了，在这个封闭的空间里，他只能听到靠墙躲的那些人渣紧张的喘息声，只能看到那一双双惊恐的眼神，他感觉到被他勒着的牢头粗重的喘息，感觉到越来越弱的抵抗。当他又一次低头恶狠狠看着这个监仓最不可一世的人时，那人满眼乞怜，双手扯着扯不动的蘸水布条拧成了的绳子，是那么的无助。

生命在这一刻，是如此的脆弱，他不知道自己何时已经沉浸在那种极度狂野而满足的欲望中，那一种能掌控别人生死的感觉。余罪觉得浑身都是力量，这股力量足以震慑所有人，也足以把他自己烧成灰烬。

我是谁？我为什么会这样？余罪手不再加力，他有点蒙了。

即便我杀了他，难道能出去吗？答案很简单，出不去。

他突然间发现自己像入魔一样，在清醒和迷茫中徘徊，再迈一步就是地狱。可退一步，也并非天堂。天堂的门向他紧闭着，直到现在，仍然没有意外发生，管教、武警、警报，都没有出现。

而在其余人看来，时间却过得飞快，那个不知道什么来路的亡命徒，火并了监仓里武力值最高的黑子，现在又要勒死牢头。这种悍人只听说过，谁可都没亲眼见过，一个个紧张地靠着墙，生怕和这事沾上边。即便就在看守所，也不可能死了人没人负责，在场的，怕是没人想担上个责任。

“兄弟……兄弟……求求你……饶了他……”

那黑大个爬着出来了，伸着手，无助地向余罪哀求，脚踝被伤得厉害，肿了一大块。他站都站不起来了，爬到余罪不远处，抱着余罪的腿，却已经失去拼命的勇气了，大声地哀求着余罪放手。

“兄弟、兄弟，够了，真闹出人命来，你的命也得赔上，求你了，我替老傅给你磕头了。”

黑子看着傅国生已经开始翻白眼了，情急之下，一骨碌跪倒，“咚咚咚”连磕几个响头。他知道人逼到这份上不能再来横的了，真要出了人命，那谁也甭想再有翻身机会了。

蓦地余罪放手了，他痴痴地站着，突然对这个跪下的大汉有一种带着欣赏的怜悯，像这样骨子里有义气的人不多了，尽管也是怕死认㞞的一个。

手一松开，傅国生委顿在地，黑子抱着这位长发帅哥，很专业地揉着颈部，撬着嘴巴，拍着后背。傅牢头咳了声，大口喘着气，缓过来了，惊恐地看着余罪，紧张到浑身痉挛，刚才离死亡，太近了。

“我没想杀他，只是想告诉他，要他小命很容易。”

余罪冷冷地说，心冷到冰点，出这么大事，管教和武警还真没露面，那他更确定这里面有故意的成分了。他扬着头，看着摄像头，有点丧气地自言自语着：妈的，你们赢了。

他觉得自己输了，不敢下这个杀手，可他却说不清自己骨子里哪来这么多邪恶的成分，想把一个不太相干的人置于死地。

输了，没有被带走。那股子懊丧袭来，一下子吞噬了他全部的精气神。他委顿地低着头，默默地出了放风间，就着水龙头，洗着身上、脸上的血迹。此时早饭时间已到，送饭仔在传递道上敲打提醒着，有人喊了声，早有犯人端着一摞塑料饭盒，从几寸见方的铁制通道上递出去，然后外面传进来的是一盒盒冒着热气的早饭。

余罪深嗅了一口，清香的白米饭，从来没有闻到大米也会有这么香的味道。他扔了衣服，到了接饭的地方，手拨拉开几人，提了两盒饭，也不知道谁的塑料勺子，拿着便走，坐在打着铁框的水泥通铺边上，狼吞虎咽地大口吃着。结果吃得太急被噎了下，他正扬着头，面前突然出现了一杯热水。

咦？是那个脸上几颗痞子的瓜娃子，赔着笑，拿着塑料缸子给余罪递着热水，谄媚地道：“老大，呷口水，这米有点硬。”

余罪不客气地接过，仰头几口，递回了缸子，又把剩下的饭扫了个干净。饭盒不知道谁的，他往台子上一扔，打了个嗝，光着脚站在通铺床上，瞅瞅一人高的水泥置物台，抽了床看着干净点的毛毯，肩上一扛，大摇大摆地出了放风间，到笼子里见得着阳光的地方，一铺人一躺，就那么嚣张地打着呼噜睡上了。

满监仓的人犯没人提出异议，包括毛毯的主人傅国生也没有，没人再敢挑战这个新人，那这个监仓的牢头就要易主了。进来第一天当老大，看守所历史上也是绝无仅有的，所有人都看着余罪的一举一动，就一个感觉：这个亡命徒，真他妈跩！

同在此时，封闭的环境里观察着现场的警察也傻眼了，重点监控和提防的是这个“嫌疑人”的安全。可谁曾想，他差点造成别人的伤亡，而且眨眼间他成了这个监仓的王者。他们盯了睡觉的那位一上午，生怕再有意外。

足足一个上午，满仓十九位各色罪犯，无人敢近其身。

各有惊奇

鼠标和豆包分开了，两人在回省第二日接到通知，分别到新的实习单位报到。豆晓波去了省厅刑侦处直属的应急分队，报到第一天就被编入春季集训，扛着五公斤的装备跟着特警队一起训练；鼠标直接去了二队，他更惨，第一天就被人手急缺的一个小组编入外勤队伍了，任务是追踪一个搞赌博机的犯罪团伙，邵队长不知道从哪儿听说鼠标兄弟眼睛贼，直接把他编进蹲坑盯梢的队列。

刚开始挺好玩，不过一天下来鼠标才发现这真不是人干的活，盯着目标不能有任何闪失，而且要记住你看到的每个细节。这样一来，吃饭、上厕所都成问题了。光那泡尿就把他憋得肚子疼，他提了点意见，可不料换班的却埋怨他不该一直喝饮料。

这个惫懒货色干了一天就想撂挑子不干了，可不料心思早被邵队长窥破了，把他叫到办公室训了一顿。这回可不客气了，实习期都坚持不下来，还想穿警服？邵队长直接给了个建议：不想干，滚蛋。

鼠标的心眼多，可胆子并不大，为了那身警服，忍气吞声地又回到那个倒霉岗位上了。

除余罪外返回的九人都得到了封口的命令，彼此也都不知道各自的下落，不过熊剑飞却是和张猛搭伴报到的，报到地门上拴着一个“部队装备后勤处”的单位牌匾，位于省城郊区，离一个驻地部队不远，几乎就是荒郊野外了。

不过到地方两人都惊得张大嘴了，这里居然有一个排的女兵队。两人去的时候是上午，女兵整齐的队列、铿锵的号子、有节奏的步伐把两人看得一时间激动不已，一步三回头地到了报到的地点。接待他们的是部队一个中校军衔的军官，撇着嘴说个不停：“妈的，老许办点小事，还得讨人情回去，真不要脸。”

老许自然是许平秋了，听人家这么称呼，敢情不是一个系统，可不是一个系统怎么让他们到这儿实习呢？张猛和熊剑飞相视着犯迷糊了，那中校也不再多话，直接把两人领到大操场，他吼着操练的女兵队到面前报到，然后随便指了一位：“秦秀芬，出列。”

一位中等个子，晒得老黑的女兵上前一步，直挺挺地站到队列之前，中校一指张猛和熊剑飞两人道：“地方警察来实习，给你一分钟，把他们放倒。”

“啊？这就开打？”熊剑飞愣了。

“我不打女人。”张猛道。

他一开口，一群女兵哈哈大笑。

“你们要能打过她，就能毕业了。”中校不怀好意地笑笑，把两位愣人刺激到了。两人一扔背包，拉开架势，互视一眼，左右一让，张猛冲拳直奔面门，熊剑飞扫堂腿直扫下盘，这一招是两人为了对付余罪那个贱人想出来的，配合相当默契，上盘下盘几乎同时而至。

那女兵眉头一皱，碎步急速地后退。熊剑飞的扫腿落空了，马上变换成冲拳，张猛个子高，长腿一摆，又使出了扫下盘的动作；两人一个变位，仍然是上下齐出，那位女兵没有找到破绽，仍在急速后退。这架势一拉开，两个猛男不客气了，三个照面追了女兵十几步，眼看就快接近人了，可不料那女兵猝然发难，口中大喝一声，一脚踹向熊剑飞的短脖子，熊剑飞奔得太急，一下子觉得像撞上一堵墙一样，步子被钉住了。

他一停，张猛错位了，被那女兵一扭胳膊一个大背摔。猝不及防的张猛“哎哟”了声，被人重重地摔过头顶了。熊剑飞刚回过神来，可不料那女兵已经扑上来了，一搂脖子，一个膝撞，熊哥一下子觉得肚子那部位不是自己的了，吃痛地捂着肚子，龇牙咧嘴地蹲下了。

“三十六秒，还凑合，归队！继续操练！”

中校吼了声，那群哈哈笑着的女兵继续列队跑步去了，中校慢慢踱到了两人身边，谑笑着说道："每年都有特警来我们这儿接受集训，基本就这个强度。你们明天将被编入新兵连从头开始，进去可就出不来了，要走，只有今天一天的考虑时间。等老许把委托函发过来，后悔可就晚了啊，仔细考虑一下。"

中校说完大摇大摆地走了，连食宿问题都没有交代，在他看来，这个下马威足够把愣头青吓跑了。每年都接受上级交给的代训任务，不过这两位是地方省厅的大员走后门送进来的，他并不怎么看好，估计吓吓能吓跑，自己也省事。

不过他小觑了两位学员的承受力，等他回到作训室的时候，那两位屁颠屁颠跟来了，张猛满脸不服道："我们不走了，大不了再打几场。"

熊剑飞老实，很诚恳地道："进门就被个女人打了，我们也不好意思走啊！"

中校笑了，他们留下了，回头才知道被坑了，那一队女兵都是特警，跟他们对打那位是教官。

回省城的第二天，骆家龙是独自到省厅信息管理中心报到的，单位建在宣化区一个比较偏僻的地方。报到的地方在技侦楼上，进门就看到了窗明几净的大厅，进出警服鲜明的同行，他深为自己将成其中的一员而骄傲。

接待的是一位年龄三旬的科长，带着骆家龙巡视了一圈，和他讨论了一番对警务信息化的认识，以及对罪案信息库的了解。从一层走到十二层，谈得相当不错，科长挺满意这位警校小伙的专业知识，而骆家龙也非常满意这儿的工作环境。

到十二层时，科长停下了，语重心长地对骆家龙道："小骆，你的资料我看过了，许处长亲自点名的，应该错不了，理想抱负咱们先不谈，未来和展望咱们也先放下。当务之急呀，是要把全省的罪案信息库重新整理一遍。天网名声在外，可疏漏咱们自己人也都清楚，县一级的刑警队在案件电子归档时都不规范，派出所就别提了，这就给咱们警务联网造成了相当大的阻碍。万一有跨市、跨省的案件，就一下子凸显出咱们后台支撑的问题了。你先到电子档案上，有问题吗？”

骆家龙愣了下，没想到是这么简单的工作，电子归档无非是梳理一下旧案的各类证据，建条目和索引，方便即时查询；相对以前无非是做成电子版的，他挺胸敬礼道：“没问题，王科长。”

“好，你要能适应，我保证你能留在这儿。”王科长高兴了，像是发掘到了宝藏一般。

两人谈得都高兴，可到了工作地点时，骆家龙笑不出来了，顶层的工作间几乎被纸质的档案塞满了，五六位熬得两眼血丝的同行在忙碌着。一听新增人手，带头的那位挺高兴，直接给骆家龙安排输入工作，骆家龙一瞅这里连网吧都不如的环境，有点后悔。

不过他忍住了，反正就是简单的输入、比对、查遗补漏的任务，难不住他这位电脑天才。等坐到电脑前又后悔了，这都几核时代了，微机居然还是奔四时代赛扬机；赛扬就赛扬吧，还不联网；不联网也罢了，运行巨慢，他一点配置才知道，这机器是小马拉大车，那种定制机型和监控系统一样，挂的是超大硬盘。

一发现这个他愣了，他算了算一个案件制作成电子档案有3M左右，他又搜索了一下硬盘，找着存档文件，1T的硬盘里竟然装了八百多个G的罪案资料。

他一计算这个工作量，脑袋直接就倒在工作台上，有一种想吐血的冲动。

也在这一天，孙羿到市车辆管理处报到，他意外地在这里遇到了在滨海市半途放弃的吴光宇。这哥们居然在车辆管理处混了一个月了，工作就是拓发动机号、登记、封存，对于这家伙半途而废也能得到相同待遇，孙羿心态极度不平衡。可不料先回一步的吴光宇消息比他多，告诉他今年基层警力大幅扩招，只要警校毕业，好赖都能混身警服穿穿。也就是说，有没有滨海那趟集训，对分配根本没有影响，甚至于真挂个

“刑警”的臂章，还不如人家回地方上当片警查暂住管户口收入高呢。

孙羿油然而生一种被欺骗的感觉，不过好在自己在滨海赚了不少。他想想张猛和董韶军就惨了，一个捡破烂熬了四十天，一个被人揍了四十天，这事说出来，听得吴光宇也是大跌眼镜，两人私下讨论的结果是对组织产生了严重的不信任感。

不过哥俩都没准备撂挑子，这个车管处各色奇车实在太多，有走私进口的，有套牌的，有盗抢的，还有查扣的各类作案车辆。孙羿跟着吴光宇瞄了一圈，两人指指点点讨论着车架、发动型号、轮毂大小，还有传动和制动各类专业问题，太专业，连车管处的同行也听不太懂。

不过从这天开始，车管处好多无人问津的车开始丢零件了……

也同样在这一天，董韶军到了报到地。地方不在本省，他是坐高铁回来的，比别人晚了一天，报到地在邻省长安市，这个掩映在大槐树后的特殊单位，原本不怎么有名，不过有数次国际刑警专程到这里验证证据之后，这儿就成了刑事警察心中一个神秘的地方。

没有岗哨？董韶军进门时发现这里和想象中的不一样。管理太粗放了，进门时连门卫都没有；还是上世纪的旧楼，看着像个破产的旧式集体企业，两三亩大的小院子，泊了辆老掉牙的警车。

这是国际刑警来过的地方？

董韶军皱眉头了，虽然警中有很多神秘的单位，但这也太让人失望了。看来盛名之下，其实难副说得一点不假。

他抱着这有点失望的心态敲响了管理处的门，这里名叫“技侦检验业务指导处”。可他却一点也看不到现代技侦的影子，有的只是让他更失望的东西。管理处接待的是位年过五旬的老头，不怎么客气地指着座位让他坐下，开口就单刀直入问：“每年到这儿观摩学习的有二三百人，可看过之后还剩下不到一半；剩下的一半能待够十天的，也剩下不到一半，一半一半往下减，能坚持最长的记录为二十九天。可二十九天在这里什么也学不到，你准备待多少天？”

哟，看来很难，对于这种有挑战性的事，总是让年轻气盛的学员有所不服。这时候董韶军明白许平秋为什么会把他派到这里来了，那是因为自己的坚持。他挺了挺胸脯道：“我准备待到您觉得满意，我觉得学有所成的时候。”

“呵呵，小伙子，我研究了三十年都没敢说学有所成，知道我们研究主攻的是什么吗？”老头问。

“排泄物，汗渍、血渍、唾液、痰、尿液、粪便等等，我在警校学的就是痕迹检验专业，对这个我有心理准备。”董韶军很诚恳地道。

“专业？呵呵，也好，让你了解一下什么叫专业，跟我来。”老头起身了，披上那身旧得褪色的警服。老头的警衔吓了董韶军一跳，比他见过最大的官许平秋还高一阶，警中有很多外人无法理解的高阶警衔，都是通过某种特殊的专业技术技能评上的，这一位无疑是其中的佼佼者。

董韶军收起了小觑的心思，老老实实跟着老头上了这幢小楼的三层，标着检验室的地方。老头开了门，拦了下董韶军说道：“这里面有一百九十三种样本，把所有的看完，给我讲出它们的特点，不管你用多少时间。这是进门必修的，过不了这一关，你可以自行离开。”

说话间打开了门，董韶军看了一眼就吓住了，然后见老头靠着栏杆，饶有兴趣地看着他。董韶军一咬牙进去了，那老头此时又看着表，似乎在数着董韶军能坚持多长时间。

三分钟过去了，没出来，凑合。

五分钟过去了，还没出来，老头觉得这小伙可以。

十分钟过去了，还没出来，老头有点惊奇了，这孩子是块料，应该不错。

可不料他刚下这个断言，董韶军捂着嘴，从里面飞快地跑出来了。老头适时地把门口的垃圾桶递给他，然后董韶军“哗”的一声，把路上吃的东西全吐出来了；一边咳嗽着一边想抬头说话时，又想起了里面的样本，又继续吐着。

敞着门的检验室里，三层玻璃柜，每格都有一个样本，那是温湿度高度适宜做的培养皿，里面是——大便。

对，一坨一坨，新鲜、湿润，而且颜色各异、形状大致雷同的大便。董韶军即便做好了再强的心理准备，也没有想到实验室能变态到这种地步：培养皿里竟然放着一百九十多坨大便！

“你进门的时候一定很失望吧，这里是上世纪八十年代市公安局物证处的旧址，早该拆迁了。不过因为这个特殊的检验项目，一直留存到今天。刚才让你呕吐的大便，如果把它当作排泄物证据来讲，二十多年间，一共靠它侦破了八十三例各类刑事案件，其中包括七例国际刑警参与的案件。这种最直观的排泄物反映出来的东西，是你心理和技术无法得到的线索。比如，嫌疑人爱吃辣的还是爱吃酸的，有没有烟酒癖好，有哪一种食物喜好，有什么健康问题，进而根据这些情况确定他的身份和地位，甚至于巧合的话，会很直观地盯到某个点上。”

老头侃侃而谈，看来很沉醉于他自己的这项事业，或者对这位坚持时间足够长的小伙有点好感。他看董韶军的注意力被转移了，不呕吐了，又笑着补充道：“你一定很不理解，觉得我很变态对吗？不过从某种意义上讲，犯罪本身就是社会发展的一种变态，实施犯罪的嫌疑人，大多数都有一种这样或者那样的心理变态。咱不变态一点，可不好对付他们。”

董韶军愣了愣，他现在相信这个研究所名副其实了，有这么变态的警察在坚守着，不管发生什么都不会让他觉得意外了。对于这样坚守的同行，他心里也油然而生一种景仰和敬佩。只是面对一实验室那种恶心的东西，实在让他压抑不住作呕的感觉。

“你决定了？留下来，还是走？”半晌，老头问道。也许是走得太多，他并没抱着多大的希望。

“我……留下来。”董韶军咬了咬牙，做了决定。

“好，继续看，把它们的特点看完，仔细研读一遍分析报告，再和我来讨论，下班时我给你安排住处。”老头转身，旁若无人地走了。他回头时，看到了董韶军像上刑场一样，又奔进实验室，不过等到他下楼时，仰头又看到那小伙跑出来，继续呕吐。他又摇了摇头。

住处已经想好了，就住在这里，不知道这位能坚持多长时间。老头如是想着，又坐回他散发着怪味的办公室里。他在通过显微镜仔细观察着白黄相间的液体样本，怪味就来自于这些样本——尿液，也属排泄物。

一下午匆匆过去了，奇怪了，连着两个小时，新人居然没有再呕吐。下班的时间，老头背着手站在门口，看到董韶军出来的时候，他喊了句："嗨，小伙子，手头活放下吧，一起出来吃顿便饭。"

"便"字被老头有意说得很重，董韶军像条件反射一样，猛地一矮身一回头，又开始狂呕了，连连摆手，示意不去。

故意的，老头得意洋洋地走了。他知道新人肯定吃不下，进门三天能开始吃饭，都算适应快的，这个小子的反应嘛，还不够变态。

势成骑虎

三月二十日，岳西省公安厅十层多功能会议厅。

许平秋习惯性地翻开了笔记本，然后手拿着笔，一副用心的样子，不时地在笔记本上写着什么。没人注意到，这位省厅第一处长重复写的是一些莫名其妙的话。

第二日，抢铺睡觉，未发生冲突。

第三日，未守监规集合坐正，被管教干部训斥。

第五日，指挥犯人殴打新人。

这些话是他得到的最新进展，他忍不住在心里暗道了句"妖孽"，之前他定义余罪是以"奇葩"这个词，而现在不得不用"妖孽"一词了。本来就只准备把这位奇葩送进去混个脸熟，上上人渣速成班，为下一步行动打基础，谁知道这奇葩入狱当天就差点勒死牢头。

不是虫，也不是龙，而是外表像虫，内里却是条孽龙的妖孽。对方这么嚣张，把许平秋下一步的打算全盘打乱了。

“咳，各位领导、各位同志，以下由我把去年以前五原市公安局的工作简要汇报一下，请大家审议……”

一声醇厚的男中音响起时，打断了许平秋的思路，他侧头看到正轮到王少峰副厅兼市公安局长汇报工作了。这是他的上一级，许平秋收起了思绪，又是一副正襟危坐，进而摘要记录的样子，不过眼神落在纸上，那些写下的字句还是吸引了他的心神。

这是全年的工作会议的预备会，省市县一级一级开下去，因为厅长到部里开会比往年延缓了两周，今天补上了。许平秋环视一圈，这个团队包括厅级一正四副、处级十四位，基本代表全省警务的最高指挥团队了。每每坐在这儿，他的心情都非常复杂，记不清已经是参加的第几届会议了，不过记得清的是，自己的年纪已经排到这个团队的第一了。

许平秋看着越来越年轻的领导团队，最年轻的处长不到三十，实在是让他有点受伤的感觉，特别是他的专业，每每在会上那更叫一个伤不起。政治处能给个队伍建设或精神文明建设的指标，市局能给个治安总体规划指标，出入境管理处能给个人员增长指标，哪一个指标都是一片大好，就刑侦上不行，犯罪率在增长，破案率在下降；省厅盯得很死的命案破案率目标，刑侦处没有一年圆满完成。

每到这一年总结的时候，许平秋以往总担心因为指标未完成的原因被降职或者平调，不过等了近十年这些都没有发生。他倒期待这事的发生，但依然是失望，后来他活明白了，省厅不是不想换，而是根本无人可换。即便真有适合干这项工作的人选，人家也有意避开了这个出力不讨好的岗位。

所以，他就在这个位置上，成了年纪最老的处长。外人看来声名赫赫的许神探，其实没过上几天舒心日子，很多时间都是在这种上级催办、同级旁观、下级敷衍的消耗中度过的。

说到敷衍，其实大家都在敷衍。

比如兼市局长的副厅王少峰，工作报告摘要里没多少干货，着重强调的就是经费计划，以及装备所需要资金的自筹完成计划，言外之意是不需要省厅拨款，这话厅长爱听；比如指挥中心那位张副厅长，着重强调的信息保密，特别是领导干部个人信息的保密，对未来一年要做的工作包括房产、财产、公务用车等等信息都纳入保密范畴。

许平秋心里在想着笑话，不过脸上没有任何表情。官场是个修炼的地方，而会场更是官场修炼的绝佳场地。在这个地方待得久了，都不会露出明显的情绪波动，你从哪一个角度看，都是一本正经、两眼肃穆，哪像有歪风邪气的样子？

会议，就在这种“正气凛然”的氛围中进行着。

出入境管理处汇报着预期增长的出境人口，以及初步拟定的防控方案；经侦支队汇报着去年查办的经济类案件，罚款金额让在场很多双眼睛亮了亮；人力资源部汇报了警衔评授及本年度的招聘计划；最后才是计划财务装备处的汇报，本年度的财务预算列出来后，下面窃窃私语，尽管金额增长了，但仍然像往年一样，嫌给得少了。

最后是崔厅长做的总结发言，从会务从简到领导干部若干不准的纪律问题，几句带过。宣布散会时，许平秋迅速合上本子，装模作样地跟在同仁的背后出场。出来时却被崔厅长叫住了，身边相随着的一干同仁不像平时开些不疼不痒的玩笑了，都放慢了步子，等着厅长进了电梯后，迅速从另一电梯下楼，回自己的办公室或者坐进各色的高配警车里，忙自己的事去了。

厅长办在八层，崔厅长是从行政领导升到公安系统的，也是许平秋经历的第四任厅长了。进门后厅长坐到办公椅上，许平秋给这位年纪小自己不少的领导倒了杯水，小心翼翼地放到办公桌上，这才恭谨地站在领导桌前，等着指示。

不奇怪，人都有点被捧的欲望和需求，许平秋已经习惯了。

不过这个动作似乎让崔厅长异样了下，他多看了这位黑脸的刑侦处长一眼。这是一位传奇人物，曾经破获的各种稀奇古怪的案子是传奇，处长位置上待了七八年提拔不上去，更是传奇。而这么大年纪还奔波在一线，那就是传奇中的传奇了。

“坐，许处长，刑侦上的业务我不太懂，但在我看来所有警种里，最难、最苦、最复杂的都数不着刑警。”崔厅长呷了口水，轻轻地放下，看到许平秋微皱眉头时，他的话锋一转补充道，“不过综合起来，却只有刑警数得着。所以，除了对你们的工作表示钦佩，我不作其他评论。”

许平秋眉头舒展了，他心道这一任的领导应该比上一任好共事，要是思想统一的话，有很多事就容易办了，不必要把心力和时间都花在内耗上。

“看看吧，你不用揣摩领导意图，说实话，在一帮擅长研究心理学的下属面前，我总有一种惶恐的感觉。”厅长笑着把几份内部资料递过来，许平秋起身接住了，没有发言，仔细地看着。但凡这个样子，多数是有任务要安排了。

果不其然，一份是市局案情综述报告，有关新型毒品的专题；另一份是禁毒局关于“12·7”行动失利的情况汇报；而第三份却是全国禁毒大会带回来的各地案情通报，毒品的蔓延已经远远超乎想象，岳西省虽然不是重灾区，可在全省十余个地市，都有了类似的案情上报。也就是说，制毒贩毒的网络依然在高效地运作着。

许平秋看到接近尾页的时候，崔厅长开口了。

“去年‘12·7’行动失利，唯一的线人死在滨海，之后他们不但不收敛，反而变本加厉，连晋南、晋东南偏远一带也发现了这种新型毒品的销售。许处长，我知道您对临时把禁毒局的工作放到你们刑侦处有点意见，不过我也是没办法。老廖儿子患了尿毒症，家庭又不和，多年的老同志，这个节骨眼上也不能逼着他舍小家保大家吧，您觉得呢？”

这是一门领导的艺术，鞭打快牛、能者多劳是惯用的招数。有些没有工作能力，可却有升迁本事的下属，在遇到工作问题时总会绕着他走。许平秋也已经习惯了，笑道："我无所谓，就怕辜负领导信任呀。"

"千军易得，一将难求。前两任厅长都没有动你的位置，足以说明问题了。我们不用绕弯子，说说你的想法吧。"崔厅长道，要些真材实料了。

"据我们初步侦查，按照这种毒品犯罪的惯例判断，我认为在我省有一个辐射各地的分销网络，'12·7'案子抓获的嫌疑人应该是这个网络的一个节点。我想这个地下通道的规模应该超乎我们的想象，从他们的组织和反应速度就能看出来，线人刚到滨海接头一次就被灭口。之后就销声匿迹，连滨海的警方也没有得到更多的线索，刑事侦查的惯例一般是就案寻线，可现在的难度是我并没有掌握类似犯罪的更多情况，甚至连这种新型的毒品的构成也是禁毒会议上刚刚发布的。"

许平秋斟酌道。这个无头案对于他确实有难点，难就难在案子只有孤立的一件，其他的被查获的都是吸食人员——一些小鱼小虾，没有可能知道上线是谁。

"困难可以提，要求也可以提，装备、人员以及技术力量，对刑侦向来是倾斜的，这方面你不要有顾虑。"崔厅长道。他心里有点别扭，老同志觉悟高、好用，可就是要求太多。因为这个案子，面前的许处长把今年刑警的招聘计划都要走不少，下面说小话的人可不是一个两个了。不过这个时候，哪怕再多的条件也不由崔厅长多考虑了，他接着道，"我刚才已经说过了，刑侦我不太懂，对于不太懂的事我不会指手画脚，也不会干涉你们的过程。但我要个结果，一个能向上面、向全省、全市市民交代的结果，有问题吗？"

"我努力做到，但我需要时间。"许平秋道，面带难色。

"时间可以商量，可这份……"崔厅长扬扬手里一封标着密件的东西，抽出来。许平秋看到了，是他草拟的行动计划。这个计划放了有些日子了，还没有批复，看来领导对此尚存疑虑，崔厅长直接问道，"你的计划里没有标明警力、人选、进入方式，以及后续可能出现的问题，所以我没有批，这是一份很不成熟的计划，你就是按这个计划来实行的？”

看来领导是有所怀疑的，许平秋看着领导，斟酌了下语气道：“现在只能做到这个水平，在没有任何可比对的案情出现时，除了想办法切入对方的内部，没有第二条途径。这些人，个体素质我敢说比任何个体的刑警都要高，他们时时刻刻都冒着掉脑袋的危险。对付非常之人，也必须是非常之法。”

不太懂刑侦的厅长听愣了，在他的任上，有机会接触到警籍里一类特殊编制的队员，那些人经常能干出点匪夷所思的事，他们是警察在地下世界的眼睛。他知道许平秋准备启用这类人了，隐隐地恢复了几分信心，眼睛里多了几分期待。他笑了笑道：“我同意你的想法，对你有信心，也可以给你一把尚方宝剑，你可以以省厅的名义，随时征召你认为需要的人选、装备、经费，而且我可以不干涉你的侦破，但是你需要给我一个时间点，限定的时间里务必完成。”

“可以，两到三个月，我把他们的根刨出来。”许平秋很有自信地说道。

“好，就给你三个月时间，见不到效果，我只能再行换人了。希望这份一切都不确定的计划能给我带来惊喜，这就是做领导的难处啊！明明觉得不确定，还必须选择相信，出了问题又会被人评价为拍脑袋的决策了。不过这一次，我选择相信本厅在职时间最长的一位老处长。”

崔厅长以一种平和、玩笑、轻松的口吻说话，像在调侃，手却唰唰地在行动计划书上签上了“崔彦达”的大名，手重重地一顿，交到了许平秋的手里。

出了厅长办的门，许平秋才长舒了一口气。他胆战心惊地想着：计划是用了十分钟随手写出来的，派去的人送进了看守所，派出去的还是一个警校应届毕业生，而且那个看守所里关着的还不确定究竟和“12·7”案子是不是一拨人……如果厅长知道了这些，他还敢不敢签？

答案是肯定不敢，不过他也意识到一个问题，这个尝试性的计划现在已经没有撤回来的可能，只能硬着头皮往下实施了。他边想边走，摸出在兜里震动了好久的手机，一看是交警总队队长的电话。他接起一听，一下子觉得头大了，风风火火地往外跑着，说了个车管处的地名催着司机就快走。

妖孽不止一个。从滨海回来留在省城实习的也不是省油的灯，居然偷车零件，组装了辆车在高速路上飙车，把交警总队都惊动了。许平秋想得头越来越大，看守所的事还在不确定之中，回省城的倒已经开始捅娄子了，这拨问题学员经过羊城的饥饿训练，想再用规则约束，估计难度不是一般的大了。

问题凸显

偷东西这可是个严重的问题，而且是道德思想品质上的严重问题。两个被抓了现行的耷拉着脑袋，站在管理处的门口，处里的于正伦主任来回踱着步，想着怎么处理他俩合适。

这是个挂靠在交警总队下属的单位，最大的官也就是个科级，而送这两位“贼”来的，却是省厅的一位大处长，明显让小科长有点棘手。出了事他先汇报给总队长，随后一听处长要亲自来，又有点惶恐了，生怕惹那位上级不高兴。

远远看到省厅标牌的车来时，于主任快步奔着去迎接领导了。

门口站着这两小贼，下意识地捂着脸，生怕同行和许平秋看到似的，孙羿侧脸看了吴光宇一眼，小声道：“完了，肯定要被开了，实习期就出问题，甭指望穿警服了。”

“怕个屁，我A照都拿到了，有本比毕业证还好找工作。”吴光宇不屑了，安慰着自己。

“少他妈嘚瑟，你一烂货能有点自觉吗，别把自己当抢手货成不？”孙羿骂道。

“不就拆了点零件吗？所里偷零件的多了。”吴光宇道。

“偷零件不丢人。”孙羿道，不过话锋转回来了，苦着脸解释着，“可偷零件被抓住就丢人了。我说那辆车别拆别拆，你非要拆，出事了吧？你手痒什么呀，手痒不能到厕所墙上蹭蹭呀。”

吴光宇瞪着眼，也气着了，咬牙切齿埋怨着：“拆都拆了，玩都玩了，哪有你这样的，爽都爽过了，回头找后悔药吃，早干什么去了。”

两人相互埋怨着，看来是结伴犯的事。见于主任和许平秋一起走来时，两人赶紧低着头，不吭声了。

事情不复杂，这两位实习生还算敬业，工作就是拓号、登记、造册，近几年车辆拥有量飞速增长，违规违章以及盗抢走私类的车辆也飞速增长，最起码郊外这地方比许平秋记忆中的场地已经扩大了几倍。而这俩敬业的实习生也太“敬业”了，不但懂车，而且玩车还玩得挺好，没多久于主任放任他们开干，可谁知道就在这时候出事了。

这两人昨天凌晨在高速上飙车，时速二百多公里，把交通指挥中心的都吓了一跳，分别指挥高速交警围追堵截，愣是没追上，最后沿着轨迹追到车辆管理处，才发现是同行。交警总队下命令要严肃处理，谁知道这俩还是实习生，没法处理。再一查车源，问题更大了，居然是这俩自己组装的车，那车零件都是从管理处车上拆下来的。

“就这么个事，许处长，我真不是故意给您找麻烦，实在是影响太坏，亏是没被曝光，真曝光了我还不知道该怎么向您汇报。”于主任道，四十多岁的老交警，一看就属于那类按部就班的类型。许平秋听完，看到耷拉脑袋的那俩“贼”一眼，有点哭笑不得，他突然问了句：“赃物呢？”

“那儿……”于主任指着道。

啊？许平秋吓了一跳，这车改装得也太糙了点，像加强版的拖拉机，用的是北京JEEP的车盖，配的却是进口宽幅轮胎。车架他不懂，于主任说了，这俩害虫真是不是自己的不心疼，把查扣的一辆大切轮拆了，那车市价可值八十多万。至于发动机，于主任凛然道这发动机是辆走私车的机器，他之前都没见过，就交警大队的专人来过，说是电子芯片控制，没密码打不着火。谁知被这俩害虫愣是把它折腾到这破车上，改了线路，居然还飙起来了，那可得多危险啊！

许平秋看了眼这里数千辆车的阵势，丢上一辆两辆，还真不好看出来，他莫名其妙地笑了。于主任却会错意了，以为这两人是许处亲戚什么的，小声道："许处长，我就跟我们总队长说汇报过了，您看这事……"

"严肃处理，决不姑息。"许平秋正色道，不过眼睛一翻，又小声道，"可这怎么处理？他们还在实习期，总不能因为改装个车，就把前程全毁了吧？"

哎！说得于主任那个胃疼啊！"许处长，您、您这不是为难我吗？"于主任喃喃道。

"没事没事，我处理，就当他们没来过。这事就深究起来也不好，最起码你们车管处管理不严这是真的吧？你这不是给你们总队长脸上抹黑吗？"许平秋像是已经拿定了主意，一招手道，"你们俩，车上等着。"

这两人巴不得呢，一溜烟就跑了，许平秋边走边道："一定要以此事为鉴，加强管理啊。他们俩的事内部处理就行了，处理结果我给你们总队长打个招呼。谢谢于主任您了啊，给你添这么多麻烦，实在不好意思，回见，别送了……"

许平秋打着哈哈，背着手，很有领导派头地上车，带着这俩犯了错误的人向市区驶来了。后面的于主任干瞪着眼，早知道许平秋护犊子，可也没想到护得这么厉害。

"两位，说说，为什么偷东西呀？"许平秋坐在副驾上，心平气和地问着。

"没偷啊，又没据为己有，怎么叫偷嘛。"孙羿道。

"就是啊，车管处的都偷零件，就我们没偷。"吴光宇强调着。

司机扑哧一笑，那么大个车辆基地，水至清则无鱼，如果有鱼，肯定都是些不干净的鱼，可不料被这两条小鱼小虾说出来了。许平秋也不着恼，叉手直问道：“你们把罚没和查扣的资产带出规定场地，不叫偷叫什么？麻烦二位定义一下。”

“我们试车。”孙羿道。

“对，试车，那车时速最高能达到三百公里以上，远远超乎我们想象。”吴光宇竖着三根指头，兴奋道。

“马力估计在四百五十四左右，要加上前后防护，穿墙都没问题。”孙羿道。

“那发动机是老美产的GTO，极品啊，扔那儿都生锈了。再不动动，得当废铁处理了。”吴光宇道，看样子有点心疼。

“凡跑得野的都是改装过的，咱们要有辆这种车，想追谁那就是一脚油门的事。”孙羿道。

“我们还想参加全国越野车拉力赛，到时候车前挂着警徽标识，多给警察长脸。”吴光宇道。

许平秋听得直瞪眼，司机又笑了，这俩不知道轻重的，敢情还真是在玩呢。许平秋不吭声了，见领导不发表意见，那俩显摆的也不敢吭声了，打起了小九九，心道就哥这一身本事，此处不留爷，自有留爷处。

进了市区，许平秋指示着去劲松路。许平秋就是二队出身，一去劲松路，司机知道又要把人往二队扔。到了二队，许平秋招着手让两人下来，两人耷拉着脑袋站到许平秋面前时，老许虎着脸问：“知道问题有多严重吗？要是在籍警察，最轻都得扒了警服。说说，准备怎么办？”

“许处，要不……要不我们自个儿回家得了。”吴光宇苦着脸道，自请出局了。

“我也回家得了，这么大规矩，谁干得来呀。”孙羿不服气道。

“啪！啪！”两人一个不防，被许平秋扇了两个巴掌，许平秋喝斥着：“错了就错了，错了还撂挑子，那就是错上加错。到现在还没有认识到自己的错误在什么地方？孙羿，你错在哪儿？”

“我不觉得哪儿错了呀。真是试验试验，废物利用，没偷。”孙羿一皱脸蛋，躲着道。

一句话把许平秋气笑了，这几位未穿警服的根本不知道这其中的轻重。他一笑，又瞪着眼道："你们错在没有把组织和集体放在眼里，哪有这么单干的？再说了，到高速路上试车，你们以为普通人和你们一样，都这么变态是不是？开到二百，那是机场跑道？吓坏普通司机谁负责？万一出了交通事故，谁负责？就把你们俩磕碰一下，我也负不起责呀！"

一连串的问题，还真把这两个愣头青给问住了。要出于公共安全的考虑，两人的行径还真是问题大了。许平秋说得两人终于认识到了错误，低着头，等着处理，却不料许平秋叹了口气道："好好学习一下安全文明驾驶，回头考你们。再犯错，别怪我吊销你们执照，让你终身禁驾，不过你俩这歪才浪费了还是有点可惜。这样吧，到二队检修车辆，万一外勤司机急缺，你们俩补上。听好了，将功补过，老老实实待着，再有反映说你们胡闹，自己卷铺盖滚回老家，听明白了吗？"

虽然虎着脸，虽然口气硬，可两人一下子明白了，这位护犊的老大，就像学校训导处的江主任，从来不认为自己的弟子有什么问题，两人一挺胸，规规矩矩敬了个礼喊了声："明白了！"

"去吧，找他们指导员李杰报到。"许平秋道，两人如逢大赦，一溜烟跑了。

刚进门又猛然站定了，哟！碰见熟人了！这人吊儿郎当穿身夹克，从楼里出来了，大饼脸，一头尖，可不是鼠标兄弟是谁。两人惊讶地还没回过神来，鼠标一看两人蔫蔫的德性，一下子笑惨了，边笑边道："哈哈！终于有人和老子一样倒霉了，我以为就我一个背运呢。"

标哥张着血盆大口，笑得无比奸诈，把孙羿和吴光宇吓住了，难不成这里比车管处还恐怖？回头时，许平秋乘着专车已走，两人一左一右挟着鼠标，惊声问着："怎么了，这儿很倒霉？"

"你以为呢，盯梢的一天坐八个小时不挪动，我屁股上都长痱子了。"鼠标道，痛不欲生的表情。

"我们不盯梢，我们检修车。"吴光宇道。

“那还不如盯梢的呢，刑警队的司机，油钱、过路费、检修费从来不发，都是自己想办法，你有办法吗？”鼠标得意问道。

这可把哥俩问住了，忙请教着鼠标。鼠标一捋袖子道：“走，跟哥干活去，一块盯梢也有个说话的。”眼前气度昂扬的鼠标，还真把两人糊弄住了，又是给他开车，又是孝敬好烟，听着鼠标这个没入籍的“老刑警”给哥俩上起课来。

许平秋走得很急，不是个人原因，而是又出“妖孽”了。放到网警支队的李二冬也出问题了，支队的政委来电话了，要把人退回来，直说刑侦上的野犊子他们管不了。许平秋问出什么问题了，政委不说，急得许平秋风风火火又奔赴网警支队去了。

这是一个刚刚组建不久的警种，分出原治安总队不过两年时间。李二冬所在实习地是划归市局管辖，直属支队领导的网警四大队。在新江路上，新修的办公楼宇，外观看上去分外气派，内部装备计算机之类是全警种中最好的了。许平秋风风火火跑上楼，准备敲张政委的办公室时，却发现门是开的，里面正在训人。他先没敲，透过门看着，只见李二冬正耷拉着脑袋在挨训。

“啊？检查是这样写的吗？你根本没有深刻认识思想问题的严重性，你是人民警察，不是普通老百姓，不能自由散漫，想怎么样就怎么样！”政委教训着。

李二冬犯犟了，呛了句道：“我首先是老百姓，然后才能当人民警察。我还没当上警察，您不能以警察的标准来要求我吧？再说我也不觉得我有错呀？”

“啊，那你的意思是，我错啦？”政委训着，敲着桌子吼着，“你连起码的立场都不知道该往哪儿站！明明是影射我们警察队伍、给我们形象抹黑的言论，你能分辨不出来？还有，那乱七八糟的帖子没有删，你倒把网警支队的宣传帖给删了，像你这样的素质，别说警察，老百姓你都不合格！”

“警察回去当老百姓，本来就不合格。”李二冬突然呛了句。气得政委一拍桌子，怒发冲冠地站起来了。

要坏事了，许平秋赶紧进门，把政委的火压下来了，回头吼了句：“滚出去，门口等着！张政委，您消消气，别跟这愣头青一般见识。”

训走了李二冬，许平秋亲自给这位级别比他低的支队政委倒了杯茶，好歹让政委觉得面子回来了不少。他问着出什么事了，这政委关上门，小心翼翼跟许平秋一一道来。敢情这许处关照进来实习的小学员，实在是问题太多，进门就取笑网警里那拨老警察太落后，根本防不住那些少儿不宜的网站。别人不信，他干脆来了个翻墙作业，直接就在网警支队的电脑打开了好几个黄色网站，被一干网警惊为天人。更严重的是，李二冬经常发帖去顶那些发表过激的言论。有这么一颗老鼠屎在，把全队都影响坏了，现在居然有不少声援李二冬的。

证据确凿，张政委扬着李二冬写的检查让许平秋看。许平秋一看直掉眼珠，检查就写了几行字，突出的中心意思是：谁也不能强迫没错的人写检查，不自由，毋宁死。

张政委哭丧着脸道：“许处，您不能把个三观有严重问题的塞我这儿来吧？现在作风建设多难，万一出个什么事，这不赶着我下课吗？”

“好好，张政委，您放心，我马上把人领走。我负责教育，您宽宽心，千万别被这臭小子给气着。”许平秋安抚着，起身出门直接拎走了李二冬。张政委直送到门口上车，才长舒了一口气，好歹把这个“危险品”运走了，要再待在网警支队胡来，指不定出什么事呢。

“二冬，你对警察有意见，还是对社会有意见？我就纳闷了，警校的政治课不能差到这个程度吧？”许平秋在车上语重心长地说道。

“我对什么都没意见，就是觉得队长、政委布置的那些任务简直是自欺欺人，至于吗？出了事都不让大家讨论，有意思吗？”李二冬梗着脖子，还是不服气的样子。

“那你发表什么言论了，把政委气成这样？”许平秋又问。

“我就顶了个帖子，我觉得人家说得挺好，人民警察是人民的，不是当官的家丁。你为领导负责，不为群众撑腰，什么东西嘛？当老百姓你都不合格。”李二冬道，还是觉得自己占着真理。

许平秋无语了，司机不敢吭声了。本来许平秋知道李二冬在电竞上很有优势，有意提携，却不料阴差阳错地又捅出这种娄子来。愤青是谁都经历过的岁月，可这位连饭碗都不在乎的青年，着实不多见。许平秋为难地思索着，司机糊里糊涂开着，正想问到什么地方时，许平秋却开口了：“那你想过后果没有？就准备以这种最激烈的方式结束你还没有开始的警察生涯？”

“如果是因为这个结束，好像也没什么遗憾的。”李二冬道，确实没有什么遗憾的，活得太压抑了。

“可我觉得遗憾，现在很难发现还有正义感这么强的人，去二队当见习刑警怎么样？那儿对政治素质要求不高。”许平秋道。听得司机差点笑喷出来了。李二冬无奈地点点头，真要被开了，或许更郁闷。许平秋见对方半晌无语，只当他默认了，又拿起电话，直拨着邵万戈队长的电话说：“万戈，再给你去个人，好好培养培养，非常有正义感的小伙。对，我亲自挑的，当然错不了。”

李二冬听许处这么评价他，颇有士为知己死的冲动，二话不说，直接去二队了。

正是你食之如毒药，我尝之赛甘饴，一天之内，二队接收了三名实习的学员。邵队长听说来了两个能飙起车的，喜出望外，直接配车配枪拉上一线了。至于那个正义感很强的李二冬，打发跟鼠标搭伙去了。

每个人身上都有他的闪光点，同样也有不同级别的能量，怎么把能量都变成正能量，一直是许平秋在不断思索和尝试的课题。二队在外威名显赫，可在内部谁都知道，问题比威名更甚，要不是屡建功勋，又有上面这位老队长压着，邵万戈早被撤了。

几个问题学员全扔给了邵万戈培养，好歹了了今天的事。许平秋丝毫不担心邵万戈粗暴的家长式教育，浑身是刺的小青年都是这么过来的。他下午下班的时候又接到电话了，对于电话他有些恐惧感了，生怕又是哪一位学员撂挑子、捅娄子，可不料这个电话却是远在滨海市的特勤反馈回来的消息，只有一句话：人抓到了，是个团伙，四人全部落网。

这条消息让他很兴奋，不自然地又想起了那个“问题”最大的学员，此时被关在白云看守所，已经整整一周了。他斟酌着，如何给这个“棋子”扣上一个不太轻、更不能太重的罪名，而且要坐实，不能让别人起疑心，短时间放出来之后，更不能出问题。这个度，要把握到相当微妙才可以。

“先把人关着，把问题查清楚，现在进监仓时间还过早。”

他这样布置着，有一种按捺不住的兴奋，对这个案子的期待值也进一步提高了。不过结合今天问题学员们的情况，他又有几分担心，这群妖孽和警队格格不入，他实在不确定将来放开缰绳，还能不能驾驭得了。

别人也就罢了，他最担心的是笼子里关的那位。许平秋清楚地知道，关在人渣的世界中，只会让他越来越野。

自由世界

“二哥，起床啦……给您。”

瓜娃子殷勤地把拖鞋放在尺把高的大铺床前，刚睁开眼睛的余罪惊了惊，恍惚间，就像在警校的宿舍一样，这种集体生活是那么的熟悉。

不过已经今非昔比了，起床的余罪走向墙角的马桶池，所过之处，一干人犯纷纷避让。瓜娃子递着毛巾，那位缺了门牙的给余老大倒着水，挤上牙膏，露着豁开的嘴讨好地笑着。自从那日打架之后，余罪一直称呼他“豁牙”，他也总是这么豁着嘴欣然受之。

放水、刷牙、洗脸，然后又回到床沿边上，余罪捅了捅身旁的人，挨个到马桶池边上早课去了。早课结束，跟着是整理内务，这个不用他动手，那些刚来的或者来了混得不怎么样的，都老老实实充当着“勤务兵”的角色，总是把一切整理得井井有条。到这时候，又会响起那有节奏的响声，放风间的铁门“当啷”一下子开了。

一看老大带头，余下的人次第走进这个小放风间。这个时间，原牢头傅国生总会从身上不知道什么地方把烟、火机摸出来，在墙角点着，美滋滋地吸一口，然后递给余罪。余罪本来烟瘾就不大，不过在这个无所事事的环境里，他喜欢上了吸一口烟、脑袋晕晕的感觉。他使劲闷了两口，递给了黑大个子。

黑大个子叫阮磊，东北人，他后面是西北那位哥们，大家都叫他阿卜。自从进门那场火并后，余罪赢得了领导班子里的一个席位，本来是让他当老大的，不过他自觉才疏学浅，外面实在没人关照，于是又让贤给傅国生了。这个人在他看来很知趣，最起码比大多数糊里糊涂进来的都明理，这从外面源源不断的探视和管教的多次关照就能看出来。

男人之间的惺惺相惜和男女之间的一见钟情很类似，都是不需要更多的言语和更长的时间。打架后只僵持了一天，牢头第二天就悄然无声地蹲到了余罪的身边，递给他半截烟，给了个很服气的眼神。于是这一对生死冤家，莫名其妙就成了监仓里的牢头和牢二。

领导班子就四个人，抽完之后，才轮到以瓜娃、豁嘴为代表的中层干部，这些都是腿脚勤快而且嘴甜的货色，最重要的是充当着维护领导层权威的打手。余罪后来才发现这些人是必不可少的，最起码能给这种无聊到极点的生活增加点乐趣。

“傅老大、余老大，昨晚进的新人，怎么收拾？”豁嘴抽了口烟屁股，请示道。

黑子无所谓了，摸着还没有复原的脚踝，直摆手道：“揍一顿得了，这个还用请示，不揍一顿不知道牢里的威风。”

豁嘴叫着瓜娃子，站在门口，气势一下子来了，吼着道：“新来的，出来！”

这些事总由这些人出手，维护着仓里的秩序。这个资源被控制得奇缺的地方，也正如傅牢头所说，是无法讲民主的。

简单地讲，不把新来的吓住，谁给你干活呀？

余罪笑了，他想起了自己刚进来时的样子。其实现在看来，那么多复杂的情绪都是多余，揍与被揍，不过是里面的消遣和娱乐而已。不过他很庆幸那天误打误撞进了领导班子，否则现在肯定是和刚刚擦地、叠床铺的马仔一样，你甭想再抬起头来。

还是自由世界好啊，凭本事还有“升迁”的机会。

新来的出来了，豁嘴和瓜娃子比警察还凶，问着是干什么事进来的。这小犯人在仓里老实，说是做假护照的，“吧唧”挨一巴掌，只听对面骂着：妈的，骗子都开始做假护照了，简直是不务正业！

这边训着，那边领导班子笑着，接下来就该上演全武行了。标准的程序是让人跪着，后面按着，面朝墙，两臂伸展，后面的中层干部敢噼里啪啦一顿乱踹乱揍，直揍你个灰头灰脸，老老实实在这仓里当草根阶层才算罢了。想报告管教，甭想了，你面朝墙，都不知道谁打你的。

这个方式沿用很长时间了，美其名曰：放飞机。还有“看电视”，是让你蹲着马步讲新闻，还问你幸福感强不强。这看似简单，可要是问你两个小时，问着问着就“扑通”一头栽倒了。当然还有更损的，问你挨揍了没有，想不想住院，你万一回答想住，得，把你按着灌尿，美其名曰：洗胃。

阶级，无处不在，牢里也是一样。人类总有欺侮自己同类的恶趣味，这个和外面也没有什么区别。

昨天这个假护照制作商有点例外，不怎么老实，豁嘴刚一拉人，护照哥就吓得满地打滚，刚挨一脚，就杀猪阉狗般地惨叫。一般清晨这个时候，总能听到各仓训练“新兵”的声音，净是男人夸张的惨叫。就连管教也懒得管了，余罪甚至怀疑，那些久处此地的人是不是都会沾染上这种恶趣味。否则，他怎么觉得自己对此已经没有什么感觉了呢？

开始了，新兵一号，别人就来劲，领导班子看得兴起，伸着手嚷着：“再嚷？再嚷塞上嘴揍你啊！”

“内裤拿出来，准备着！”西北人阿卜吓唬着。

“吓得跟个娘们儿样，怎么混的？”黑子异样道，质疑起他的专业素质。

每天都有人走，也几乎每天都有人进来，天天有挨打和打人的，这里已经成了一个打人不用负法律责任的自由世界。不过打这号人就失去原本的兴趣了，他出声道：“别打了，今天开始换个方式，你们天天听这叫唤不觉得烦呀？要改革，要与时俱进，要建立一个和谐监仓，所以，要改掉这种陋习和野蛮行径。”

余罪摇头晃脑说着，那护照哥看到救星一般，乞怜地对余罪作揖。几位中层干部却是暗笑了，要让这位亡命徒给你想招，那肯定比揍一顿还难受。之前就有个吸毒的没法打，余老大说别打了，喝凉水吧，结果被灌了十几饭缸，那哥们上吐下泄，现在还趴在地上擦地不敢抬头呢。

“拿纸笔来，这几天不武斗，文斗。”余罪一嚷，里面的立时捧着仓里唯一和外界通书信的工具跑出来了，圆珠笔、信纸。余罪一招手叫着新人：“过来。”

那人老老实实过来，余罪笑着问：“会画画吗？会画可就不挨打了。”

“会会会。”新人不迭地点头。

“那好，画个美女，给兄弟解解馋。”余罪纸笔一递。

余下的人笑了，不知道余老大要出什么馊主意，都期待地看着。那新人会错意了，敢情还真以为会画美女就不挨打了，他立刻趴在地上，快速地画着。

马上原形毕露了，还真是个骗子，不会装会，不过居然咬牙画了个出来。等他不确定地放下笔，众人一看，锯齿牙、八戒鼻、铜铃眼，别说美女，简直丑得连公母也分不清。

“哇，太漂亮了。”余罪将画作一扬问着大家道，“兄弟们看看，是不是很漂亮？”

“漂亮，漂亮，美女啊……”一干犯人习惯了指鹿为马附和道。余罪一俯身问着新人："你觉得你画得这个美女是不是很漂亮？"

新人一惊，生怕挨揍，赶紧点头道："漂亮。"

"那是不是很有诱惑力呢？能勾引起你心里的欲望？"余罪又严肃地问。

"能。"新人又点点头。

好了，余罪把画往放风仓下水道边上一贴，一拉新人站在"美女肖像"前道："对着美女发泄一下，把你的欲望发泄出来！"

领导班子的四位笑了，后面围观的，也偷笑了。这个道德没有底线的地方不会有见义勇为的，只会有跟着起哄的，一起喊着："快快！否则菊花难保啦！"

那新人一夹臀部，吓坏了，两手哆嗦着。众人捂着嘴偷偷笑着，在强权高压下，鲜有不屈服的。过了好一会儿，那新人细声细气哀求着："大哥，你们揍我一顿吧，我实在不行呀！"

监仓内笑翻了一片，乐子有了，揍得就轻了。新人挨了一顿，被扔了块抹布，教育着该干什么活。相比刚才的"惩罚"，这新人巴不得干活呢，提着裤子，勤快地抢着擦马桶池去了。

今天的笑料不错，傅老大笑得肚子直疼，黑子也称赞余罪肚子里花花肠子多。几人笑谈间，一轮鲜红的旭日升起来了，余罪看着透过牢顶四角窗照射进来的阳光，那笑容慢慢凝固了。这个细微的动作被傅国生发现了，他挪挪胳膊问着："余老大，你在外面干什么的？怎么进来快十天都没见提审你。"

"小罪，抢了个钱包而已。"余罪抬抬眼皮，无所谓地说道，"我估计坐上顶多三两个月，又得出去。"

对于这个他很有谱，许平秋肯定不会让他在这儿一直待着，用不了多长时间就会放自己出去。不过现在他考虑的不是什么时候出去，而是考虑到时候自己舍不舍得出去。

从来没有过这种当老大的感觉，有人送水，有人送饭，外面的东西进来捡好的挑，晚上睡觉前，也有人给你捶背捏腿。就这服务，搁外头桑拿房，怎么着也得好几百吧。

他想着的时候又笑了，侧头看傅国生和黑子时，那两人俱是一脸不信，似乎实在接受不了眼前的牢二是个抢包小贼的事实。余罪笑笑道："我他妈在外头真是个毛贼，为什么说实话都没人相信呢？非让我说我杀过人你们才信啊。"

"异数，小余是个异数啊，将来出去绝对有成为一方大佬的潜质。"傅国生严肃地判断道。黑子也附和着："兄弟，就你这狠劲，要是加入咱们砍手党，早就是呼风唤雨，跺一脚满城颤的人物了。"

两人说的都是真心话，特别是黑子曾私下里对傅牢头说过，这牢二绝对是个杀人不眨眼的狠茬。可不料牢二兄弟一直强调自己是个毛贼，到如今都让大家觉得惋惜不已，似乎有觉得余罪大材小用了。

"我也是没办法才当毛贼，混碗饭，大家进来还不都是这样的。"余罪貌似失意道。看着这一干人渣，他诚恳地补充道，"其实呀，我曾经有个很远大的理想。"

"理想"这个词在这里可不常用，黑子听得有点愣，阿卜听着可笑。傅国生却是洗耳恭听的样子，看着余罪，似乎很想知道这位差点勒死他的狱友，会有什么样的远大理想。余罪抿嘴笑了，不屑、怒气、苦笑等等极度复杂的表情在他的脸上纷纷一闪而过，只听他揶揄地道："我本来想当警察抓坏蛋的，可没想到成了被警察抓的坏蛋。"

领导班子的几位一愣，面面相觑着，然后又哈哈大笑起来，似乎这个笑话，比刚才逼人"打飞机"还可笑似的。余罪也随着众人开怀畅笑，其实连他也觉得，自己这句话，似乎有点可笑。

这时候，外面的开铁门的声音响了，例行的查仓开始了。监仓的纪律性比警校还严格，余罪和众人一骨碌起身奔回仓里。只见人影穿梭，眨眼间规规矩矩三个一行、六个一列盘腿坐在通铺床上。

门"咣当"一声打开了，管教表情肃穆地站在仓前。

每天从这个时候起，牢里的一天就正式拉开了帷幕。

有抢有骗

点名，例行公事；倒垃圾，一天只有一次。这唯一的一次机会一般是牢头享有的，时间不过十分钟而已，其实也没有什么垃圾可倒，顶多就是管教叫去了解一下仓里动态，以及羁押嫌疑人的精神状况而已。这不，倒垃圾的傅国生回来了，虽然是猥琐地进了仓里，不过手里却还夹着支烟，门关上时，他早翘着二郎腿和几个领导班子吹嘘上了。黑子、阿卜抽着牢头剩下的烟屁股，自然是赞誉有加，更何况今早又是傅国生安排人送进来的一大包，还没准里面有什么好东西呢。

本地人就有这个优势，天南海北的就不行了，都看着人家的东西流口水呢。

早饭时间到了，傅国生早把外面送进的东西收拾了个利索：一箱方便面、两包火腿肠，三份塑料饭盒装着六格海鲜、卤肉、炸鱼小菜。他嗅了一下，好不享受的样子。唯一的一瓶雪碧他拧开盖闻了闻，又凑到黑子鼻子上嗅了嗅，两人一脸奸笑，不用说，肯定不是雪碧，是酒。

余罪也已经习惯了这些犯人的私下小动作，就为这些口腹之快的，管教从来都是睁只眼闭只眼。余罪接过瓜娃递过来的早餐，也胡乱地吃上了。

伙食实在不怎么样，吃到半饱才发现，米饭很硬，不知道是多少年的陈米，菜只有瓜菜，连瓜籽、瓜瓤一起炒的，没什么油水，甚至连盐味也不足。当然，作为牢二还是有办法的，洒点方便面调料，配上傅牢头家里送来的小菜，还勉强可以下咽。其实当初刚进来的时候最容易饿，待过一段时间，胃口好像也给关小了似的。余罪吃了一半，看牢里几个剩下的大个子眼巴巴地看着空饭盒，干脆呼啦啦一倒，扣某人饭盒里了，然后那人感激地看了他一眼，狼吞虎咽地吃上了。

这里的烟屁股、剩饭，都是一种恩赐，在被剥夺一切权力之后，这里发生再没有底线的恶行也在理解范畴之内，不过如果发生类似这种把剩饭、旧衣送人的善举，总会让人感觉很真切的崇敬。余罪也是无意，不过他的无意赢得了下面犯人的共同评价：够意思！

吃完饭，无聊的时间就开始了，这个时间段，只要没有雨，余罪一般情况下都是在放风的外间，压压腿，做做俯卧撑。随着进来的时间越来越久，他明显地感觉到了体力在下降，本来在警校时能做到一百多个俯卧撑，而现在做到一半就气喘吁吁，没办法，营养跟不上，铁打的汉子也受不了。

连着做了四十多个，额头见汗，他一翻身，坐到了墙角，尽力压着腿，反正是无聊，动动总比歇着强。他在计算着入狱的时间，已经整整十天了，没有提审，更没有探视，甚至连管教叫出去说话的机会都没有。他觉得自己就像一个被抛弃、被遗忘的人一样。

而且被遗忘的还不是本人，在这里他的名字是余小二。有时候他都有一种错觉，好像自己生来就叫余小二一样，反倒在家里、在警校上学的时光像在梦中一样，变得不那么现实。

那现实的是什么？

当然就是眼前这些了。

一个监仓，三个贩毒的，六个伤害抢劫的，五个偷东西的，两个骗子，走了一个强奸的，又进来一个做假护照的。这十天还遇到一个据说是杀人的，不过余罪看着可一点都不像，进来就哭得稀里哗啦的，第二天刚挨了顿揍就被提走了，据说是被逮捕了。

对了，这儿是羁押仓，处于一个微妙的境地。从这里出去的人有三种去向：一是直接放出去，获得自由，那是所有人渣的梦想；二是罪行轻一点，被发送到劳教所或者直接就在看守所服刑，也算烧高香了；第三类就惨了，直接被送进后面的逮捕监仓，正式成为法律意义上的嫌疑人，成为人民的敌人。

在这里余罪平生第一次发现自己是如此的高尚，不但高尚，而且纯洁；不但纯洁，而且正直。

不信啊，就这个监仓里，刚十八岁的瓜娃子都混了七八年了，剩下的也是全国各地的犯罪汇聚到滨海市的这个监仓，几乎就是全国人渣大串联了。

听到瓜娃又在一旁骂骂咧咧，余罪知道他又在和别人打牌了。没什么可赌的，赢的就扇输者耳光，打牌经常演化成打架，打完了也不记什么仇，回头继续打牌。仓里只有扑克能买进来，象棋是肥皂块刻的，麻将是瓦楞纸板制作的。你无法想象一个人的创造力究竟有多大，在这样操蛋的环境里，如果不考虑刑期的话，很多人过得居然有滋有味。

他有点累了，终于放松了绷紧的全身，舒了口气，却又一次看到那个云山的毒贩人渣阴阴地看了他一眼。他没理会，这个身高不到一米六的家伙是个另类，进来被打时一声不吭，你让他干活，他什么也不干，揍了他两顿，他不反抗，可也满不在乎，反倒是几天后牢头带回来管教的消息：不许打这个人了。

这人肯定是个要犯，看那狼眼鹰鼻就让人不寒而栗，那人天生对任何人不信任，从进来就一言不发地睡在马桶池边上，后来余罪让他换了睡觉的地方，他的眼里也没有半点感激之情。

余罪又看了这家伙一眼：他赤着脚，在搓着一卷卫生纸的塑料包装，搓成了细绳能当腰带用，可见这里的犯人都会自己动手想办法了。看他的手势，余罪在暗暗地想着：这家伙玩过枪，说不定还玩过长枪，洗澡时腋窝地方皮肤颜色不同，那是被后坐力震的；再看那后背，永远挺得那么直。余罪甚至怀疑这家伙当过兵，特别是那种看人的眼神，监仓里等闲坑蒙拐骗的小毛贼，能被他一眼就吓跑。

在江湖上混过的会有很多直觉，特别是对于危险的直觉很敏感，余罪相信这不是个普通人。

不过他对这个人没太多兴趣。他只是在想，许平秋煞费心机把他送进看守所，绝对不是仅仅想让他适应这里的生活而已，肯定是另有目的，应该是试图接触到某个让警方头疼的嫌疑人。如果真是那样的话，那些小毛贼可以忽略，换仓走人的也可以忽略，剩下的除了最后进来的这个云山毒贩，就没剩几个人了。

瓜娃算一个，不过这货是个白痴，偷了一麻袋鞋被台资厂保安打了个半死。那袋鞋价值好几万，他居然还幻想着住上个把月就回家。介于这种情况，那个嫌疑人肯定不是他了，忽略。

豁嘴算一个，不过余罪认为他也不可能。抢劫惯犯，从抢自行车开始，到入户抢劫，最后发展到顺道劫色。豁嘴哥已经是跨世纪的犯罪先锋了，一共才活了三十八岁，先后在监狱里已经蹲了十八年了，忽略。

难道是黑子？这货是去年打黑扫恶被捉进来的，据说是砍手党二号人物，不过这智商让余罪怀疑砍手党党内组织实在差劲，找这么个体貌特征如此明显的，简直就是个活靶子。

那么是阿卜？他最怀疑阿卜和云山那个，两个贩毒的。阿卜说起用香烟吊一克毒品、怎么找下家、怎么掺葡萄糖粉以次充好这些都头头是道，不接触那玩意儿根本不可能。

他一直在想许平秋的目标在什么地方，而且他一直有意无意地规避着这个目标，甚至很少去问对方犯的是什么事。他在想，从这儿出去，大不了这身警服不穿了，回去卖水果去也不再和这帮人渣混在一起。可他就怕时间一长，连他也觉得自己越来越像人渣。

对了，还有傅老大，在看到傅老大提着雪碧瓶子，穿着拖鞋向仓外的放风间走来时，心里的怀疑目标又多了一个。不过这个傅老大顶多像个有钱爱炫的二逼，打架不行，耍流氓也差劲，甚至于粗口都不多说。他就经常以文化人自居，要不是看在管教照顾的面子上，他这牢头早不知道换几回了。

又一次和余罪坐到了一起，傅牢头得意地倒了一小杯子，递给余罪。余罪嗅了嗅，一饮而尽，一股浓烈的劲道蹿入胸腔。傅国生笑道："小茅台，在这里能喝到国酒，什么感觉？"

"少喝点，这儿见阳光少，身体都虚，喝多了容易上火。"余罪笑道，把杯子递回去了。傅国生自斟了一杯尝了尝，似乎极为关心般又向余罪问道："你要真是抢钱包的，出去我给你找事干怎么样？"

"有这么好心？我可差点勒死你，不会想出去报复我吧？"余罪笑着问。

“怎么可能？像余老大这种人才，打着灯笼也难找啊。”傅国生恭维道。

余罪胃抽搐了一下，警校废品，难不成都是犯罪的人才？他苦着脸道：“傅哥，你看我身上哪个部位长得像人才？”

傅国生严肃了，正儿八经地上上下下看看余罪，一竖大拇指道：“哪儿都像，为人仗义，办事大气，心狠手辣，是干大事的料！哎，对了，兄弟，你真是抢钱包的？”

看来还是不信，这么个人才居然会干毛贼干的事。余罪笑道：“比真金还真，你怎么就不相信呢？”

“不是，我就觉得不像……那老弟你以前干什么的？”傅国生好奇地问，看来余罪的低调也是光华四射，吸引住这位老帅哥的眼睛了，余罪故意出怪腔般吐了两个字：“民工。”

“民工？”傅牢头愣了，白净的脸上掠过十足的狐疑，让这位老江湖惊诧成这样可很少见。

“对，民工。”既然是编的，余罪干脆就硬着头皮编到底了，煞有介事地说道，“这是一个崇高的而且有优秀传承的职业。”

傅国生笑了，差点被呛住，余罪一指斥着：“妈的，看不起民工的城里人都你这号德性，你数数以前的改朝换代，有一半是民工打下来的江山，就咱们现在的社会依靠的都是工农阶级，农是什么？还不是农民工。甭看现在官二代、红二代什么的，往根上说，都是民工后代。”

“哈哈，你是想从这个上面找到一点心理平衡？”傅国生笑着反问，别的看不出来，最起码余罪的愤世嫉俗能看出那么一点来。余罪却是摇摇头道：“你觉得我是个喜欢找精神胜利的人？我还用找吗？我可和他们爹、他大爷是一辈！”

傅国生又是一愣，然后笑得更欢了，直笑得小肚腩上下乱颤，白脸蛋红晕难散。他边笑着边不时地看着余罪，对他的好奇却是愈发重了。从差点被勒死成了朋友，这个奇怪的转折他能接受，不过对于余罪犯的罪行，不管余罪怎么说他都无法接受。他又想问什么时，余罪一拨他的脑袋斥道：“老傅，你他妈烦不烦呀，我都没问过你干什么的，你老缠我干什么？”

“那还用讲，我先被兄弟你的气场镇住，后被兄弟你的英姿迷住了，要做一辈子的朋友哦，哈哈……”

“滚！”

“哈哈，余兄弟，我给你说个正经事，我真的快出去了，你出去想不想跟着我混？我不骗你啊，今天上午管教给我带口信了，过不了几天，哥哥就要回到花花世界中了！”

傅国生声音放低了，不过很得意，而且他是要找一个和他一起分享快乐的。余罪可没想到，两个生死冤家这会儿倒宛如一对异姓兄弟了，他摇了摇头，心想肯定不可能，出去不当警察也不可能跟着这帮人渣去混。此时看傅国生这么得意他才想起来，问道：“喂，老傅，你在外头干什么的？”

“你看呢？”

“你心不狠，手不辣，文的武的你都不行，就嘴皮子还凑合，是不是拐卖妇女的？”

“哈哈，现在的女人还用我拐卖？我干的当然是大生意了，南北江湖朋友都给几分面子。不是跟你吹牛啊，想当年就港澳的社团来滨海，他们头家走动的就是我这里，哥一句话，境外事都给你布置得妥妥帖帖。”

“哦，这么拽？”

“比你想象的要拽。”

“啊，于是就拽进来了？”

二人一问一答，本来准备唬住余罪的，可不料傅国生被余罪呛了个脸红耳赤。不过好在牢头哥脸皮足够厚，笑道：“这个地方相当于犯罪学习班，不进来几回，你在外头不进步呀，对不对？哈哈，余兄弟，你也不是第一回了吧？”

余罪一笑置之，没搭理这货的贫嘴，此时才晓得进来杜撰的简历和他的表现实在出入大了点，怨不得这干狱友不大相信了。傅国生又问他出去的话准备干什么，余罪也开玩笑道："这样吧老傅，你跟我干，都当民工去。我准备脱胎换骨，自食其力，重新做人。你看你也老大不小了，总不能在这里头混下半辈子吧？"

余罪说得语重心长，把牢头给刺激得哭笑不得。这货似乎对什么兴趣都不大，对什么都不怎么在意。只不过在这个地方能聊以自慰的，也唯余对未来的憧憬了，于是傅牢头继续掰着指头数着："兄弟啊，人不是你这么活的，等出去了，哥哥给你配辆阿斯顿马丁，挎俩妞到江边大道上兜风，怎么样？房子咱住到太阳岛的别墅，对了，再办几本护照，以后坐牢到境外坐。我太失望了，好不容易坐回牢，给这么差的待遇……你难道不失望吗？我奇怪了，难道你精神和肉体上都有受虐倾向？！"

"我没这个倾向，只是不想老来这地方进修啊！"余罪道，他笑看着老傅，心想怎么也没想到在这里面也会找到就业机会，真不容易呢。

老傅看来是铁了心想拉拢这位亡命徒，压低了声音道："兄弟，现在哪里有安生的地方呀，权当体验生活吧。"

傅国生这是明显地在暗示余罪：他外面有人，很快就能出去了。看看余罪还是那副不痛不痒的表情，他又道："你要真是抢个钱包的罪名，信不信我在里面都能把你捞出去？"

难道是个见职面谈？余罪不解地想着，难道这里也会是某些犯罪团伙的招募地？有可能，曾经在警校时就听闻过，很多重复犯罪，犯罪升级，就是监狱改造失败的后果。不幸的是制度对人的改造，大部分时候都是失败的。他笑了笑，脸一拉骂着："滚远点，我相信你能把我捞出去，可要捞出去，干的事就不是抢钱包那么简单了！老子出去白天当民工、晚上抢钱包，照样过得舒服。"

傅牢头笑了，笑而不语地向余罪竖着大拇指，不知道是赞赏余罪的明眼，还是肯定余罪的选择正确。

"集合！"

仓里有人喊了句，打断了傅牢头和余罪的对话。两人起身快步跑回监仓里，前后一坐，规规矩矩等着。

进新人、提审、逮捕、去劳教或者放人，每天在这里上演的悲欢离合都是铁门大开的时候拉开序幕的。

今天，会是什么事？来的又会是谁？

第二章
被警方盯上的“那个人”

惺惺相惜

“检查违禁物，所有人，背靠墙。”

管教的脸出现在铁门口时，扯着嗓子吼了句，一监仓的犯人像受惊的小兔，紧张而又迅速地沿着墙贴了一排。动作稍慢点的，总会被同伴踹一脚，然后示意他按着标准姿势来。

标准的姿势是五体贴墙，包括眼睛只能看墙。管教带着几名自由犯进来了，把床上整理好的被褥、衣服哗哗往下扔，扔下来用脚踢着，自由犯在里面摸索着，看见稍微好点的衣服，自由犯顺手就扔到外面，怀疑里面有东西。至于偶尔夹藏的烟支、打火机，或者其他什么稀缺玩意儿，一概会被自由犯搜走。

不过这个仓因为傅牢头的存在而没有这种担忧。自由犯大概搜了下，报告管教没什么东西。管教示意他们出去，又吼着清洗监仓完毕之前，谁也不能动。跟着又嚷着甬道里待命的进来。

清洗？余罪没明白这又是哪一出。监狱这个世界的很多事，对他都太新鲜，这些天强迫自己接受的东西已经太多了。

来不及思考，清洗的进门了。两位清洗人员全副武装，戴着防毒面具，背着大型喷雾器，一摁按扭，白色的水雾喷出来了。余罪下意识地屏住呼吸，眼睛的余光看到头顶上的武警也扣上了防毒面具，随着一股浓重的化学药味充斥开来，他明白了，这是在给监仓消毒。

呜……电喷的声音响了良久，从上到下，包括站立着的犯人，包括外面的放风仓，一时间迷失在重重的浓雾中。直到铁门再次紧锁，水雾一点也未见消散，浓重的药味呛得一干犯人眼睛鼻涕齐流，咳嗽的声音不绝于耳。

傅国生在门闭的一刹那奔向放风仓，他跑得最快，奔到水龙头前，往脸上直扑着凉水，大口喘着气。接着后面也一窝蜂跑出来，个个喉咙里像野兽般嘶吼几声，凉水扑面，在药雾散去后才慢慢缓过这口气来。

傅国生缓过来时，才发现余罪早坐在角落里了，敢情比他还早，他奇怪地问着："你进来后还没清洗过，你怎么知道往这儿跑？"

这种清洗每隔一段时间都会有，跑得慢的都被呛得厉害，严重点的被呛昏厥也有可能。余罪抹了把脸笑道："不能我干什么事都让你意外吧，这还需要用脑袋想？"

对了，不需要用脑袋想，肯定是往通风的、有水的地方跑。傅国生笑了笑，又和余罪坐在一起了。一仓的人犯都聚集在放风仓里等着药味散走，不少在骂着管教，每每清洗，都跟进毒气室了一样，那股劲好半天都反应不过来，特别是今天刚进来的新人护照哥最惨，不小心被喷了一脸，蹲在水龙头前，一把鼻涕一把泪，比死了爸妈还难堪。

这里可甭指望有人同情他，不但不同情，反倒是看着有人比自己惨，都感到很安慰似的。不少人哈哈大笑着逗着新人，余罪也心有余悸地随意道了句："这是什么东西，这么呛？"

"杀虫剂呗，就治这个的。"阿卜回道，露出腕上新长的一个痘点，像个青春痘，红圈白点，一挤就是一点脓。

哪里都有"职业病"，监狱里也有。疔疮、湿疹、寄生虫、红斑以及不知名的肿痛，即便是每天把监仓打扫得再干净，也挡不住这些东西在没有阳光的地方滋生。

傅牢头早习惯了，说道："主要成分是生物丙稀菊脂，抑制螨虫类的；另一箱里应该是DDV、基丁醚成分，这要是不通风的话，两箱把咱们熏倒都没问题。"

"这也太不把咱们当人了吧，就这么喷上来。"余罪笑着道。

大家都笑了，其实进来的都已经习惯了不把自己当人看。众人笑着的时候，余罪眉头微微皱了下，那是因为刚才那些拗口的药名的缘故，"生物丙稀菊脂""基丁醚"，他根本不知道那是什么玩意儿，可这些名词，在这个遍地文盲法盲的地方听到，似乎让他觉得不合时宜了。

"这货不是卖假药的吧？"

余罪看着谈笑风生的傅牢头，联系这货又有钱、又有人缘的表现，下了如是定义。不过他按捺着自己的这份好奇没有去多问。

这里每一位都在外面发生过精彩的故事，那些精彩足够延续到这里，成为无聊生活的慰藉，有很多事根本不用问。这不，药雾刚刚散去，离下一顿饭时间尚早，一群人渣又开始折腾了，而且今天折腾的颇有新意，连余罪也兴趣盎然了。

干什么呢？偷东西。对，模拟偷东西。

前两天刚从擦地板升职到洗饭盆的一位小弟，因为嘴上留着短髭胡子的缘故，被人叫短毛，这是个惯偷，正给瓜娃等一干人表演着自己的"窃术"，可人渣们个个是兜里比脸还干净，偷什么呢？

豁嘴哥有办法，把报纸叠起撕了几摞，给围观的一人一摞当钱使，让短毛偷。本来想着众目睽睽他无计可施的，却不料短毛兄弟那可是大风大浪过来的，哀求着豁嘴道："大哥，您不能这样啊，难度太大了，我们偷东西都是在别人不防备的情况下得手的，您这防备上了，怎么可能下手。"

"没防备算什么本事？防备着也能偷走才是本事呢。"豁嘴为难着这位小兄弟，得意地一挥手，惯例要扇人一巴掌。短毛兄弟更贼，一笑手一扬，见到短毛两指所夹之物，豁嘴一激灵一摸口袋，得，东西早易手了。直到短毛摊开手，一小叠报纸才显现出来。

哇，都没有看见怎么偷的，把那些隔行如隔山的吸引住了。短毛的表现欲被激出来了，拍着瓜娃兄弟的肩膀道：“兄弟呀，手得准，你眼睛别看我，看我你的东西就要丢了。”说着手一翻，瓜娃像被非礼一般尖叫一声，一摸口袋，东西早没了。

短毛跟着又去逗另一位：“兄弟，你看我这只手是怎么伸的。”那人盯着短毛扬着的手，似乎指头和别人长得不一样。不过他好奇看着时，早有人哈哈笑了，因为短毛另一只手早伸进他的口袋里了，一眨眼就将东西偷走，那人慌忙嚷着不算。短毛有理了，反问着：“怎么着，你还能让贼跟你讲道理？”

这几下玩得那叫一个精彩，从别人口袋里偷东西就和变魔术一般，惹得全仓兴趣大增，于是众人更加围着短毛，听这位老贼开始“传道授业”了：“当贼嘛，关键是声东击西，转移目标的注意力，不管你怎么转移，只要他的注意力不在口袋上，你就能下手。当然，专业技能也是很重要的，咱当年苦练的时候，每天都是对着木桩戳指头，直戳到食指中指伸出去一般高才算合格。”

短毛兄弟见众人不信，突然趴在地上，左右手各两根指头撑地，做起俯卧撑来了。跟着撤掉一只手，剩一只手的两根指头支撑全身重量，依然能做三个俯卧撑。起身把两指亮出来，别人一看，果真是齐的，而且是骨骼畸形了。

这可把正常的给看懊丧了，看来当贼也不是那么容易的。

众人笑着围着短毛，豁嘴张着漏风牙又在吹嘘了：“呀，你这贼当得没意思，我们抢劫那才是靠智商赚钱。”别人问怎么赚呢，又听他继续说道：“其实很简单，就在垃圾箱里刨，只要碰到那些被扔的快递盒子，单子都收集起来，上面标着地址、姓名、联系电话，你顺路去串个门。当然，必要的化装还是需要的，穿上快递公司的马甲，选个门禁不太严的单元楼，敲门喊‘喂，你的快件，签收。’然后门一开，直接抢之。”

现在网购的泛滥给这种作案方式提供了大把机会，豁嘴哥继续说道：“凭着干这事，哥在老家修了幢三层楼，要不是碰上个女主人实在馋人顺道劫了个色，现在早回老家逍遥去了。所以说了嘛，女人是祸水。”

他一懊丧，瓜娃安慰道：“哥，天下英雄，折在女人手里的多了，这不丢人。”

豁嘴刚停，又有一位凑上去了，凛然对大伙道：“几位哥哥，我老大教我们的是专业开锁技术，等出去咱们组织个盗贼工会，就跟游戏里的一样，把滨海的贼都组织起来，咱们想要啥就偷啥，想偷谁就偷谁，那神仙日子，岂不痛快？”

他一提议，众人渣齐声附和。又把那位做假护照的揪过来了，一圈人瞪着眼睛逼供，就问这里头究竟有没有什么门道。一听一张假护照能卖好几千，不少人萌生出去改行的心思了。

下面的人在热烈讨论，把傅国生、余罪、黑子几位领导班子可笑惨了。老傅大气，直嚷着：“不用偷了，出去找我，每人十万安家费，跟着傅哥干！”

这空头支票给得大气，不过信者不多，搁监狱里，难道谁还指望碰到实诚人？余罪看了看黑子阮磊刚刚消肿，还有点瘸的左脚踝，此时稍稍有点歉意了，关切地问了句：“还疼么？阮哥，不会记我仇吧？”

“有什么仇可记的，咱们都是一类人，人渣一个，烂命一条。”阮黑子道。这人和长相一致，很豪爽。他揽着余罪的肩膀，笑着说道。傅国生可不乐意了，直斥着：“黑子，有命在就不算烂，要我看你这回罪重不了，你是大扫黑行动被捉进来的，这种抓人太糙，明显没有掌握你什么实质性证据，迟早得放你。”

“老傅，你说得倒是有道理。”黑子瞪着牛眼，凛然回头又反复道，“可警察不听你的呀。”

“那也未必，说不定我出去，把你也捞出去，怎么样？愿意和我一起干吗？暴力犯罪没什么前途，跟着我，咱玩高智商犯罪。”老傅邀请着，看上去很得意，把智商不太高的黑子说蒙了。黑子想了想，直接说道：“砍头捅屁股，至于分那么清吗？你说干啥吧，我可只会砍人。”

余罪被这位纯洁的人渣逗乐了，掩着脸笑了。老傅却是头疼了，跟黑子讲清这高智商犯罪可没那么容易，而且黑子很不服气，他们砍手党向来威名赫赫，闻者色变。手上有金链子的、腕上有镯子名表的，只要被砍手党徒盯上，连贵重物品带着身体那个部位都会消失。作案手法并不繁复，刀上抹着强麻醉药物，一刀下去就解决问题，这麻利劲，正合黑哥的性格。

“还不就用的是苄替啶、左啡诺这几种麻醉药，那不行呀，黑子，一查这些违禁药品就把你们连锅端了。”傅牢头道。听人说出药的名字，黑子发愣了，异样地问：“你怎么知道？这可是砍手党的不传之秘。”老傅不屑道：“切，出去我给你几种比这更好的，犯那事，都是活得不耐烦了，知道现在公安怎么对付砍手党吗？只要发现，可以当场击毙。”

可不，那还混个毛呀？要不黑子哥怎么走到穷途末路了。黑子无言以对了，苦着脸想了想，屁股蹭了蹭一旁的阿卜，出声问道：“要老傅真出去了，让他把咱们都捞出去了，一块混着？”

“我出不去了，我是被抓现行了，四十七克，差点就得打头了。”阿卜眯着眼睛道，一副认命的表情，对于毒贩，末路就是死路。

“别灰心，阿卜，现在多少人发愁就业呢，你不愁了，监狱养着呢。”余罪笑着道。这个黑色幽默听得老傅和黑子满脸笑意，而阿卜也意外地笑了。在他深邃的眼睛里，余罪看到了清澈，他丝毫不怀疑，这家伙像他一样，此时在想着故乡，想着亲人，也许还有他心里的爱人。

人渣在不渣的时候，也像人，有时候也会不好意思。这个时候，余罪倒觉得他们并不是那么的十恶不赦。他起身，在众人异样的眼神中，又像往常那样毫无征兆地结束了胡扯，洗了把脸，然后很落寞地回到了通铺上，就那么孤独地蜷着，闭着眼睛，像是睡着了。

没人注意到，他洗去的是流出来的眼泪。他想起了父亲，一定还在等着一身崭新警服回家的儿子；他想起了警校的那些朋友，他们一定已经穿上了鲜亮的警服，扬眉吐气地坐在警车上。他沉浸在与眼前所见极度不和谐的憧憬中，只有闭上眼，才能回到曾经的生活中。

他恨，不过他很平静，就像他平静地接受了很多改变一样。

“老傅，说不定咱们还真走眼了，余二没准还就是个毛贼。”黑子阮磊侧着脑袋看了眼，对时不时深沉一下的余小二有了自己的看法。

“我看也像。”阿卜道，抹了下下巴上的胡子。因为余小二的出现让他在傅老大眼中地位有所下降，而且这个余小二在监仓里说话的分量有时甚至大过了牢头，很让他有点羡慕妒嫉恨，他又强调了一句：“对，就是个毛贼。”

“呵呵，就是个贼，也是个有理想、有追求的贼。”傅国生打着圆场，轻笑着说道，似乎他真的很欣赏这个余小二。

毕竟物质时代，有理想和有追求的不多了，哪怕是个贼！

不期而遇

在时代飞速发展的情况下，犯罪和打击犯罪的活动无论在方式方法上都有了不一样的改变。虽说道高一尺，魔高一丈，可也终有天不藏奸，邪不胜正。在以打击刑事犯罪为己任的刑侦二大队门口，严德标、李二冬二人站在一个红色的横幅下，横幅上写着“1·23”案件庆功会”。

对，就是庆功会，这俩人被派到门口值勤了。因为这个狭小的地方，车一多，指定会堵。孙羿和吴光宇也派上用场了，就搁这条窄道上给人泊车，因为来的市局领导不少，这里又离省厅不远，连省厅也派人来了。这个“1·23”案件又传出了一条奇闻，传说是被一名实习的警校生推理出来了，他参加了追捕小组，跨了三省追回了劫财杀人的元凶。

那人正是解冰，也正是让眼下这哥几个心里不爽的地方，人比人实在差得太远。严德标吊儿郎当地站着，看着会到中途了，一转身想溜，李二冬威胁着："鼠标，你他妈要敢溜，我也溜了啊。"

"烂人，多站几分钟吃多大亏了？"严德标火冒三丈道，看威胁不住李二冬，马上脸上笑着，"冬弟，我给你们买瓶饮料去啊。"

"可乐啊，其他的不喝。"孙羿听到了，大声道，其他人也附和着，严德标边溜边骂骂咧咧："那种饮料对身体不好，一块钱一瓶那矿泉水多好喝。"

李二冬哈哈一笑，和孙、吴两人走到一起，里面的会开始了，他们的事情就不多了。李二冬来得晚，奇怪地问着两人："怎么回事？好像是解冰得了个三等功，他什么时候来了？"

"我们比你早来不到一天，哪里知道。"孙羿道。吴光宇却是不服气地说着："还不是瞎猫逮了只死耗子……哟嗬，快看！"

吴光宇拉着哥俩，指着院门里出来的一位女警，孙羿一瞧，说出名来了："周文涓。"

只见周文涓正快步跑着，这位在学校就不声不响的姑娘现在在二队也难得一见，一直跟着法医采证，照过面却没来得及说话。此时她快步跑到大家面前，给每人塞了瓶水，布置会务的，难得还想着同学们。

哥几个笑着谢了，周文涓看着大家，有点不好意思。李二冬笑道："文涓，你怎么看谁都害羞，咱们除了同学关系，没其他关系吧。"

周文涓眉头一皱，更结巴了，那俩烂货也咧着嘴直笑。鼠标跑回来看这几个家伙又逗人家，直接轰过一边，问着周文涓道："周警官，你有事是吧？"

"有点小事。"周文涓点点头。

"那说呗。"鼠标道。那哥仨也凑上来了，不管怎么着同学情谊都在，拍着胸脯没啥二话。

"我就问件事，余罪到哪儿去了？"周文涓说出来了。

这一下把鼠标问得一巴掌拍脑袋上了："对呀！我怎么把余儿给忘了，这家伙去哪儿了？你们谁见过了没有？"

没有，哥仨摇头了，别说余罪，十几个好兄弟被拆得四零五散，有好多人下落不明呢。孙羿狐疑地回道："应该不是在市区，他闲不住，要在市区肯定早把咱们找着了。"

"那小子没准在哪儿逍遥呢，在滨海咱们吃苦受累得跟龟孙样，他倒好，第一天就藏在机场睡觉，我怎么就没想到。"李二冬道。这话蹊跷，周文涓异样地问道："你们……什么时候去羊城了？好远啊。"

"呵呵……梦里去的。"鼠标嘿嘿笑着，一巴掌把李二冬的尖嘴猴腮脸拨拉到一边了。周文涓没问到什么，很失落。大家却是问最早来的她，解冰是怎么一回事？周文涓倒是知道点案情，大致一讲，听得哥几个直掉下巴，敢情人家已经学有所用，推理出来了案情主要脉落，又跟着追捕组抓回了凶手，可不得评上个三等功了。

"啊呀，哥到哪儿怎么都是打酱油的命，好事咋就不让我摊上？"鼠标羡慕道。李二冬斥道："就你个财迷脑袋，还忙着在地摊上骗钱呢。"

"妈的不说那回行不行，你狗日的还贴小广告呢。"鼠标瞪着眼，发飙了。半路回来的吴光宇意外了，拽着孙羿问："听你们口气在滨海都没干好事啊，妈的，数我可怜，饿瘦了十来斤，就那么回来了。"

你一句，我一句，听得莫名其妙，周文涓再问什么，他们又矢口否认，一个个咧着嘴笑。周文涓知道也问不出什么来了，正准备告辞走时，却突然听到后面"咚"一声，孙羿一回头差点哭上了："坏了，来了个马路杀手，把队长车蹭了。"

"哎，你会不会开车，哪个单位的？撞警车你赔得起呀。"孙羿嚷着就跑上前来了，吴光宇一看也是辆警牌车，倒是稍稍放心了，就是怕对队长不好交待。等到了近前，那位车主款款地下来了，杏眼瞪得老大，像是很意外似的看着眼前几位。

安嘉璐，居然是安嘉璐！同样是警装一袭，飒爽一身，却见她俏然一立，风姿顿生。孙羿蓦地笑了，奸笑着道："哎哟，安美女啊，撞得真惊艳哪。"

“真会撞啊，一撞就撞上我们队长的车。没事，撞吧，反正都是公车。”吴光宇也乐呵上了。

这俩不心疼的，此时有点心动，哪还顾得上撞了谁家车。安嘉璐却是不悦地嚷着：“看什么看，不知道过来帮忙泊车呀！”

“哎对，我来。”

“我来我来。”

两人挤对着，差点干上，还是孙羿劲大，把吴光宇推过一边，从安嘉璐手里接过车，显摆似的加着油门，呜呜几声大油门，一退一进，平平地泊在车位中，让安嘉璐一阵羡慕。

车钥匙交到安嘉璐手里，孙羿好奇地问着：“安美女，你怎么来了？”

“把你急得，又不是看你。”吴光宇嘲讽着。

“你再接我话茬儿，我真跟你急啊。”孙羿呛上了。

又来了个更急的，李二冬把鼠标手里饮料抢了过来，直跑上前来递给安嘉璐，殷勤客气地说道：“喝瓶水，安美女，警营就是不养爷们儿啊，看这警花开得叫个艳啊。”

安嘉璐做了个鬼脸，心道这还没过几天嘛，怎么脸皮都又增厚了尺似的。唯一没说话的鼠标作为旁观者一直奸笑着，快到门口他才开口道：“从你看到我们第一眼起，是不是觉得警队素质下了个档次。”

“看到你就够了，不用看这么多，文涓也在啊……我说，这，究竟怎么回事？”

安嘉璐的好奇心被勾引起来了。她对于那次自己在这里被吓走的事还是心有余悸，闻听周文涓跟着法医采证，让她好一阵钦佩，又听那哥几个不是打杂的就是开车的，个个牢骚一肚子，不过都没有李二冬惨，现在全天候不是蹲坑就是盯梢，他要求过换岗了，不过他这市侩样实在无可替代。

队长说了，你这样站街上就是个二流子，蹲路上就是个小混子，长得这么合适，不利用利用太可惜了。

鼠标编排得把安嘉璐给逗得肚子疼，冷峻的周文涓也按捺不住了，每每被他们相互编排的事逗得忍不住笑意。冷不丁安嘉璐突然问了句：“余罪呢？”

同样的问题，让哥几个面面相觑，然后奸笑慢慢爬上了鼠标、李二冬几人的脸上，此时不约而同地想起了余罪在大餐厅追安美女那档子事，鼠标嘿嘿笑着问：“安美女，你还真想那只癞蛤蟆？”

安嘉璐脸红了，抬腿就踹了嘻嘻哈哈的鼠标一脚，那边李二冬又失落道：“哎哟，早知道我们就集体送玫瑰去了，哈哈。”

安嘉璐脸又是一红，回头要踹李二冬，可不料脸皮厚的不是一个，孙羿和吴光宇纷纷举手表示同意，齐道：“现在集体送也不晚不是？安美女是咱们刑侦班的大众情人！”

这话听得周文涓也笑了，安嘉璐虽有恼羞，可也接受了同学间的这些玩笑，毕竟透着亲切，倒把余罪的事给忘到一边了。说笑着的时候，庆功会已经散了，鼠标和李二冬装模作样站到岗位上，孙羿和吴光宇指挥着车，个个干得有模有样。人群里看到高大英俊的解冰时，安嘉璐站在门口，远远地招着手。那的确是一个惊艳的女子，甚至让一干年龄不浅的老警都驻足观望，稍稍失了下神。

“邵队长，我、我女朋友，我……”解冰稍有不好意思地道。邵万戈一挥手：“去吧，放你一天假。”

“是。”解冰一敬礼，高兴地跑出去了，那群市局、省厅的人依次和二队的邵队长握手作别，鼓励着他。专程来此送立功奖章锦旗的是市局的一位副局长，他拉着许平秋点评着邵万戈道：“老许，还是你有眼光，那时候我差点把这个小兔崽子开除了。”

邵万戈这个大个子脸上有点挂不住了，哀求着：“刘副局，我现在倒巴不得您把我给开了，一年要接六十多个限期大案，两年之内只有走的人，没有进的人。”

“兵不在多，而在于精嘛，有许处今年给你撑腰，你挑吧。”刘局长大开方便之门了。邵万戈看了许平秋一眼，立马接着话头道：“那我给您打个请示报告，还得苗局批示一下。”

“这些都好办，就是别给我出乱子。老许，又是你教唆的吧，省厅的手伸得太长了，直接伸刑警队去了，这是我麾下的虎狼之师啊，和你无关啊。”老局长开着玩笑，许平秋频频点头，连连称是。两人同级，年龄相仿，基本都属于临近退休的人了，反倒在这个时候，很会下意识地做一些实质性的工作，就像在弥补以前落下的课。

送走了市局的人，又送走了市电视台来采访的几位，回头许平秋刚要说话时，邵万戈拉下脸叫骂上了：“怎么看的车，谁把我的车撞了？”

车前脸蹭了一大块，被骂的孙羿屁颠屁颠跑上前，敬礼道：“报告队长，是解冰的妞把您的车蹭了。”

“报告队长，要不要我们把她抓回来？”吴光宇也敬着礼。两人故意的，心知队长现在偏袒解冰已经太露骨了。眼下又爱乌及屋，一听是解冰的女朋友，不追究了，反而瞪着这俩报告的骂道：“车都看不好，干什么吃喝的。你们几个，都来我办公室。”

看来，贱骨头就得狠招治，邵万戈一喊，那几位老老实实跟在他背后，甩着臂走得正儿八经，一点也不敢含糊。许平秋看得心里暗笑了，看来这几个刺头，就得来这种地方好好整治整治。进了办公室，四人直愣愣竖了四根电杆似的，许平秋饶有兴致地看看这个，瞄瞄那个。严德标又胖了点，孙羿和吴光宇晒得黑了点，李二冬嘛，还是那副愤青样子，看谁都不服气似的。

“就你了，收拾随身东西，跟我走。”许平秋一点严德标，定了。

“去哪儿？”鼠标不放心了。

“旅游去，想不想。”许平秋笑道。

“不想，凭什么是我呀。”鼠标留了个心眼，别又给扔哪儿去。其他人嗤嗤笑着，许平秋也笑了，躬身故意问着：“真不想？现在可有几起大案，留在家里的可都要二十四小时盯守，人手不够，休息时间都没有。”

“那我还是去吧。”鼠标马上改口了，惹得邵队长大笑，让他赶紧去准备行装。几人出了办公室，许平秋刻意地把门关上，手一摆道："这个人我借用几天。万戈，你觉得这几个人怎么样？"

"两个车手相当不错，驾驶技术比我们队员高出不少，吴光宇都有A本，我们要了。"邵万戈道，马上又补充着，"解冰，解冰我们也要了，我和他私下聊过，他也有这个意向。"

这个名字让许平秋微微皱了皱眉头，又问："其他人呢？"

"周文涓，也成，我们也缺女警。不过严德标和李二冬……"邵万戈面露难色了。

"怎么了？"许平秋料到没好事。

"太自由散漫了，试着让他们盯梢，他们居然敢溜号，回来瞎话编得一套一套的。这个性格可不好往回拧，这两人吧，我怎么就觉得全身找不出一点不是毛病的地方。"邵万戈异样道，似乎这号毛病太多的人也让他意外了。

"先试试看，谁也是从这个时候过来的，我今天要出趟远门，你要的人再过段时间陆续给你派来，今年我一定给你招一批守得住、干得好的好苗子。"许平秋很确定地道，不过邵万戈对此表示怀疑，只有抱之以无奈的一笑了。

下了楼，出了门，严德标早跟屁虫似的跟在许平秋背后，看着邵队长回去了，弱弱地喊了句："许叔，咱们到底去哪儿？"

"谁是你叔啊？"许平秋虎着脸，不愿意和他套近乎。

"叫叔比叫许处亲切嘛，还是叔关心我，知道我受不了了，让我出去散散心。许叔，咱到底去哪儿呢？"鼠标估计是有点心虚，一口一个叔，越叫越亲切，听得许平秋都拉不住脸了。他一侧身，开玩笑地附耳对鼠标说了句，鼠标眼一凸，吓得浑身激灵了一下，立刻作势就要跑。

许平秋根本没有拦的意思，就那么笑眯眯地看着，鼠标这时才省得两人级别相差太远，跑也没用。他一副老大不情愿的样子，嘴里念着什么，细辨却是一句："就知道好事轮不着我，轮上我就没好事。"

许平秋不废话了，上车一招手，不情愿的鼠标可也不敢违拗，苦着脸跟着上了车。此行的目的鼠标知道了：滨海市！

那个既有他噩梦，也有他牵挂的地方。

组织来人

飞机的声音呼啸着从头顶而过，透过纵横的钢筋网，看不到夜空中飞翔的航班，只有一小片深邃的夜幕，放风仓紧闭后，谁也看不清今夜的星空到底是璀璨迷人，还是乌云密布。

白云看守所，休息的时间到了。

A1204监仓里，也结束了一天的无聊生活。有的盘腿坐在地上，看着撕掉边角的旧报纸；有的围成一圈坐在床上小赌怡情；也有的在看着已经看了无数遍的家信，总是偷偷抹着泪；当然，吹牛打屁是最重要一项娱乐活动，一拨贼围着短毛请教“窃术”，这个老贼因为手法精湛，见多识广的缘故，隐隐地已经成为众贼中的又一个翘楚，众贼都巴着从前辈这里学点手艺，好出去重操旧业。

事实上，很多犯罪分子都不怎么理解“忏悔”是个什么概念，所谓法律意义上的悔罪表现，绝大多数也是这些人迫于无奈或者故意做戏，在这样一个没任何尊严和人格的环境里，为了生存，大多数人都磨炼出了精湛的演技。

比如前一刻打架还凶神恶煞，转眼间在管教面前低眉顺眼地认错；比如前一刻还在高谈作案的理想，后一刻提审又会在办案警察面前痛哭流涕要痛改前非。别说那些久经历练的老犯人，每一个新人也早都懂得这些逢场作戏，不管是面对警察还是面对牢头，他总会让你看到你喜欢看到的一面。

什么样的环境培养什么样的人，这样的环境只能培养出人渣来。

休息时间，老大们需要松松筋骨，瓜娃嚷着短毛、豁嘴过来。这俩人手底功夫相当了得，不但会偷会抢，给人松筋捏骨也是恰到好处。短毛伺候着傅牢头，豁嘴服伺着阮磊，瓜娃殷勤地要给余罪捏捏，余罪笑着拒绝了。处在被压迫阶级久了，余罪还是没有习惯压迫阶级的这些作态，这也是他在仓里很得人心的地方，至少不会招人恨。

余罪好伺候，瓜娃又瞅着牢里的四号人物——阿卜。他正铺着一条破毯子，每天这个时间他都要虔诚地跪祷，仓里没人听得懂。

余罪对此表示尊重，那是一个信徒最后的底线。不过别人就不以为然了，黑子没理会这个天天装神闹鬼的货，傅牢头也笑着劝道："别跪了阿卜，法律饶不了你。"

阿卜嘟囔了一句，没人听明白是什么意思，不过肯定是对牢头表示不满了。傅牢头呵呵笑着，这种行为在他看来是非常怪异而且无法理解的。

傅老头继续取笑着阿卜，阿卜起身抱着毯子，继续躺在床上默念着，随后直挺挺地躺倒，眼睛呆滞地一动不动，一副神棍的表情。这看得领导班子的几人兴味索然，自动把这个教徒过滤了，黑子招手唤着新人："假护照，你过来。"

没人去刻意问他叫什么，在监仓里一般是按罪行命名。新人刚过适应期，老老实实跑到床边上，恭敬地问着："黑哥，请指示。"

"讲个黄色笑话，让哥高兴高兴。"黑子直接道。

"啊？"新人一愣，愁眉苦脸了。众人笑了，黑子吓唬着："讲不出来，小心揍你啊。"

众人笑得更欢了，如果某些方面满足不了领导班子的恶趣味，直接后果就是挨揍。不过假护照好做，这黄色笑话可不好编，新人抓耳挠腮正发愁着呢，冷不丁听到开牢门的声音，门口的一激灵，自动让开了。

这个时候一般都是有新人进来了，看来又有不幸的兄弟落网了，这也成了每天大家讨论的话题，新人如果来得早，就有乐子玩了。

值班的管教一开门，外面的新人抱着衣服，光溜溜地进来了。门锁上时，他紧张兮兮、怯生生地看着一仓犯人。

进仓的搜身搜查得很严，而且从搜身到送进仓里这段时间根本没穿戴整齐的机会，所以新人进门都这个德性。假护照高兴了，冲着新人笑着："唉哟，来了新人！黑哥，是不是不用我讲笑话了？"

"滚！"黑子喝了声，把他轰走了，坐在床沿边上看着新人。此时还不到安歇的时候，黑子开逗新人了，一拉脸道："洗干净了没有？"

"啊？还、还没洗。"面对的那一双双狼眼鹰目，新人吓坏了。

"进门头件事，洗干净脱光被兄弟们瞅一遍。瞅过之后就是一家人了啊。"傅牢头严肃道，今天心情颇好，吓唬着新人。

新人吓蒙了，一看一仓光头爷们，低声下气地道："大哥，我、我……"

"不愿意是不是？这是规矩，你以为还需要和你商量？"黑子一捋袖子，露着一身腱子肉威胁着。新人给吓得快哭出来了，紧张地道："不是，大哥，我、我有痔疮……"

终于有人按捺不住了，简直笑喷了，黑子也憋不住，侧过脸哈哈大笑起来。

新人却是吓惨了，战战栗栗地靠着墙，大气不敢出一口，生怕真遇上一群变态的。不过他看到余罪时，似乎有一种熟悉的感觉，猛然间他一下子惊喜地唤着余罪道："大哥，我认识你啊！你不认识我了？"

"胡说不是？"余罪瞅了瞅，这人瘦个长发，满口滨海白话，绝对不认识。

"拉关系也不行啊，别搞外面那一套，这里我说了算。"傅牢头凑热闹了，盯着新人。那新人紧张地、语速飞快地说道："我真认识您！流花宾馆，火车站那片，我们一晚上好不容易找了点钱，全被你抢走了。"

"啊？"余罪叫了声，吓了一跳。

他端着新人的下巴仔细看着，那天打得太急，实在不记得了。不过隐约有点印象，自己抢了个钱包，被三个人追打，想到此处他有点来气了，伸手就是一耳光恨道："不说我还想不起来，就抢了个钱包，你们三个追了老子几公里，还差点捅老子一刀。"

"大哥，没捅着你不是？可我们都受伤了呀！"新人捂着脸，低三下四道。傅国生一听这缘由，笑了，他一直不相信余罪是个抢包的，可没想到，连失主也被关进来了。

余罪刚想开口，可不料监仓的门又响了。众人以为今天又进新人了，却不料管教在门口吼着："0022，提审。"

0022？余罪一愣，穿上鞋出了监仓。这一刻，他等了好久了。

夜里进人和提走人，在这里是再也正常不过的事。余罪一走，傅国生兴趣大增似的，和黑子两人一骨碌爬起来，直勾勾盯着新人，那新人似乎感觉到会有什么危险似的，一团衣服紧捂着下身。

"我问你，你真认识刚才那个人？"黑子问。新人肯定地点点头。

"说说，怎么认识的？"傅国生威胁道，"要敢骗仓里兄弟，嘿嘿……"

"哎，我说我说，我老实交代……"

新人点头如啄米，只要没有失身之虞，其他的倒无所谓了。自己认识余罪的情景倒也很简单，那天他有同伴出去找了点钱，分头赶回住处时，他突然听到同伴的喊声，奔进胡同才发现居然有人给同伴拍黑砖了。而且那人没跑多远，他这一伙嚷着就追，直追回火车站，不想这人手黑，打打停停跑跑，三个人没拦住一个，更没想到的是他也有同伙，刚把人围上，又来了个相貌凶恶的丑汉，三拳两脚，把追兵全打趴下了。

这号敲车窗偷东西的在当地被称作"地鼠打洞队"，敢情这货也是打洞队的。不过黑子一听此人是在火车站一片混的，想起他们老大叫疤鼠，和自己这个砍手党还有过几面之缘。黑子把话传给了傅国生，傅国生皱了皱眉头，这帮人虽然名号不怎么好听，可凶恶得很，一出来就成群结伙，有时候都敢顺道把车劫走。

可现在听得余小二居然从这帮货手里抢东西，傅国生可就兴趣盎然了。新人说道那天不但被适才仓里这位大哥抢了，回头还因为丢了东西，又被老大揍了个半死。他讲得委屈无比，只差声泪俱下，看上去简直就是比窦娥还冤的一个苦命人。

这德性傅国生看习惯了，突然问道："你怎么犯事的？"

"不小心失手了，被火车站的便衣给摁住了。"新人道。

"你们老大呢？疤鼠也被逮了？"黑子问。

"不知道，我进来都几天了，一直被关在治安队。大哥，我可什么都没多说，就认了一桩。"新人道。

傅国生不知道在想什么，没回应这事。新人看牢头没吭声，弱弱道："大哥，我真有痔疮……"

傅国生哈哈一笑，不置可否地一摆手，示意问完了。黑子没给好脸色，一摆手道："滚吧！"

新人那颗悬着的心好歹放下了，直接就躺在马桶池边上睡觉，也没人搭理他。他偷瞟着几位牢头睡觉的方向，发现那两位牢头在嘀咕着什么。而且更让他心虚的是，适才走的那个人，铺位赫然在第二位，一看就知道在牢里的地位不低。于是他刚放下的心，又悬起来了。

只见傅国生侧头问着黑子阮磊道："疤鼠手底下的小弟你认识？"

"认识几个，疤鼠几年没露面，听说犯大事了，他的小弟都成大哥了，总共有三十多个。他们是流花那片最大的一伙，估计是过界了被便衣端了。"黑子道。道上新人换旧人，变换得很快。他看了眼傅老大，问着，"怎么了，老傅，你有兴趣？疤鼠现在可是名人，通缉令悬赏一万块。"

"呵呵，我对他没兴趣，倒是对敢从他手里抢食的有兴趣。"傅国生笑了笑。黑子突然想起来了，老大说的是余小二。

可不，当毛贼都是个黑吃黑的毛贼，怪不得老大说人家有理想、有追求呢。

这一夜，仓里的领导班子都没有休息，等着余小二归来。进仓第一次见他提审，对于他究竟能有多大的罪名，似乎都很期待。

作为嫌疑人，精神再强悍，遇到提审也不免紧张。

可余罪明知道自己不是嫌疑人，依然有几分紧张，他出仓的时候突然感觉自己像被这里同化了一样，沾染上了那些莫名其妙的紧张和恐惧的情绪。

比如见了管教，会下意识地蹲下；比如在门口验明正身，他会下意识地哆嗦着说话，就像所有仓里的犯人一样，这些都是畏惧法治的表现。尽管之前是装的，可现在已经装成下意识的表现了。

被带出了两道铁门，最外面的一个区域就是提审区，四层楼，都是审讯室，以方便公、检、法三家对在押的嫌疑人进行审讯。当然，相比派出所里的那些滞留室，这里对犯人来说简直是天堂了。

余罪倒没类似的担忧，他只是在想来见自己的会是谁？

是许平秋？好像不可能，毕竟是一个省厅的大处长，有很多方式方法来摆布他这枚小小的棋子。

那是进监狱时看到的那位？余罪努力回忆那人的长相，中等个子，梳着顺滑的汉奸头，肯定是警察，但绝对不是那种按部就班的警察，应该是特勤，很少穿警服执法的那一类人。余罪凭空生出了这种直觉。

很可能是他，一个警校的毕业生被送进监狱，这应该是一件目的性很强的事。而操纵这件事的人，应该不会希望更多的人知道实情，否则就没有下文了。

余罪被法警带着，老老实实地跟在背后走了。直上到提审楼的四层，扑面而来一股新鲜、凉爽的空气，夹着潮湿的味道，他想起来了，看守所的周围都是菜地，就是这种味道。楼的甬道很窄，都被防护网隔着，戴着手铐的余罪亦步亦趋走着，眼睛的余光至少看到了四名荷枪实弹的武警。他突然间想起了在外面很喜欢看的那部美剧《越狱》。

不过他现在的想法是，电视剧净他妈扯淡，让谁来这儿越狱试试，出不了仓门就得被打成筛子。

“进去。”法警将他押到一间提审室的门口，开门推余罪进去了。法警掩上了门，直挺挺地杵在门口，这是看守所所长专程交待的重要犯人，一定要看好喽。

余罪进了提审室，正如自己所想，来的不是许平秋，是一位穿着普通警服的警察，对方一挥手，示意着他坐到被审席上。余罪上前几步，坦然坐好，放下隔板，抬着头看着那位帽檐压得很低的警察。他有点奇怪，这家伙，为什么那么眼熟呢？

余罪侧耳细听，却听到"哧哧"的声音。半晌才听明白，是对面那人在笑，还是强忍着的笑。余罪瞪着眼异样地看着，又过了半晌那人才扶扶警帽，斜着眼，抬起头来了。

"鼠标，怎么是你？！"

余罪一肚子火被吹得四散无影，面对着鼠标那一脸坏笑，他除了哭笑不得，不知道该有什么样的表情。余罪怎么也没想到，组织上会派这么个草包来，偏偏这个草包让他一点火气也发不上来。

连升三级

哥们儿是什么？哥们儿就是在你最难的时候耻笑你一顿，再拉你一把的人。

鼠标就是这样的哥们儿，虽然也拉你一把，可耻笑绝对比谁都凶。他抬起脸半天也没迸出一个字来，就那么笑着，笑得眼睛眯成一条线了，笑得脸上肌肉快痉挛了，笑得都咳嗽起来了，每每想强忍着不笑，可一看余儿剃得毛茸茸的脑瓜，又喷笑出来了。

"鼠标，你就嘚瑟吧，等老子出来掐死你。"余罪恶狠狠道，沾染上了几分悍匪气质，不过唬不住彼此知根知底的兄弟了。鼠标一撇嘴巴道："嫌疑人余小二，注意你的说话态度。"

刚说一句，鼠标又笑了，实在正色不起来呀。本来以为大家都被派到各岗位训练了，谁知道监狱里还留了一个，他听许平秋介绍的时候吓了一跳，可真正见到，又笑得合不拢嘴了。亏是认识，否则就余罪现在活脱脱的人渣样，谁敢说他是警校毕业的？

他看到余罪像老鼠啃过的发型，又脏又破的看守所服，以及有点仇视社会的表情，本来已经强自压抑住的笑又忍不住了。

“你就这么笑？我喊了啊。”余罪作势道。

“你喊破喉咙也没人来，特殊询问，法警不会进来的。”鼠标得意说道。

“那意思是，我揍你小子一顿，也没人管喽？”余罪说着，放下了隔板。鼠标一惊吓了一跳，赶紧道：“余儿，快坐好，有监控，出去再揍不迟，我受省厅命令给你带来几句话。”

“你去死吧，你怎么不说代表组织来慰问我了？”余罪骂道。

“咦哟，看来你知道啊，我就是代表组织来慰问你的。”鼠标道，看余罪这样，知道他心里有气。他先入为主道，“余儿啊，你也算不错了，你知道我们受的什么罪？我被派到二队蹲点，上厕所都不自由，回头还得被队长训；孙羿和吴光宇，在车管处差点被开了，也被扔二队了；李二冬在网警支队，也被赶出来了，现在队长对我们横挑鼻子竖挑眼，下班时间都不让我们乱跑。还有你知道怎么训练？让我跟老刑警对打，那他妈根本就不是对打，是挨打……”

鼠标发了一肚子牢骚，那苦水倒得听上去简直比余罪苦上一千倍一万倍：“坐牢多好，吃了睡，睡了吃，哪像我们，尿尿都不自由。”

“得了，别贫了，我的事懒得跟你说。你替我给许平秋带句话，不管什么任务，老子不干了！”余罪打断了鼠标，不屑道。

“哟！当了两天人渣，还就长本事了。处长你都敢骂？”鼠标吓了一跳，不过随即异样道，“不过你的任务不是完成了吗？”

“完成了？”余罪惊讶道。

“对呀，不就在监狱里生存一段时间吗？许处说了，你完成得相当好，而且坐上二把牢头交椅了。哎哟把我羡慕的，早知道我就进来了，哪轮得着你。”鼠标不无羡慕地说道，好像还真不是假的。就像他经常哀叹的，为什么好事就轮不着咱呢？

不过这话可把余罪给听蒙了，难道之前的判断都错了？他瞪眼问：“真的？别蒙我啊。”

“真的。我在队里就一出气筒，现在来了也就一传话筒，我敢胡说吗？”鼠标道，这倒不是假的。

可要是真的，余罪就更郁闷了，先前准备的撂挑子之类的气话可全用不上了。他好不郁闷地挠挠脑袋，看鼠标的德性时，他突然又想到了许平秋就算有别的事，可能也不会告诉鼠标的，鼠标的来意，恐怕是找一个能直接和自己说话的人。一念至此，他扬了扬头道：“还带什么话了，别憋着，一块放出来。”

“第一是表示慰问，看你这样，慰问就算了；第二是就快放你了，你准备好出去，出去直接就是三级警司。唉，我说这世道太不公平，我们转正都不知道到什么时候，凭什么你出去就是警司，操，连升三级。”鼠标传话还不忘夹杂着自己的评论，捎带着向余罪竖起了中指。

普通警校生毕业后一年转正，不过是二级警员，除非有特大立功表现或者在专业技术上有特殊贡献，才有可能在每年的授衔中得到特殊待遇，而余罪一下从二级警员升到三级警司，最起码在鼠标的认知中，已经是绝无仅有了。

余罪也微微怔了下，没想到许平秋会下这么大的血本，自己不免稍稍动容，虚荣心被稍稍满足了下。不过嘴上却不饶人了，无所谓道：“告诉他，老子不干。”

哎哟，这把鼠标哥给纳闷坏了，心想余儿果真有人渣的气质，好像什么事都不在乎了。

“第三句话就是，假如你不干的话，可能一时半会儿回不去。”鼠标道。他暗想还是老许更奸诈一点，已经考虑到这个结果了。余罪愣了，没想到被人料定先机了，他不动声色问着：“为什么？”

“我听许处说，那个精英选拔是个幌子，为的就是选一批一线刑警，而选一线刑警是目的，但不是终极目的，真正的终极目的，是要选一个能在人渣堆里行走的人。我们都是你的掩护，那天咱们十个人被送到不同的地方，还有很多人不知道下落呢。”鼠标道，看着余罪这样，连他也觉得这个选拔相当地成功。他赞叹道：“恭喜你啊，余儿，我在飞机上才知道，你中标了，除了你我们都不是精英。”

余罪扑哧一笑，被鼠标的话逗着了。笑着的时候，看着鼠标那身警服，余罪又没来由鼻子一酸，一股子痛楚袭来，他一下子没防着，抹了一手的热泪。

凡事苦乐自知，得到这个恭喜，余罪只有被憋屈的一掬泪。

余儿哭了？！这可稀罕了，鼠标这才知道就数他受的罪重了，喃喃道：“据许处讲，被选中的这个精英，从出生记录开始，都会被省厅刻意抹去，这是沿用了原省刑事侦查总队招收特勤的惯例。所以，现在只有一个余小二存在，余罪已经没有任何记录了，就即便想恢复，也不是一时半会儿的事。来之前许平秋和我谈了一个晚上，本来这种事是要经过本人同意的，不过这次情况特殊，而且他说如果刻意地去干一件事，恐怕未必能比什么都不知道做得更像，所以，我们一直被蒙在鼓里。”

慢慢地，鼠标的声音越来越小，因为他有点说不下去了，连他也觉得这事有点残忍。一个活生生的人将被从原来的生活圈子里全部剥离，亲人、朋友、同学，所有认识你和你认识的，都不再会有正常交往，他想这事如果放自己身上也得好好考虑考虑。可现在这些全落到了余罪头上了，他有点替余罪伤感。

连升三级，不是那么容易得来的。

蓦地，余罪听到了一阵熟悉的旋律。抹了把眼泪抬头时，看到是鼠标打开了手机里的音乐，很铿锵的旋律，又是那首《人民警察之歌》。

“关了吧，攻心对我没用，我他妈现在谁都不恨，最恨警察。”余罪道。

“许平秋的第四句话就是让你认真听完，别忘了咱们的校歌。”鼠标说道，此时此地，连他也带上了几分肃穆。他没有关，余罪也没有再拦，就那么听着，就像有人在耳边清唱，萦绕着久久不去。

“在繁华的城镇，在寂静的山谷，人民警察的身影，陪着月落，陪着日出……”

余罪下意识地想起了在警校操场一身泥一身汗的艰苦训练，那时候有多少志同道合的狐朋狗友陪着，在每一个月落、每一个日出，不止一次地憧憬着毕业后的警察生活，憧憬着穿上警服，以为可以过上不一样的日子。

可现实却告诉他们错了，鼠标肃穆地说："其实这份工作只是形式不同，实质一样，都挺受罪。"

鼠标想起了蹲点的日日夜夜，和那些满脸疲色的老刑警相比，自己所差就是受的罪少了点而已。他轻轻地拧大了声音，此时对这首歌他好像有了一层更深刻的理解似的，一点也不觉得歌词有点矫饰了。

"在欢腾的海岸，在边疆的水路，人民警察的身影披着星光，浴着晨露。崇高的理想，培育的高尚情操。严格的纪律，锻炼的坚强队伍……"

鼠标听着，在他的眼中，心中油然而生了一种肃穆。不管平时同学们多么标榜自己的个性和无耻，可真正置身于这个大熔炉中，都已经不自觉地成其中一分子。也不管你愿意与否，纪律和情操、理想和信念，已经在你的身上打了深深的烙印；不管你是多么卑微的一员，都会有一个崇高的名字。

学校、家、同学、家人……一幕幕飞快地在余罪的眼前掠过，陌生而熟悉；监狱、警察、人渣，熟悉而陌生。就像在光明和黑暗之间的选择，再卑微的人也有选择光明的心，哪怕这光明带着几分残忍。

两个人都怔了，不知道什么时候，音乐接近了尾声，把他们从回忆拉到了现实。鼠标看着余罪眼中的迷茫，听着他的叹气声，良久无语。过了一会儿，他起身把手机递给余罪，说道："给家里去个电话吧，伯父一定很想你了。"

余罪一下子失态了，紧张到哆嗦着摸着手机，拔着号码，却又停下来，怯生生地看了鼠标一眼，马上就着袖子抹了眼泪，定了定心神，深呼吸了一口，半晌才拔通了电话。

"爸……"

"谁呀？"

“爸，听不出我来了。”

“啊？余儿啊！哎哟，你个死小子，还知道你有爸呀？这都多久了才打电话，就算忙也不能忙得不要你爸了吧？对了，你们有纪律对吧，说说，啥时候回来，你没闯祸吧？”

余罪被老爸抢白得插不进去嘴，不过听到这熟悉的声音，一下子让他的脸上堆满了幸福的笑容，半晌他才开口，千言万语汇成了句毫无新意的话：“爸，你还好吧？”

“废话不是，年景越来越好，工资越来越高，兜里有钱的多了，咱这生意能不好吗？哎对了，这还多亏了你那些战友们帮忙呢。”

“什么？我的战友？”

“对呀，都来咱家订货来了！哦哟，好几个单位都在咱家拿货，会务布置、招待上级，全要的高档水果，爸雇了两个送货的都忙不过来。说什么来着，还是爸当年有眼光送你当警察去，要不咱们爷俩都是小商贩，谁搭理咱们呀？还不是看在你是警察的面子上……对了，你们训练那地方有女的没，勾搭上个女警察回来，以后出门好办事……哎你说话呀，怎么了这是？”

“爸，听你说呢。不过，爸呀，你交代的任务有难度啊，你把我生得一点都不帅，人女警看不上啊。”

“那你降低降低标准，找个丑点的嘛，丑点的媳妇能守住家啊。”

“………”

“咋又不说话了，还别不爱听，不中听的都是良言。家里别操心，有空回来看看就成，儿子，爸寻思着现在年轻人上班都买车呢，是不是给你买辆车什么的，现在小姑娘们都现实着呢，看你没车没房，别想哄人家和你结婚……”

余罪突然发现这啰嗦中的幸福让他感觉是如此的难堪，以至于不知道跟老爸说句什么好，好容易搪塞了父子间的思念，他无言地把手机递回给鼠标。他知道，这是有人刻意地用普通人的感情拴着他，怕他走得太远，即便是有一千一万个不齿，他知道自己也无法拒绝这份好意。

“我的任务完了，该回去了。”鼠标道，看了眼脸色有点苍白的余罪几眼，又开口问着，“没有什么带回家里的？”

“没有，出去再说吧，我现在心里很乱。”余罪道，揉着鼻梁，心里确实很乱，乱成一团麻了。

鼠标等着余罪定了定心神，征求同意后才拉开了门，看着他被狱警带走。他就在甬道上隔着防护网看着余罪被关进了铁栅后的世界，那个黑暗的、无从了解的水泥格里，究竟发生了多少不为人知的事。他心想该会有多少事才能把余罪这个贱人都搞得这么多愁善感呢？

下楼，验证件，过了两道岗哨才出了看守所的铁大门，鼠标此行到滨海的任务也就圆满完成了。他上了一辆久候的车，默默地坐着，开车的居然是许平秋，走了好远才向鼠标问道：“他怎么样？”

“不太好。”

“不太好是指什么？”

“他哭了，我从来没见过他哭。”

“那是很好，不是不太好。”

许平秋很释然道，似乎对于鼠标带回来的消息很是高兴的样子。鼠标不解了，可他不敢多问，对于老许他从开始就有一种恐惧感，这老奸巨猾把余罪那贱人都玩弄于股掌上，他可不敢轻易招惹。几次看许平秋，都见得老头脸上几分得意，他趁着人高兴小心翼翼地问道：“许叔，那我是不是能回去了？”

“你知道得太多了，暂时回不去。”许平秋笑道。

“等余罪出来，我和他一块回去。”鼠标道，期待上了。

“呵呵，他也回不去，你们搭伴吧，我猜他信你赛过信任组织。”许平秋道。

“那……”鼠标想了想，他倒不介意和余罪一块儿，只是此时心里有想法了，弱弱地问着，“是不是我也会升职呢？他都是警司了，不能我还实习学员吧？”

“行啊，瞅个空把你送进去待几天，你混得能抵上他一半，没问题，授警司衔。”许平秋笑着给了个简单任务。这任务把鼠标吓住了，想了想拧着脑袋道：“那算了，那地方看着人心里就发怵，真不知道他是怎么过来的。”

这话让许平秋怔了下，他叹了口气，心里是浓浓的愧意。

惜别依依

世间最难熬的不是绝望的时候，恰恰相反，而是你觉得希望已经靠近的时候。这种时候会让人患得患失，心情又发生一种潜移默化的变化。

余罪早晨会竖着耳朵倾听开仓门的声音，管教只要出现在门口，他会很期待地第一个坐好，等着点名，等着雷霆一句，改变命运。当早晨失望后，还有中午，中午失望后，还有晚上，就这么患得患失地又过了若干天，一下子仿佛整个人变了似的。

这种变化连智商不怎么高的黑子也发现了，几乎是一周的时间里，余小二不像以前那样总是深沉，反而和仓里的人渣们相处得更融洽了。

这一日放风时间，他拉着傅牢头问着：“老傅，余二这是怎么了？”

黑子所指是牢二极度亲民的样子，正和仓里的新老犯人一块玩呢。

“估计要出去了。”傅国生笑着道。

“真的？”黑子有点不信。

“假不了，快出去的时候都这德性，越觉得快出去了，日子就越不好过了。”傅国生感慨道，话音里有股沧桑味道。他本人何尝又不是如此，难怪众人都觉得牢头这段时间亲和多了。阿卜有点羡慕地问着牢头：“老傅，出去还会回来看我们吗？”

“当然要看了，不看都不算兄弟啦。”傅国生想当然地回道，却听一阵聒噪声起，打断了几人的谈话，却是余罪和短毛玩得正欢。原来这个老贼又在“为人师表”，说无论你们把钱装什么地方，他一眼就瞧得出来，十回能对八九次。可不料余罪加入到其中了，说这事情他也行，众人不信，考较了一翻，余罪居然少有失误，水平直追老贼短毛。

比如装兜里，余二一瞟便知；若是塞裤腰里，余二一指口袋，那人眉头刚一动，却见余罪“唰”一下子从裤腰里拽走了。瓜娃死活不信邪，藏好出来，得意洋洋一站，好像在说，这回你总找不出来吧。可不料余罪找也不找，取笑道：“瓜娃，你嘚瑟个屁呀？藏裤裆里了吧？”

嘿！这下把瓜娃吓到了，旁观的人群按捺不住一下子扯掉了瓜娃的裤子，只见一堆报纸做的假钱落了一地。豁嘴乐呵了，敬仰地嚷着：“二哥，有两下子呀，比短毛还厉害。”

余罪也是少年心性，本来就有奸商潜质，又经过人渣堆里的历练，这等小伎俩可比旁人接受得快多了，他笑着道：“这算什么呀，人身上就这么大地方，看不出来就猜出来。看不出的除了裤裆里就剩脖子后了，他头挺没缩，肯定夹在下面咯。”

这是猜的办法，不过适才一看瓜娃那德性，余罪便很确定了。他的话惹得一干看乐子的犯人大笑，连短毛也诚心实意地竖了大拇指。

接下来短毛又和众人玩着“挑包”的游戏，这可是个技术活，要趁着“失主”在注意力被转移的一刹那“夹”走东西，真正的神偷不是技术水平有多高，而是时机把握得相当精准。

这时候就看出短毛这位老贼的功力了，那两根指头简直堪比陆小凤，总在说话、开玩笑、拍下肩膀、吐痰动作的时候，在你兜里、裤子里、腋下一伸手，“噌”地一下子偷走，哪怕众目睽睽之下都做得到。

众人也知道，这一手放在大街上、公车上、地铁上，两根手指简直就是提款机了。

这让余罪很好奇，从小看惯了老爸两手一勾，晃一下秤星，秤上就缺斤短两了，那也是玩的手快，他早练得纯熟了。于是他趁着短毛拿到东西往口袋里塞的时候笑着一拍他的肩膀问：“短毛，你太视天下英雄无物了啊，要栽跟头的。”

“没有，二哥，我教他们出去怎么混呢。”短毛得意道。话音刚落，四周的哄笑声起，短毛一怔，赶忙一拍口袋，发觉刚从别人身上偷回来的报纸已经不见了。只见余罪手一摊，敢情刚才是一手拍肩膀，一只手已经伸进短毛的口袋。短毛惊讶地盯着余罪，凛然道：“二哥，您简直是当贼的天才，当年我跟师傅学了三年才出师，你看了三天就会啦！”

众人哄笑声起，余罪这脸皮笑肉不笑，只是心想活了这么多年，今天才发现最适合自己的环境居然是这里！

“我他妈现在相信，余二真是个毛贼了。”黑子阮磊笑道。几人作为领导班子成员，很少和下面的犯人一起玩乐，余罪是个特例，丝毫没有领导的“架子”。傅国生看着谈笑风生的余罪，笑着道：“我都说了，他是有追求的毛贼，你们不信。”

只见傅国生掰着指头道：“你算算，他的特长可不是这一项，打架手黑，不逊于你，即便加入砍手党这素质也过硬吧？”这点黑子没意见。傅牢头又道：“心狠人损这算一条吧，你想想他怎么整人的，咱们顶多按着揍一顿，他能把人整得宁愿挨揍也不愿被整，这可不是谁都学得来的。”

这倒也是，黑子笑了，想起了余罪出的那些馊主意：让你画个美女，对着打飞机；逼着喝凉水，直到上吐下泻；要不就模拟个审讯，专审你什么时候破的处，把那些新人审得老脸见红，说不出详细经过的，就去对着马桶池反思，那边能看清全仓人犯排泄的细节，用不了半天在那儿反思的人就崩溃了。

“关键还不光这些，难道你没发现，自从我们干过一架后，仓里再没恶战了？”傅牢头又道。黑子和阿卜想想也是，以前的监仓，毛贼和抢劫的，老乡和外乡，经常水火难容，不是因为谁偷谁的东西，就是因为谁抢谁的吃的了，总是打得头破血流，而这个仓似乎好久没有发生过了。阿卜这时也道：“仓里最不可能和别人融洽相处的那个云山人也会偶尔和余罪说说话，我对余二兄弟，有一种说不上来的感觉，不只是畏惧，还有几分感激。”最起码在他自己祈告的时候，那是一位保持沉默和尊重的人。

“哦，确实是，他和大家都处得不错。”黑子点点头，默认了。他记忆中余二时常把剩饭、烟屁股、旧衣服留给最需要的人，确实也很得这儿人渣们的心。

“所以嘛，这是一位复合型人才，别看现在是个毛贼，将来有可能成为贼王。”傅国生正经道着，惹得黑子和阿卜两人哈哈大笑起来。人渣也有人渣的快乐，这些天更是格外地快乐。

牢里只要无战事，一直就是这种不咸不淡的生活。这天的第二顿饭后，傅国生照例夹了支烟到了放风仓外，悄悄地点燃，唤着余罪。余罪出来时，意外地得到优待了，居然是一支软中华，敢情老傅还藏的有好货。他笑着抽了口，只听老傅问道：“老二，你确定，会放你？”

“应该错不了，那天运气好，钱包里只有两百块钱，要不是把人打了，说不定在派出所就放了。我外面有几个当搬运工的朋友，他们帮着我走了走关系，买通了提审，他说好像不用上劳教了。”余罪道，脱口而出的这番说辞是鼠标交代的，没想到还真用上了。

他看着傅国生阴晴变幻的脸色，笑着反问：“怎么了，老傅，你不也说近期要出去，到底怎么样？”

“半个月前就说了，这效率太低了。”老傅感叹道，也发愁出不去。

余罪笑了，一揽牢头的肩膀劝着：“你得庆幸人家效率低，否则你的好日子又过不了多长时间了，安心等着吧。”

“对了，你出去准备干什么？”傅国生笑了笑，瞟着眼睛问。

余罪随意道：“能干什么？瞎混着呗，走到哪儿算哪儿。”

“有没有兴趣到我公司干？”傅国生问，话音没来由地严肃了。

他的视线在一瞬间凝滞了，停留在余罪的脸上，像在捕捉任何一个细微的变化。似乎这些对他很重要，他一直很相信自己的直觉。

“你的公司？”余罪不以为然地摇摇头，补充道，“不去！”

傅国生愣了，自己这身家，在牢里也是数第一的，以前不管向谁示好，对方都巴不得叫他亲爹呢，这么被拒绝还是第一次。不过招揽失败，他并不懊丧，反而压低了声音道：“我这回是很严肃地对你说啊，你玩得实在不上档次，我给你个地址，出去找到这儿，不管我在不在，都有人招待你。就咱们以前说的，车啦，妞啦，住处啦，零花钱，都会有的，那才叫生活，有没有兴趣？不信你可以试试去呀？”

“我相信。”余罪扬扬手指，在这里都能抽上这种高档烟，傅牢头说的足够让他相信了，不过他喷了口烟道，“可我不准备去。”

“为什么？”傅国生不理解了。

“看看你自己这个鸟样！”余罪痞痞地喷着烟斥着牢头道，“你的公司会是个什么鸟样？老子单干过得就挺快活，给你当马仔去呀？你想得美！”

余罪一扬手，直接拒绝之，这下子可真让傅国生失望了，他解释着：“我是真心诚意邀你去玩的，没别的意思，你不会以为我还记得那勒脖子的仇吧。”

“报仇？”余罪回头盯了傅国生一眼，奸笑着道，“那前提是你得能找到我呀！”

余罪奸诈地想着，两人不可能同时放出去，一前一后，在这么大的城市恐怕没有再见的缘分了。何况他根本就不会再继续待在滨海市。

傅国生可真郁闷了，正寻思着换换口吻，以证明自己实在有远大抱负，而不是想着什么报复。可不料天不遂人愿，监仓里响起了瓜娃的破锣嗓子：“集合！”

两人一掐烟屁股，赶忙起身蹿进仓里。只见铁门洞开，管教在门外吼了句余罪期待已久的话：

“0022，收拾东西。”

铁门再次关上的一刻，仓里“嗡”的一声炸开了。黑子狠狠地给了余罪一个拥抱，后面阿卜大胡茬直扎余罪的脸，跟着仓里的每一个人都一窝蜂似的来和余罪话别。都知道这是要放人了，逮捕或者上劳教场，绝对不是这个时候，也绝对不会是一个人，如果是一个人，那只有这一种情况了。

一切尽在不言中，余二兄弟要出去了。

收获了全监仓十几双羡慕的眼光，余罪一下子激动得不能自制了。东西根本没什么好收拾的，他突然想起身上穿着的，一把脱下来，直扣到那位敲车窗的新人身上：“穿上，抢了你一回，不欠你的了啊。”

裤兜里藏的那支烟，直接给豁嘴夹上了，脚上还套着的人字拖，也直接扔给瓜娃了。眨眼间，余二兄弟脱得只剩个大短裤了，时间紧迫，傅国生没料到他走得这么快，飞快地写了个纸条，塞到余罪手里，神经质地念叨着：“我的地址，快藏好，出去管教要搜身的。”

却不料余罪一揉，一扔，一把搂住傅国生附耳道：“老傅，我知道你是好心，可我也是好意，咱们最好别照面。”

门开了，牢二赤着脚，光着上身，赤条条地出去了。大家只看到了这个亡命徒最后那一脸灿烂的笑容。

门锁上时，瓜娃和豁嘴拿着二哥的衣服、鞋子，睹衣思人，好不伤感；新人披着牢二那身不知道哪里抢来的短襟牛仔，有点感动，可不料感动劲儿还没过去，衣服就被抢走了，一看是那位眼露凶光的云山人，他忍气吞声地没敢叫板，此时倒更加怀念牢二了。

只有傅国生怅然若失，他没有太明白“余小二”最后的那句话，不过感觉怪怪的。人走了，他坐在床上长吁短叹，黑子有点看不过眼了，安慰道：“傅老大，叹什么气嘛，你不也快出去了。”

“江湖险恶无同道，寂寞啊。”傅牢头哀叹着，又看着一仓人渣，仿佛有什么未竟之愿似的感慨着，“这么多人才，都他妈被这么关着，浪费！”

看来牢头爱惜的“人才”，不只是余罪一人。

余罪在白云看守所住了三十四天，这一天出来时光着上身，赤着脚，可把来接他的鼠标给笑惨了。余罪的一肚子怨气也被重见天日的兴奋冲淡了不少，他抢过了鼠标的车，在高速上飙了十几公里。他之前从来没有感觉到过眼前这明媚阳光、新鲜空气、成荫绿树，也会是一种享受、一种奢侈。

生活，翻过了艰难的一页……

再见上级

一周后。

又是一个灰蒙蒙的清晨，余罪拉开窗帘的时候才发现外面下雨了。淅淅沥沥的小雨笼罩在城市的上空，就像北方冬天的霜晨雾。这个季节的北方还格外地冷冽，可这里，已经是又潮又闷的气息。

出来一周了，想见的人偏偏见不到，而不想见的鼠标，却天天在你的身边晃悠，每日里就吃和玩，把滨海市数着的名胜逛了个遍；不想出去玩了，就在宾馆里健身房做做恢复训练，在警校待惯了的人，或多或少有运动瘾，饮食加运动再加上日光浴，阴暗监仓里滋生出来的毛病，在他身上早不见踪影了。

他痴痴地看着窗外雨中的街景，很多时候，在他的心里会升腾起一种陌生的感觉，仿佛置身于一个不属于自己的世界，有时候甚至他会怀念监仓里那个裸着身、光着屁股的自由世界，赤裸裸地，不需要像外面这个世界那样，每个人都戴上一层厚厚的假面具。

比如现在他觉得自己就戴上了一层这样的面具，他非常想见到那些抱着某种目的把他送进去的人，可他还偏偏装着毫不在意的样子，吓唬着鼠标要回岳西，把鼠标紧张得只顾好说歹说安慰他。余罪其实也很想披上那身警服，挂上三级警司的肩章，因为他觉得自己的付出应该值得这种回报，可他偏偏装得一切都无所谓，根本不想当什么警察。

他有时候很挣扎，派出所片警、看守所狱警，给他的印象都不怎么好。不过不可否认的是，谁都想成为那样有牌照的执法阶级，而不想成为拳打脚踢下的被虐者。

妈的，为什么晾着我？

为什么等这么久？

下一步他们究竟想干什么？

在监仓里的目标会是谁？

一连串的问题又萦绕在他的脑海里，这个任务开始得糊里糊涂，结束得糊里糊涂，他作为这其中的一颗棋子完全无法窥到全局。本来他以为出来后就会被省厅的大员关着，详细地调查里面的情况，以及那个目标的情况。可他想错了，居然没有任何人来问自己任何问题，之前发生的一切居然就像只是让自己在监仓里生存一段时间一样，眼下只剩下鼠标这个草包坐陪了。

“对，鼠标这个货是不是瞒着我什么？！”

余罪一念至此，赶忙跑出自己的房间，敲响了隔壁的房门。稍等片刻，穿着大裤衩的标哥开了门，又屁颠屁颠跑回去看他的电视了。

余罪直接摁了电视，鼠标一骨碌从床上爬起来瞪着眼。余罪往床边一坐，毫不客气地拨拉着他那胖脸，针锋相对地回瞪着对方，像在质问这小子是不是出老千了。

但逢这种阵势，鼠标一般抗不过余罪，更何况余儿的人渣气质已经成形。他干脆一萎说道：“余儿，你别吓唬我行不？我真什么也不知道，领导就交代陪你吃、玩、恢复锻炼什么的，其他的我真不知道。”

“就你这德性，恐怕也知道不了什么。鼠标，你来滨海后，见没见到细妹子？”余罪换了个话题，他就知道从这货嘴里也掏不出什么来。

这可问及鼠标哥的伤心事了，他眼皮一耷拉，大倒苦水道：“没见着，第二天我就溜出去找她了，租的地方没人了，想去她老家找找又抽不开身，她先前的手机又停机了。哎！我说他妈妈的，一夜夫妻百日恩呢，怎么我一走她也消失了……”

鼠标哥好不懊丧，对于细妹子看来也确实动了点情，只不过任务在身，只能生生错过了。不过没准你在乎，人家还不在乎呢。

不过余罪可不是来安慰他的，他笑着问：“标哥，您这风流事，组织上知道吗？”

“废话不是，我敢说吗？”鼠标咧着嘴道。

“你不敢没关系呀，回头我说吧。”余罪轻飘飘地道。鼠标被吓了一跳，瞪着眼叫嚣着：“你敢？”

“你觉得我不敢吗？回头我就向许处反映，你狗日的生活作风有严重问题，在滨海任务期间，不但诈骗了上万钱财，而且还勾引了一位年方十八的良家少女，更可恶的，还始乱终弃。更更可恶的，一点都没有向组织坦白的意思。”余罪加重着语气，手指指着呵斥着鼠标。鼠标翻着白眼，不屑道：“咱们俩是一个鸟样，谁也别说谁啊，好像你干什么好事了似的。”

“是啊，我没干好事，可老子早蹲过监狱了，你呢？你这问题要在领导眼里，那可大了，追根溯源，那可是严重的思想问题。想穿警服，没戏了。”余罪道。

“你、你到底想干什么？我这几天什么都陪着你，就差陪你上床了，你还想怎么样？”鼠标明白了，余罪的威胁必有所求。果不其然，余罪奸笑着搂着自己坐在床边小声问着：“我不想怎么样？我就想知道，接下我会怎么样？透点风声啊标哥，你要不说，小心我把你的事透出去啊。就算真穿上警服，我现在三级警司，收拾你个实习的还不容易？”

软硬兼施，把鼠标哥给唬住了，他刚要开口，余罪又警示道：“别找借口，我就不信，你背着我不向某些人汇报。”

“这、这……”鼠标脸拉得更长了，难色更甚了。余罪这下终于确定鼠标肯定是向某些人汇报了，也不用猜，肯定怀有某种特殊目的，许平秋无非是用这么个狐朋狗友拴着余罪，这点余罪倒是早就考虑到了。他不客气了，直拽着鼠标的耳朵问：“许平秋是不是还在滨海？”

“是。”鼠标不撒谎了，点头道，一脸难色。余罪轻轻给了这货一巴掌斥着：“知道你小子哄我，再问你，来的时候是几个人。”

“就我们俩。”鼠标道。

“还见到谁了？”余罪再问，鼠标欲言又止。余罪又是一巴掌，鼠标叫苦不迭道：“没谁，就那几个人，我也叫不上名来，他不让我和那些人接触。”

“什么人？”余罪问。

“就那……”鼠标犹豫地说着，冷不丁电话突然响了。鼠标赶忙挣脱，讨好似的说着咱接个电话。他躲过一边接着电话，应了几声，不时看向余罪这边。等扣了电话时，却如释重负般笑着对余罪道：“不用审我了，我带你去见人。”

“你带我去？切。”余罪不屑道。

“余儿，你就是进了趟监狱，不是去了趟国际刑警总部，咱不要这么大架子成不？妈的，早知道提三级警司我就去了，哪轮得着你？靠，老子现在还是实习生，被人训来训去的……”

鼠标有点气着了，发着牢骚，穿着衣服，提着裤子。就这德性余罪就算想摆架子也摆不起来，两人一起走出了住了一周的武警招待所，去见那个余罪想见的人。

见面的地点在煤炭大厦，这座宾馆是岳西省煤炭厅投资建设的，每年南北的煤炭交易都在这里。余罪有所耳闻，大厦建成已经年久，进门所见都是些有点过时的装饰，甬道、电梯、墙壁处处都显得有点老旧。余罪心想这也正符合出省刑警办案地点的选择，既隐蔽，又能省下不少经费，而且在这儿出入的外地人居多，不引人注意。

二人直接上到顶层，整个一条甬道被封闭着，挂了个煤炭检验研究处的名字，有点不伦不类。不过看守很严，门口站了位看报纸的，以余罪的眼光一眼便能分辨出这是位便衣。谁有可能对着满纸广告的内容，一动不动拿着看得入神？

没人阻拦两人，鼠标前头带路，敲了1706的房间。里面有人应声时，他拉开了门把手，很有当差的自觉，做着请的手势，笑容可掬地请着余罪这位未来的三级警司进去。

余罪踏步而进，身后的鼠标掩上了门，按着命令要求，守在门口。其实鼠标也在肚子里嘀咕，为什么好事就轮不着自己呢？这些日子不是陪同就是看护，现在又加了一项：看门。

进门的一刹那余罪愣了下，一身警服正装的许平秋赫然在座，面前的桌上放着一个精致的箱子。他的手指正有节奏地敲着箱子，眉毛挑着，观察着余罪已经隐藏起所有心理活动的表情，那张脸，像蜡人，像泥塑，就那么看着。

“坐啊，这么安静，我以为你会有更激烈的表现。”许平秋示意着余罪坐下。这个房间，像一个皮包公司的办公场地，除了桌子和沙发，什么都没有。余罪一言未发地坐到了他的对面，这其实也是他在监仓里想过无数次的见面的场景。

想过踹他的裆，然后恶狠狠地踩上几脚；想过捶他的脸，然后恶狠狠地吐上几口。可真正面对的时候，余罪发现他缺了那么点勇气，出狱的兴奋，升职带来的希冀，再加上对接下来境遇的期待，让他的心里产生了犹豫。如果一无所有，谁也不在乎，可如果不是一无所有，就会让人缺乏那么点义无反顾的勇气了。

“欢迎回来。”许平秋客气了句，惯例地去掏烟，该说什么让他也有点难以启齿。他一怔间，余罪反倒掏出来烟来了，一磕烟盒嘴一叼，娴熟地点上火，根本没客气一句就给老许发了一支。许平秋压抑着烟瘾，笑道：“抽烟的样子很帅，我就不劝你戒了。”

余罪没搭理，斜眼瞟着。此时两人不像上下级，而是像一对决胜的对手。

许平秋笑了笑，整理着思路，半晌才开口道：“我知道你心里有怨气，如果我有平息你心中怨气的方式，我会不惜一切代价的。我知道，在你看过很多丑恶的一面后，会有很多怀疑，即便是曾经最坚定的战士，恐怕也会动摇。你现在能告诉我你对警察、对犯罪分子这两类势同水火的群体最直观的看法吗？”

“一个是伪善的所谓正义，一个是赤裸的无耻和罪恶。”余罪说气话了，他脑海里瞬间浮现的是在派出所、在看守所，以一个普通“嫌疑人”得到的待遇。他掐了烟，很平静地评判道：“相比之下，我比较欣赏后者。”

许平秋牙齿咬了下，他之前最担心的负作用还是出现了。曾经有过被劫持的人质和匪徒一起对付警察，也发生过刑警堕落成犯罪分子的事，这种同化效应要远远大于信念和职责的约束力。他斟酌着语气道：“很好，最起码这样，会让我心里少一点愧疚。”

“是吗，我怎么没有看出来你有愧疚感呢？”余罪嘲讽道。

许平秋笑了，他慢条斯理地拿出一部手机，拨弄着，嘴里随意地像在说着一件不相干的事：

“现在我可以把底交给你，所谓精英选拔是在选一位能在人渣堆里行走的自己人，而我不想选在职的警察，他们身上的体制味道太浓，逃不过有些人的眼睛；我也不想启用省厅隐藏的外勤，因为他们身上有太多的痕迹，故事不好编……”

“所以，你在找一个履历清白、故事不多的毛贼，培养成人渣？”余罪反问着。

“坦白地说，你不是我培养的，实在是你的天资太优秀。”许平秋不客气地来了句，盯着余罪。余罪莫名地有点心虚，他大义凛然的质问一下子去得无影无踪，似乎自己真是待罪的嫌疑人一般。

“单亲家庭，缺少母爱，所以你的性格中有暴虐的成分，有人走访过你的小学老师，据说你在小学因为打架转过两次学，上初中又转过三次，其中一次是因为收保护费东窗事发，对吗？高中嘛，好像没什么劣迹，但我相信应该是被隐瞒了。我看过你的成绩单，九十分及格的科目，你离及格最近的一次都差三十多分；警校扩招的名额，当年一定花了不少钱吧？你这种情况能上警校，实在说明现在的教育体制有大问题。”许平秋用着一种揶揄的口吻，似乎在揭底，揭到余罪无颜以对。

余罪笑了，他不知道自己为什么笑，想想家里给自己花几万块钱上警校，什么也没买到，买回一堆罪受了，这可真算是滑天下之大稽了。

“你的警校生活挺不错，赌赌博、喝喝酒、打打架，不但自己玩，还聚了帮志同道合的兄弟对吗？至于考试怎么过去的，我没兴趣，不过肯定花了不少心思吧。”许平秋道，净拣着余罪的糗处，看来把老底刨了个干净。此时他把手机放在余罪面前，依然笑着道，“之所以把你们全带到陌生的城市，让你们身无分文地训练，其实我就想找一个敢于蔑视规则的人。事实证明我没看错人，你们中绝大多数都敢，但做得最好的，是你。”

余罪不知道此话的褒贬，但他看到手机上的图像时，心沉到了谷底，那是在火车站抢那几个敲车窗玻璃的和在汽修厂跟老板谈判要钱的照片。他一下子明白了，其实自己自以为干得天衣无缝的事，都在这个掌舵者的控制之中。此时他也明白了，这个所谓的精英选拔，选拔的不是警校的精英，而是人渣中的极品。

很不幸，他中标了！

这时候一种复杂而无可名状的情绪在侵扰着余罪，这些事足以把他送进监狱，但恰恰送进监狱的，又不是因为这些事，这让他的心里有了某种平衡，似乎是一种带着愤意的庆幸。这种奇怪的感觉，让他笑了。

“很好，我喜欢你这种精神承受力强悍的人，那我就直入主题了，想不想接受省厅刑事侦查处的直接指挥，成为一名在籍特勤呢？”许平秋收起了手机，单刀直入了。每每在招收特勤的时候，都会遇到各种各样的阻力，普通人总是很难接受，当然，神经大条的例外。

这是个已经推断到的命题，但依然让余罪无法一下子决定。他又摸出了烟盒，下意识地叼了一支，刚叼上，却听见火机声响，抬眼一看正是许平秋替他点上火了。余罪侧着脸，努着嘴，对着火狠狠地抽了一口，缭绕的烟雾几乎迷住了他的眼睛。

这时候，他想起了监仓里那些坦荡而无耻的人渣脸，每每他抽烟的时候，总会有人凑着，猛吸一口二手烟，然后陶醉地说一句：“舒服！”或许是情感的因素作祟，他似乎一下子接受不了那些人成为他的对手。

心里依然像眼中一样迷茫，这一趟监狱之行，几乎颠覆了他心中警与匪的界限，他甚至有一种冲动，想扔下这一切就此罢休，想回到泰阳市那个与世无争的地方，哪怕过上老爸那种抠门数钱的生活，哪怕每日里就和那些老娘们儿、小媳妇为几块几毛钱拌嘴。

是接受，还是拒绝？

不管哪一种选择，余罪都觉得自己会后悔。

烟雾缭绕的房间，安静得能听到两个人的呼吸。不过过了很久，依然是只有呼吸的声音，余罪没有接受，也没有拒绝，就那么复杂地看着许平秋，仿佛想把他看穿一样……

岂曰无衣

迷茫的人，许平秋见得多了。

即便是穿着警服的同行，在多年的警察生涯中也会时常有这种迷茫，因为很多时候都徘徊在黑与白、对与错的边缘，很多时候合理合法的事会违心背愿，谁也无法分得清最鲜明的界限在哪里。

“每一个特勤，都有过你现在的这种迷茫。坦白地讲，警与匪在很多层面上很像，有时候是武力的对决，拼的是悍勇和血性；有时候是智力的角逐，拼的是阴谋诡计。其实我们应该受到谴责的地方和罪犯一样多。”许平秋坦然道。这句话让余罪很惊讶，却让他很认同。他异样地看着许平秋，仿佛初识一般。

只有互相坦白才会有共鸣，许平秋知道和余罪的谈话方式了，他转着话锋道：“不过你得认清楚一个大理，再有人性的罪犯，他所做的一切都是为他自己，或者为他的小团体；再没人性的警察，他做的大多数的事也是为了这个体制和规则的存在、运行。体制的好坏我无权评价，但保障大多数人在一定的规则内行事，却是警察必须负担起的责任。”

即便许平秋用再通俗的道理阐述，也只能得到余罪眼中不太清明的眼光，他知道自己有点急于求成了。许平秋看余罪依然踌躇，换着方式道：“不用费心思考虑对错了，反正对错咱们左右不了，就考虑一下自己如何？我这里给你两个选择，第一个，三级警司，接受省厅刑侦处的直接指挥，待遇问题不用考虑；第二个选择，回原籍。坦白地讲一句啊，即便我把你在羊城的履历全部抹去，以你之前的表现，你认为地方公安会接收你这样一个学员吗？就算接受，你觉得你得付出多大的代价？”

余罪手抖了一下，无意中烟在手指中已经燃尽了。他掐了烟，理了理越来越乱的思绪，他知道，自己在许平秋面前已经无所遁形了，但对于自己被强迫着接受这样的安排总是有一种逆反，他依然沉默着，就那么看着，似乎不准备做这个让他两难的选择。

“你准备不做选择，就这样耗着？”许平秋突然问，他有点按捺不住了。

说这话时，余罪笑了，随即笑道：“你抓住我的弱点，其实我也看出了你的担心。我要耗着，你就满盘皆输了；即便我接受，可我什么也不干，你照样会很失望的。”

这话可把许平秋给气坏了，恨不得揪着这小子来几个大耳光，可偏偏他得忍着，还得用无所谓的样子笑笑，随意地说道：“别把自己看得太高了，我手下数千刑警，有的是可用之人。”

“是吗？那我就等等看，等你赶我走的时候，我再作选择，或者到时就不用选择了。”余罪眼睛看着对方，有一种报复的快感，话里流露着得意。他发现许平秋一个小指在颤，那个细微的动作暴露了这位处长的担心。

很简单，煞费心机地作了这么多安排，如果功亏一篑，那将是个比坐上个把月监狱更难过的结果了。

许平秋突然发现要处理眼前的状况是非常之难了，比以前自己想要揣度面前这个人的真实想法时更难。没办法，监狱那所“学校”能学到的东西可比高等学府要多很多，看来这位学得不少。他也有点好奇，好奇这位究竟知道了多少。

以什么方式过渡面前这位心理的逆反是个大问题，许平秋凝视着余罪：刚刚长出来的寸发，虽然迷茫却依然掩饰不住狡黠过人的双眼，而此时，狡黠中又带上了几分得意。他知道，在监仓里那么长的时间，对于余罪这么个聪明人，差不多应该揣摩到自己的用意了。

“换个方式，咱们别互相猜，赌一把。”许平秋突然道。余罪一下子没反应过来，异样地问：“赌什么？”

“赌这个箱子里面的东西。我赌你根本不知道这次安排的真正用意。我相信你一定猜测这次要对付的目标了，可我赌你错了。”许平秋几乎是嗤之以鼻地说着。这可刺激到余罪了，只见他哈哈笑道：“许处，您太自欺欺人了，我要猜不出来你们的用意，说不定我早接受你的任命了。”

“是吗，话大了点吧？这件事两省公安厅知道的不超过四个人，而知道详细计划的，包括我在内只有两个人。”许平秋道。

“不就是接触监仓里的嫌疑人吗？找机会和他们攀上交情，就那几个人，天天吃喝拉撒在一块，能瞒得住？”余罪道。

“好，那你猜是谁？如果猜对了，我甘愿认输，这箱价值不菲的装备送给你，我就当扔了。如果你猜错了，听我安排，怎么样？”许平秋道，一副骗死你不偿命的表情。

余罪莫名地喜欢对方这种斗心眼的表情，他哈哈笑着道：“我出来的时候，仓里还有三个贩毒的、一个砍手党、一个做假护照的、四个贼、两个骗子……哎呀，罪都不轻，这些人……”

余罪说着，看着许平秋笑吟吟的脸，突然话锋一转道：“但他们都不是，真正的嫌疑人是那个超期羁押，一直没有定罪的牢头傅国生吧。”

许平秋心里“咯噔”一下，表情僵硬，两眼圆睁，给惊到了。

这个表情让余罪多了几分满足感，他继续笑着道：“本来我不确定，但你费尽心思又把敲车窗那几个贼一窝端了，又看似巧合地送进我所在的监仓，目的就是为了让他们认定我是个毛贼，没有更深背景，对吧？只有这种小贼身份才符合我的年龄、出身，或者我想，符合牢头在某种情况下的需求，否则他就不会对我那么另眼相待了。”

许平秋嘴一抽，直吸凉气，更加惊讶了。

“我想下一步，你们应该把傅国生放了，然后制造一个我和他相逢的巧合，把我送到他身边对不对？”看许平秋越来越吃惊的表情，余罪得意地笑着道，“本来很容易，出狱的时候老傅都要把地址给我，而且开的条件比您给的优厚多了，配车配房配美女啊。不过我回绝了，我告诉他，咱们最好别碰上。许处，你一定很失望吧？坦白地讲，如果现在牢头和你同时站在我面前，我想我帮的，应该不是你。”

许平秋眼睛越睁越圆。余罪咧着嘴，哈哈笑着，笑得眼泪都快流出来了。这一刻他等了好久了，从勒着傅国生的时候就一直等，一直等到现在才看到许平秋这一副懊丧而落魄的表情。

笑了半晌，余罪得意地看着这位黑脸的上级，就像曾经在学校闯祸后，看着哭笑不得的老师一样。他不用作选择，选择很快就会来的。

他记得很多时候，这个结果的表现是被气急败坏的老师赶出教室。谁也不喜欢这种逾矩的人，余罪大多数时候都是这种不被喜欢的角色，他知道即便表现得再乖顺，也不会博得面前这位高级警官的喜欢，不过他觉得自己也不需要刻意地逢迎什么，自尊、人格，该丢的早丢了，就剩下这个人渣的躯壳了，还有什么可担心的呢？

颓废、落寞、绝望、愤怒，甚至于有一丝接近疯狂的成分。

这就是眼前余罪给许平秋的印象，他对于自己的杰作有一种深深的愧疚——如果正常的话，面前这个孩子会成长为一个混吃等死的小职员，或者混吃等死的小奸商，不管怎么样，都没有理由经历这些普通人无法想象的痛楚。他闭上眼，仿佛还能回忆起在录像里看到余罪火拼傅国生的镜头，那一天，差几秒钟武警就冲进去了。人被逼到那个份上，不知道是一种幸运还是一种不幸。

他叹了口气，起身一推面前的箱子道：“你赢了，不用听我安排，箱子里的东西归你了。”

这么简单？余罪的得意一下子消失了，他愣愣地看着许平秋，实在想不通会这么简单。许平秋起身走了两步，突然间回头，很严肃地问：“不看看你赢的赌注是什么？”

余罪愣了下，紧张地打开了箱子，一瞬间他的眼亮了，心差点跳出胸膛。只见里面整齐地摆着一身警服：两杠一星，三级警司。他抚着有型的警帽，压抑着一下子从心底涌起的热血，突然间百感交集。

就算有千般万般逆反，在见到梦寐以求的事物摆在眼前的时候，那一切都烟消云散了。此时余罪反而有点惶恐了，他回头不解地看着许平秋，似乎有点不相信，以自己的的资质，组织怎么会这么宽容地敞开她的怀抱？

许平秋庄重道："本来对授予你三级警司衔之事我尚有担忧，不过现在我倒觉得授你三级警司衔有点小看你了，最起码得一级警司。你小子虽然是个坏种，可我不得不承认你很有种。"

这一句赞扬是由衷的，余罪觉得自己的虚荣心从来没有被如此满足过，他愣着，不知道该不该接受。许平秋一躬身，很爷们儿地刺激道："人一生会有很多选择，我知道你心里有点气不过，不过不要因为一时之气作出让你后悔的选择。你可以选择违法犯罪，当个极品人渣；也可以选择回原籍重操父业，当你的奸商。但我觉得你面前这个选择难道不更好一点吗？它代表的是光明和正义，你说呢？"

这倒不用说了，这个当然是最好的选择。余罪嘴里喃喃着，有点激动。

"以前我想你小子怕死，可你经历过这一次后，还有恐惧感吗？"许平秋笑着说道，很欣赏地看着余罪，加重了语气问，"别说这一群人渣，我觉得你说不定连灭我的心思都有了。不过你现在资格还不够，不管为警为匪，还得多磨炼几年。"

余罪不屑了，笑道："是吗？"怎么说也是监仓里的"二哥"，他有点不服气了。

"很好，我喜欢有种的男人，哪怕是个坏种。十分钟后在1709房间开会，有兴趣的话来听听。我知道你对未知的谜很感兴趣，这一次我保证你不会失望。"

不等余罪答应，许平秋转过身头也不回地走了，他掩门时看到了余罪小心翼翼地抚着警服，那一刻，余罪脸上带着微笑。

会来，还是不会来？这个命题的答案在许平秋看来不算难了，但难的是，仅仅是迈出了第一步，他就有一种心力交瘁的感觉，因为不管是手里的案子，还是要启用的人，都让他难以琢磨。

身难由己

这是一套藏蓝色的99式警服，曾经是全校学员们梦寐以求的装束。每一位警察成长都会有一个漫长的过程，学习、训练、招聘、入籍、评级、授衔，哪怕是一位品学兼优的学员，能拿到面前这套警服，也需要很多年。

可当梦寐以求的东西就摆在眼前，总是让即将得到它的人有一种崇敬和惶恐。余罪的这种感觉尤盛，因为他从来没有奢望过有一天自己能走进高级警官的行列。

对，高级警官。低级警员的衬衫是浅蓝色的，而从警司一级开始，衬衫是雪白的颜色。

他轻轻地拿起了这身警服，仔细地抚平，小心翼翼地穿上，对着镜子戴上了警帽，于是镜子里的人霎时变了个样子。自己看上去是那么的肃穆，而并不高大的个子，也平添了几分威武。轻轻抚摸着熠熠生辉的肩章，他在想：我的梦想实现了吗？

是的，一直以来就有这样一个梦。他记得第一次以嫌疑人的身份被扭送派出所时，民警身上那威风凛凛的警服，让他冷飕飕地打了个寒战；他记得为了培养一个能获得特招的特长，他每天拼命地跑啊跑，就想着有一天自己也能穿上这身警服，威风凛凛地站在那条水果街上；他更记得，尽管秉性和学业一样差，他仍然抱着这样的期待，那是心里最深处最圣洁的东西，他愿意付出任何代价来换取。

谁天生也不是坏人，谁天生也不愿意当人渣。

余罪知道，自己打心眼里喜欢镜子里自己的样子。

整整警容，他轻轻地拉开了门。于是，一身警装的余警司就这样堂而皇之地出现在严德标面前。严德标正蜷着一条腿，吊儿郎当地靠着墙，冷不丁被余警司的样子惊得差点扑倒在地。

“哇！”鼠标哥傻眼了，不经意地咬着食指，凸着眼珠，看外星人一般盯着余罪，惊讶道，“我的天，这是谁呀？”

“德性，穿这身就把你羡慕得吮指头了？”余罪不无得意地显摆了一下，看鼠标还是那副样子，被惊得反应不过来。他打掉了鼠标的手指头骂道，“见了长官就会吮指头啊？”

“敬礼。”鼠标装模作样来了个警礼，不过还是眼睛发亮，惊诧未去。但凡授衔，怎么也得一两年光景吧，看来这次是特事特办了。鼠标看看会议室的方向，小声道：“余儿，你确定，这身衣服可不好穿。”

“哟，你有长进啊，知道不好穿。”余罪笑着道。

“没长进也知道，肯定是有非常任务。”鼠标道。关键时候，鼠标哥还算清醒。只不过余罪也不糊涂，他笑了笑拍着鼠标兄弟的肩膀道：“任务个屁，老子赢的。”

“赢、赢的？可是……”鼠标喃喃着，不敢把“危险”两个字眼说出来。

“可是个屁，就老子受的那罪，躺在家里也应该领一辈子的工资。”

余罪威风凛凛，颇有人渣气质地说道。他踱步走向会议室，那么昂扬的姿态、那么稳健的步伐，不得不让鼠标哥感叹了：“看来监狱那所大学还是有优势啊，最起码练胆，瞧人家余儿胆肥的。”

余罪轻轻推开了会议室的门，以许平秋为首的一干警察立时起立，喊了一声“敬礼”，齐刷刷的警礼让余罪惊讶了一下，六个人，那么肃穆地向他这个新人敬礼，他一下子更惶恐了。余罪拘谨地站在门口，许平秋礼毕指引着他坐下，笑道：“在座的包括我，都只能当后方支援。任何时候，在一线的同志，都有资格获得足够的尊重，请坐。”

此时余罪才注意到，在场的几个人自己都认识，包括摆弄电脑的那位女警，以前都没给过自己好脸色，不过现在的眼光似乎多了点崇拜的意味，再看那几位外勤也一样，一个个异样的眼光中，不无崇拜的意思。余罪愈发紧张了，这架势，像要把他当成外星来人供着了。

余罪从来不惧别人侮他、损他、骂他、骗他甚至揍他，但对于如此尊崇却很不适应。他缓缓地坐下，以一种警惕的眼光看着众人，就像面对着敌人一样。

“这是行动组长杜立才，外勤高远、李方远、王武为、林宇婧。”许平秋介绍着。几个人挨个起身，向余罪敬礼，此时余罪才发现，连林宇婧的警衔都比他高一级，杜立才更不用说了，是警督衔，这在地方上和三线城市的公安局长一个级别了，顿时他感觉到一丝不寻常，似乎自己想得还是过于简单了。

“宇婧，你来调试，大致介绍一下。”许平秋退居其次，摆着手示意着。

“下面我们介绍一下‘12·7’案件的整个经过。”林宇婧介绍着，打开了屏幕，高远和王武为起身拉住了帘子。搁浅数月的案情，又要重新开始了。

案子发生在岳西省五原市，起因是市医院收治了七名生命垂危的病人，有两名不治而亡，症状符合麻醉类药物使用过量所致，情况被反映到市局、省禁毒局，经过数月侦查，在五原市一家医疗器械销售代表的租住地端了一个窝点，查获在售的新型毒品一箱，总重22.5千克。行动时间是去年十二月七日。

余罪回想着，那时候自己还在警校和狐朋狗友们盼着元旦放假呢。

“当时一共抓获嫌疑人四名，缴获毒资三十多万元。这个人，是团伙的头目，叫吉向军，经查他的货源来自东江省，经过我们的政策攻心，他同意配合我们的省外行动。当月十九日，我们带着这个污点线人来到了东江省，和这里的上家接上了头，而且约定了交易的地点、时间、数量。我们当时想，可能钓到一条大鱼了。”杜立才道。屏幕上显示着一个留个胡子的中年人，那是禁毒组心里永远的痛了。

行动失败了，线人肯定露馅，余罪这样想着。

下面的话证实了他的想法。“当时吉向军住在锦源酒店，交易谈得很顺利，两天后的交易地点放在离羊城市二十七公里的深港高速上，都和往常的规矩一样，没有发现什么异常，一般采用货、钱、人三样分离的方式，直到交易完成。这是当时交易拍下来的……”

林宇婧播放了一段视频，一段记录着警方失败的视频：两个大包装箱子，拆开后，余罪差点笑喷了，是裸体的硅胶娃娃——不是毒品，却是性用品！不用说，警方被人狠涮了一把。余罪心里在窃笑，忍不住赞叹这个犯罪分子，真他妈有才。

“在行动失败的同时，我们只能收网，将计就计，把送货的扣起来了。而这一时间，按规矩住在锦源酒店的线人吉向军，他在等着接到我们的消息把收钱的人诱出来。因为害怕惊动对方，我们采取的是外围监控的方式，没有贴身上去。行动失败后，我们估计他已经暴露，会发生危险，可没想到的是对方动作更快，几乎是在行动失败的同时，监视的外勤就在吉向军所住楼层的对面发现房间有异常，立刻通知楼下守着的同伴接应。前后不到两分钟，等赶到时人已经消失了，四名外勤没有拦截到。事后我们才发现，对方使用了一个匪夷所思的方式，他们把人劫持到对面的房间，根本没有出楼道，而是从六层吊下去，直接载到货车上拉走……三天后，捞船从珠江里打捞起了一具尸体，经辨认，正是消失的吉向军，死亡原因为他杀，身上留下了多处钝器击打的伤和刀伤，应该是死前被对方严刑逼问过……”

屏幕上放出一具伤痕累累的尸体的近距离拍摄，余罪撇了撇嘴，心想可比《电锯惊魂》有冲击力多了，直看得后背发麻。对付叛徒，犯罪阵营里要狠得多。

任务渐渐地清晰，他想到了什么，越来越觉得坐得不自在了。

“吉向军一死，我们的直接线索全部中断，只留下了一个接头人的照片，这个照片上的人你认识。”杜立才组长道。林宇婧动着鼠标，画面出来时，看得余罪心怦怦跳，眼睁大了。

居然是傅国生，那笑吟吟的帅哥样子，正和线人吉向军谈笑风生，地点是一处饭店。

靠，这家伙居然是个亡命徒！贩毒的？

余罪心里复杂地想着，如果先前知道这是位大毒枭，他不知道自己还敢不敢往死里勒这货。真没想到，李鬼差点把李逵勒死，这可叫怎么一回事呢？他紧张了，一下子明白自己为什么能得到如此高的礼遇了。

没错，这也是在座同行对这位外勤崇拜的原因，这个三查五审没查下来的傅国生，放哪儿也是个重量级人物。可没人能想到，他竟然被一个蒙头蒙脑的警校学员揍得满地找牙，之后又发展成落难兄弟了，在场的除了许平秋，恐怕都揣摩不出来面前这家伙有什么本事，居然能让那位大毒枭推心置腹。

"这个人我们虽然迅速将其控制，不过后来证明我们还是小看了这拨贩毒分子……他一口咬定和线人谈的就是买卖性用品的事，交易方式也恰恰符合买卖这种东西需要的隐秘性，除了这一次吃饭，其他现场都没有出现过，即便针对以前线人对他的指控，也仅仅是一个'富佬'的绰号，他矢口否认自己和任何毒品的事有关。我们申请地方公安搜查了他的公司，很遗憾，全是性用品，没有毒品。"杜立才介绍着，有点窝火，看得出是被涮得不轻。

这在余罪的认知范围之内，没有人赃俱获，你想给这种有钱有势的人定罪，那不是一般地难，更何况连指认的人也被灭口。他回想着老傅笑容可掬、推心置腹的样子，后背隐隐地有点发麻，自己从来没想过在监仓里睡在一块的家伙，居然是杀人贩毒的一个狠角色，如果换个地点相遇，余罪估计自己十成是个小命不保的结果。

"丧气话就不要说了，多行不义必自毙，只要他没有洗手不干，就有机会揪住他。杜组长，把你们从侧面的侦查介绍一下，让小余对大概轮廓有一个认知。"许平秋插话了，鼓舞着士气，案子受阻的两个多月，前一个月是培养这拨学员，后一个月则是调回本省的侧面调查。杜立才示意着林宇婧说话，林宇婧放着统计数字说道：

“本省十七个市，有十二个直接或间接抓到了新型毒品的吸食者，这种新型毒品在市面上叫‘神仙水’‘快乐粉’，还有的地方叫‘忘情水’，和以往查获的毒品比较，特点如下：第一价格较低；第二是形式多样，剂型、粉型、胶囊型，还有混合型，不管是私人Party，还是夜总会等娱乐场所使用，都具备很强的隐蔽性；第三是成瘾快，持效久，吸食一克左右，可以持续四十八小时左右的兴奋。

“这种新型毒品的主要成分是GHB，伽玛-羟基丁酸，是一种无色、无嗅、无味的化学类药品，属于中枢神经抑制剂，它曾被用来当作全身麻醉剂。这种药物在欧美国家已是非常泛滥的毒品，在我国属于管制类麻醉药品。经检测我们对‘12・7’案件的缴获物，发现除了GHB，还有亚甲二氧基甲基苯丙胺、氯胺酮等其他成分。据涉案犯罪嫌疑人供述，吸食‘神仙水’可以使人通宵达旦地歌舞狂欢而不知疲惫，更有甚者两天两夜都不睡眠，精神处于极度亢奋或幻想状态。这与国外流行的‘神仙水’成分以及吸食后表现均有差异。同时也证实贩毒分子为了增大毒品‘神仙水’销量，将其他新型毒品掺杂在‘神仙水’之中以增强其毒性，使其对吸毒人员更具诱惑性。”

翻过了一页，屏幕上意外地显示出了医院的画面，凄凉的白色场景，坐着萎靡不振的男女，个个失神的眼睛、晦暗的脸色，像从地狱来的行尸走肉，让从没有接触过此类资料的余罪有一种浑身发冷的感觉。

杜立才有意识地停顿下，继续介绍。

“GHB通常被制成颗粒或粉末状，溶于液体中，例如开水、酒或其他饮料中服用，加入混合麻醉类药物，它的功效更强，会影响脑部的多种传导物质，产生性冲动、视幻觉、失忆、瞳孔缩小、低体温、肌抽跃及呼吸抑制等症状。严重中毒时，则可能产生脉搏过慢、痉挛性肌肉收缩、神智不清、抽搐、昏迷、肝衰竭、电解质异常、低血压及吸入性肺炎，最终导致死亡。我省已经出现十例吸食过量致死的案件。”

这就是全盘的故事，“12・7”案省外失利，禁毒局一筹莫展，只能向省刑侦处求援，而早有想法的许平秋趁机要到了本年度刑事侦查人的招聘名额，他从细枝末节已经窥到了此次要面对的对手不是个普通人，于是他反其道而行，从最普通不过的学员里挑选。选拔经过不管怎么让人难以理解，可结果还算满意，最起码，有一个能直接接触到对手的自己人了。

安静，非常安静，听完了介绍，大家都在看着余罪。傅国生是此案的重要嫌疑人，虽然没有证据，凭直觉可以断定他是这类新型毒品犯罪中一个举足轻重的人物，可偏偏这样一个大人物，却和一个未入警营的小人物发生了纠结。直到现在为止，专案组的各位最大的疑惑还在于组织上怎么会出这么悬的一个计划，启用警校学员，以前可从未听说过。

“小余，说说你的看法。”许平秋道。余罪“嗯”了声，这时候才清醒过来，他看着一干眼巴巴瞅着他的同行，突然间有一种被人骗得内裤都输掉的感觉。

可不是，赌输了，接受组织的安排。

赌赢了，穿了身三级警司的服装，还是接受组织的安排。

“贩毒……”余罪紧张而惶恐地道，看看同行们，已经确认无误了，只需要证据而已。

“涉嫌谋杀……”余罪又紧张地道，又看看同行，有点吓住了，他喃喃道，“不像啊，他一点也不像心狠手辣的人，这么有教养的一位，怎么可能又贩毒又杀人？”

他说服不了自己了，傅牢头的风度谈吐给他留下的印象很深刻。杜立才却是看不过眼了，直斥着：“警察是靠证据办案的，可不是相面能定罪的。要光看面相，谁敢相信你是个警察？”

一干同行笑起来了，连许平秋也不禁莞尔。是警察的不像警察，而是罪犯的，在警察眼里又不像罪犯，这事情，颠倒得可是够厉害了。

“呵呵，这就是犯罪分子的高明之处了，有些人除了犯罪，在其他方面甚至要优于普通人的表现，这很正常。也只有心胸豁达而且文化程度相对较高的人，才能把新型毒品这个产业做这么大。宇婧，回头你把傅国生的详细情况介绍给小余，接下来的任务，细节你们自行处理，大方向我是这样想的：因为小余一进监仓就表现得很强势，属于那类不好驾驭的人，而越是这类不好驾驭的，越能引起对方的兴趣。从你们上次交易抓获的人员可以看得出，他们招揽的都是那种社会经验不太多，年龄不太大，而且多少有点犯罪行为的年轻人，根本不告诉他们在干什么事，让他们在不知不觉中完成犯罪。鉴于这一点，我觉得傅国生已经对小余起了招揽心思，这样的话，我们只需要把小余设法送到傅国生身边，剩下的事就不难了，至少我们可以发现他的渠道，乐观一点的话，等于在他身边钉上一颗钉子，迟早能拔出他的毒源。”许平秋说道。

在他这个层面已经不再考虑行动的每个细节，只需要指定大方向，但这个想法的成败全系于余罪一人，是不是危险性大了点？而且这么一号人就算穿着警服，那眼睛也是骨碌碌乱转，怎么看也是贼头贼脑的。

于是余罪又成了众目凝聚的中心了，余罪这回可真有点紧张了，他凛然道：“怎么去？我都告诉他了，我不去。再说我不能真去贩毒吧。”

“你搞清楚，你是警察，目的性和他不一样，要是他让你贩毒那倒好了，直接人赃俱获了。你就等着立功吧。”杜立才道了句，深为这人的思想素质担忧，手下的外勤接这种任务，下意识地就会敬礼保证完成任务，哪会这么畏难。

可余罪就是畏难，要知道老傅是个毒贩中的毒枭！这警服大不了不穿了还不行，他脸色很难看，抱着侥幸之心问着：“要不我再想想，反正傅国生还关着，等他出来再说？”

“哟，这节忘了告诉你了，傅国生今天上午正式被释放，本来无法定罪，早该放了，因为要把你送进去，他多住了一个多月。”许平秋笑着道，这是两边省厅的安排。

“可这个还是有难度的，傅国生可是精明人，要是你们特意安排一个巧合，他稍看出点端倪来，回头不得把我折进去？”余罪更紧张了。

“你得相信组织，这么大的事，我们怎么敢掉以轻心。”杜立才组长道。

余罪愣了下，痴痴地看着杜立才，冷不丁道：“前面那位不就因为相信组织，线人成死人了。”

杜立才一愣，被噎住了，似乎这是事实。林宇婧下意识地捂嘴，差点喷笑出来，其他人有点哭笑不得。杜立才没想到划归给自己指挥的外勤，见面就这德性，他有点给气着了，看着许平秋。许平秋基于了解余罪的基础上，并不着恼，要是这家伙拍着胸脯接任务，那才让他担忧呢。他笑着道：“这个事别人都没有发言权，包括我，只能听你指挥。这样吧，咱们换个方式，你自主选择方式，如果你觉得有危险，马上撤回来。在安全的前提下，摸摸他的底子，怎么样？如果你真觉得不行，撤了这个任务也行。”

“哦，这还像句人话。”余罪心放下了，舒了口气。其他人却都给吓着了，哪有外勤跟省厅处长这么说话的？不过看许平秋并不介意的样子，众人都觉得这人是个异数了。

大家都盯着这个异数，期待他的异样表现，就像看到他差点火并傅国生的那种震撼表现。

却不料余罪刚刚变得正常的心态被又是贩毒、又是谋杀的给搅得乱七八糟，刚刚美好的憧憬又被击得碎了一地，这时候穿着一身锃亮的警服，却也找不回破罐破摔的勇气了。他意外地萎了，弓着腰，恨不得钻桌底似的，憋了半晌，不确定地看着一干同行，极度猥琐地道：“我、我尿急，我先上趟厕所。”

说罢就跑，一会儿回来又尿急，三回过来成尿频了，大家都看出了这家伙的胆怯，那百般搪塞的样子猥琐无比，实在和一个警察应该具备的素质相差甚远。

就这样，第一次会议在余罪一趟又一趟的尿急中结束了，什么结果也没有……

第三章
潜行毒窝

虎归南山

也在余罪穿上警服的这一天，中午时分，白云看守所的大门缓缓打开，高大英俊、笑容灿烂的傅国生在管教的带领下，向门外走去。

在铁门洞开的一刹那，他昂着头，对着火辣辣的太阳，感受着阳光的炙热，疯狂而兴奋地呐喊了一声，向着一辆车奔跑过来。那里站着一位优雅而温和的女人，两人跑到一起拥抱着，久久不离。隔了一会儿才上车驶离了看守所。

这个女人，二号目标，沈嘉文，嘉仕丽成人用品公司的经理。

车里的司机，三号目标，焦涛，与傅国生是表亲。

从出狱的那一刻，这辆奔驰车里的三人已经进入了东江警方的监视屏幕。傅国生被刑事羁押的案由是与一起谋杀有关，刑事侦查没有补充更多的证据，羁押三个月后无罪释放。

在东江警方的档案里，这是一个劣迹斑斑的人物，先后被治安拘留、刑事拘留达七次之多，最短三天，最长三个月，案由也是五花八门，敲诈、勒索、诈骗、组织黑社会，现在又摊上了谋杀，不过均以释放的结果而告终。甚至监视他们的都是熟人，走的时候，他还很潇洒地向便衣打了个招呼。

和警察打交道多了，彼此都熟悉，在路边停着辆车，里面无所事事的两人就是便衣。这个不难判断，一看那东张西望的神色，稍有点生活经验的人就知道，非警即匪。

“富佬又出来了，咱们休息不上了。”便衣A道。

“监视也没用，谁干坏事还需要自己亲手干。”便衣B道。

“这其实都不用查，江里漂的那人，绝对是他干的。”便衣A直观地判断道。

“咱们没证据，人家有钱，钉不死啊。”便衣B感叹道，说了句风马牛不相及，却的的确确现实的话。一人顺手发动了车，按部就班地跟着傅国生，把监视的内容机械地发回去。

每个地方都有享誉一方的人物，而傅国生无疑是东江这方水土养出来的奇葩。沿海城市经济发达，从一个不名一文的烂仔，顶着警方十数年打击，他也算历经风雨。可风雨之后终见彩虹，傅国生居然奇迹般地白手起家了，虽说比不上福布斯榜那些大佬，可在东江也算是小有名气，最起码在性用品行业里，嘉仕丽是个领军的龙头，很受男人们的欢迎。

对于警察这也是最头疼的一件事，即便有什么非法收入，这么大的产业也足以把它消化于无形了。优渥的经济基础，再加上精明的规避，即便警察踢到这块铁板，大多数时候也只能望而兴叹。

车上的傅国生一手揽着沈嘉文，轻言细语说着什么，表弟偶尔说话，也是温文尔雅，所问顶多是公司的近况，闻听被警察搜查了两次，他笑着道：“真有意思啊，我们好像没有法律上的夫妻关系呀，怎么可能会到以你的名义注册的公司里查？”

他的笑里充满不屑，在他看来，搞这行动的人一定是脑袋被驴踢过了。当然，他希望碰到的警察都像这样脑袋被驴踢过，那样的话，有些事就容易多了。

车驶进了市区，在监控的描述中是这样的：傅国生先回到家，把女人放下，带着一包东西走了，肯定是衣服，出狱的人都要去去晦气。然后这两位去了趟公司，公司在离珠江大道不远的一个商贸区里，无法监控，不过没多久两人又出来了，驱车直驶向一家叫浴尔馨的洗浴中心。那是一个高档休闲会所，会员制的，警察可没有那个身份能进入，除非执证搜查。

这就是监控在很多方面的缺陷，你只知道他干什么，但你不知道他究竟干了什么，而像傅国生这样屡经打击的老鸟，连监控的警察也发现，哪怕你想从他日常行为中发现一点出格的事也难。

一切都那么正常。

真的正常吗？肯定不会。

当傅国生脱得光溜溜，泡在蒸汽腾腾的水池中时，他和焦涛的身边多了一个人，正躺在冲浪浴中闭目养神，脖子上环了条粗大的金链子，臂上纹了条环绕的青龙，三十多岁年纪，黑帮帮众的长相，同浴的没人敢往他身边靠。

傅国生两人像不相干似的，躺在邻近的冲浪浴位置。那人像是已经瞥到了来人，闭着眼睛说着："富佬，出来就不恭喜了。自从你进去，断货三个月了，价格翻了一番。"

"送货的、接货的，被警察端了一半，总不能我亲自送吧？你招的人怎么样了？"傅国生笑着道，似乎并不畏惧这人。当然不用畏惧，这人正是焦涛约的。

"不经过你的法眼，我可不敢随便用人。"那人说道，掀起脸上的毛巾，露出一条怵目的伤疤。

"这样吧，有点尾货，你处理一下，应应急，我动不了，条子盯得太紧。"傅国生道。

"没问题，只要你出来，你的信誉大家信得过。"那人道。

"OK，钱汇到我账户上，我会给你一个取货方案。老规矩，万一出事，赔的人我不负责，不过赔的钱算我的。"傅国生道。

闻听此言，那人睁开了眼，向着傅国生笑了笑，划拉着池中的水走着，只听他撂下一句话：“有这个保证，就不愁没生意。谢谢了啊，傅哥。”

一单生意谈成了，其实越黑的生意也就越简单，否则内耗大了，还挣什么钱嘛？这是黑社会向来很重视的。

焦涛笑了笑，初级阶段都是钱货两讫，当场交易，在这个环境里能像自己表哥这样做到先款后货，最起码东江地区他知道的不多。他侧头看时，表哥正惬意地泡着热水澡，数月的牢狱生活让他肚子大了点，身上多了点斑点，除此之外再看不到什么变化。

“表哥，咱们的人折了一半多，海边和市里的不敢动，两头断线呀。”焦涛小声道，他们这种生意是刀尖上、枪口下的舞蹈，步步惊心，最关键的不在制造，而在于运送和销售的渠道。

可这一次差点自身不保，渠道自然是一毁殆尽，不过傅国生却是笑了笑道：“从头再来嘛，又不是第一次了，生手更安全。”

焦涛笑了笑，生手安全倒是安全，不过寻人难度就大了，生意的开工没准到什么时候了。他泡澡的时候想起了一件小事，随意地问着：“表哥，你在里面结交了不少人吧？”

“对呀，人才啊，真多！”傅国生感叹地道。

“有几个出狱的，找上门来了，我给了他们一笔生活费，留下了这些人的联系方式，要不这些人可以考虑用用？”焦涛道，想到了一个捷径。

却不料这句话让傅国生的笑意更浓了，他侧头道：“凡找上门来的，一概不用。”

傅国生的笑里带着几分狡猾，当然得狡猾点，否则就混不到今天了，他甚至在想这么多年费尽心思在警察里找路子、托关系，自己丝毫不怀疑警察也同样在想办法渗透到他的身边。这也练就了他谁也不信的性格，包括表弟焦涛。比如一概不用的原因，他根本没说。

“对了，有没有一个叫余小二的来找我？他不一定用这个名……反正就是看着很普通，个子不高，短发，岳西口音。人很横，愣头青那种。”傅国生想起了这位狱友，突然发现自己很难用准确的语言形容他。回头看表弟时，焦涛眼里很迷茫，应该是没见过。他又补充着，“他是一周多前出来的，这段时间有人去公司找吗？”

焦涛摇摇头，没有。这一下子让傅国生好不失望，简直太失望了。越失望，越觉得可惜，他想了好久，进蒸房的时候又给了表弟一个莫名其妙的任务：“你到景泰派出所打听一下，三月份抓没抓过一个抢包的，叫余小二。再让四海查查这个名字……想办法到派出所的户籍里查查，应该有案底，很好查的。”

又过了一周。

“哧……哧……”传真机里喷吐出来一连串的案情通报，这是专案组直联省禁毒局的DDN专线。林宇婧整理好传真，仔细地看了一遍。

不管外界如何诟病，在很多不被注意的角落，禁毒局的上百名警察在以不同的方式运作着，发回来的是省内各地出现的货源，成分技术分析、市场价格、发现地点以及吸食人员的概况。这些情况是每日一报，根据市场的走势，一个老练的禁毒人员，能推断出很多事情。

比如，传真到了杜立才组长手里的时候，他“嘭”地将传真摔在桌上，心中则在琢磨：价格开始回落，那说明货源供应开始恢复；发现地点新增，那说明中间商正在拓展市场；这个直接后果就是吸食人员的增加，即便是马上看不出来，可很快就会有晕三倒四磕过量的吸毒人员被送进医院或者戒毒所。

“通知许处了吗？”杜立才半晌才想起问这事，林宇婧回道马上准备送去。他摆摆手，把人打发走了，一个人自顾自在房间里来回逡巡，一周内方案已经定了若干个，每一次都被否定了。

没办法，机会只有一次，他现在也担心重蹈上一个线人的覆辙，毕竟那一次还是个嫌疑人，这一次要送的可是个警察。

可他想起这个警察来，就牙疼似的直吸凉气，因为每次否定方案的不是别人，就是他。

门外林宇婧轻轻掩上组长的门，把另一封资料送进许平秋在这里的临时住处。处长毕竟是处长，期间飞回省里一次，昨天才赶来的。他仔细地看着林宇婧送来的资料，不时地撇着嘴巴，半晌抬头时才发现，林宇婧还站在他面前，他异样地问着：“还有事啊，小林？”

“我……我不知道该不该说。”林宇婧为难地道。

“有什么不能说的。”许平秋异样道，征询似的眼光。

“那我就说了啊，我觉得根本不是方案有问题。”林宇婧生气道。

“那是什么有问题？”许平秋笑着问。方案自然是指靠近嫌疑人的方案了。

“那个人有问题，我算看出来了，他根本就不想去。”林宇婧道。

“你从哪儿看出来了？”许平秋问。

“只要我们一提出方案，他横挑竖挑毛病，你问他有什么想法，他根本说不上来。我们这一组五个人，包括我，包括杜组长都做过类似的特勤任务，有那么难吗？纯粹就是敷衍！”林宇婧很生气说道，替全组生气。可生气也没办法，这是唯一通向人渣世界的一条线。

境界太高的，遇到品质太差的，也就这种结果，不料许平秋笑着反问道：“宇婧，你是参加工作后多长时间接手的第一个任务？”

“一年多吧，是在特警队出的任务，后来禁毒局成立任务就频繁了。”林宇婧道。

“对呀，你是有丰富的实践之后才接任务。”许平秋缓缓地道，“可他，还有两个多月才从警校毕业呀。”

哦，差距大了，可以理解，林宇婧歉意地笑了笑，只觉得自己也是有点太心急了，许平秋又恢复了不苟言笑的表情，平静地布置着：“时间还有，傅国生还在动。这种以犯罪为职业的人，犯罪对于他是一种乐趣，他不会停下来。至于咱们这位呢，对他客气点，他要是真撂挑子了，这样的奇葩我在队员里可找不出第二个来。”

林宇婧告辞的时候，对这句评价深以为然，出门就碰到了严德标拽着余罪的警服，非要试穿一下找找三级警司的感觉。余罪在讨价还价，要了两条烟加一个火机，就把警服送给鼠标穿了。鼠标挺着小肚腩，正在学许平秋和杜立才走路。

林宇婧看着这一对，有一种哭笑不得的感觉。

又煎熬了两周，五一过去了，南国的天气渐渐闷热了，最早的台风已经要登陆了。

“青春啊，我美好的青春啊，不能就这么给糟蹋了吧。”

严德标感慨着，手里穿花似的拆着牌，盘腿坐在床上，一低头便能看到自己耷拉下来的小肚腩子。这几个月磨炼了意志，可没磨去多少脂肪，特别是“运送”计划迟迟未定的时候，反而成了无所事事的日子。

“哇，手生了，居然少拆了一张黑的。”严德标玩着愣了下，有点心不在焉了，本来拆三把同花的，不过红牌出了黑张，让他好不懊丧，噌噌又收起来。回头时，余罪脚蹬在床上，两臂撑在地上，正哼哧哼哧做俯卧撑。在这么闷热的屋子里，余罪全身早汗涔涔地像水里捞出来的一样。出狱一个多月了，他的体力已经恢复如常，甚至比以前看上去更强悍了几分。

严德标跳下床，赤着脚，蹲下身仔细看着余罪：这家伙以前就有点神经质，现在看上去更接近人格分裂了，专案组叫去开会的时候，他病恹恹地无精打采，可只要关起门来就这德性，浑身精力无处发泄似的。

“哎，余儿，下面又没妞，你这么来劲干吗？”严德标笑着道，一屁股坐到他身边了，余罪喘着气，断断续续说着：“有备无患懂不懂，咱钱没钱，脸蛋没脸蛋，将来泡妞，就全凭体能强、功夫好了，不练怎么成？”

“嘿嘿，有道理。哎我说，你们怎么谈的？怎么咱们在这儿待了快一个月，都没动静？”严德标问，一看余罪的脸色变化，马上摆着手道，“涉及机密的事就别告诉我了。”

“机密个屁。”余罪停止动作，一翻身，和严德标坐到了一起，喘着气道，“咱们这边对那边的情况屁都不知道，我瞧这意思，是让我打入敌人内部，把他们的犯罪信息摸清楚。”

“挺有挑战性的啊。”鼠标道，反正不是他去，听得还蛮兴奋。随即又感同身受地说道，“不过是有点害怕啊，当叛徒让人逮着，说不定小命不保啊……不过我觉得你不会呀。”

“为什么？”余罪奇怪了。

“你就算穿上了警服，也像个打入人民内部的犯罪分子。”鼠标道。一说完脑袋上便挨了一巴掌，他一缩脖子，奸笑起来。再难的事在兄弟们嘴里，都是当笑话来讲的。正说着的时候，敲门声起，鼠标一骨碌起来上前开门，只见拿着饮料的林宇婧俏立在门口，把鼠标给激动紧张得，客气道：“警花姐，不要这么心疼我们嘛，搞得人家怪不好意思的。”

说是不好意思，早把饮料拿在手里了，不过这家伙裸着上身穿着大裤衩的造型实在不入眼，好在林宇婧性格偏男性化，接受力比一般女人强悍，笑着问：“闷在房间里干什么？”

“哪儿也不让去，只能闷在房间里了。”鼠标笑着道，边喝边瞅着林宇婧。闻听这位是特警应急中队出来的，他是死[illegible]不信，眼前这美女怎么看怎么像个怒放的警花嘛。他贼头贼脑看的时候，冷不丁被一只手按着他脑袋了，自己的视线不得不从林宇婧的身前移开了，就听林宇婧斥着：“鼠标同学，这种眼神看女人，是要挨揍的啊。”

“我没把您当女人啊。”鼠标辩解道。一回头看林宇婧，马上笑着道，“我可是把您当领导啊，我见了领导只敢低头看，不敢抬头瞄。”

把鼠标拨拉过一边，她看到了余罪靠着床沿，头也没回，出声道：“余小二，组长叫你开会。”

“啊，冲个凉就去。”余罪头也不回地道。林宇婧“嘭”的一声关上了门，吓了鼠标一大跳。人一走，鼠标屁颠屁颠跑上来，凛然对余罪做着胸前坠的姿势。余罪一下子喷笑了，组里就一个女的，都评价过N次了，两人私下里都叫人家大胸姐。余罪笑着推了这货一把道：“别乱扯，她要知道了，非揍你个半死。”

“我想到了一个问题，余儿，咱们这种生活简直是摧残青春啊，不但把大胸姐的青春摧残了，咱们也要步其后尘。没有酒，没有妞，没有任何娱乐，还不能随便走，早知道这样，我就在街上混钱，我他妈不回来了……哎，余儿，要不申请一下，咱们出去得了，否则快被憋死了。”

鼠标嘚瑟着，余罪钻进卫生间了。这哥们儿也不嫌嘴累，就站在卫生间门口吧唧吧唧说了一通，直到余罪冲凉出来，他的嘴都没停，余罪穿好衣服走时，冷不丁道了句：“鼠标，别跟我玩心眼，我准备接受任务。”

猝不及防这么一句话，余罪好像不紧张，却把鼠标紧张坏了，一把拉住余罪，上上下下瞧着，凛然问着：“你确定？”

“当然确定。”

“非常确定？”

“非常确定。”

“那你这是……不会他妈的投敌去吧？”

“你以为敌营里素质都像你我这么差劲，想投人家都不要……难道你没有发现？我的性格里有纯洁、高尚的成分，我一向很有奉献精神的。”余罪说道，那恶狠狠的表情，看得鼠标哆嗦了一下，差点一不小心把自己舌头咬了。听这话，这不把人往死里雷么？

余罪笑着一指道：“看你，总是不愿意接受现实。”

鼠标被噎住了，余罪这家伙脸不红不黑，肯定是有猫腻。在余罪出门的那一刻，他的心提到了嗓子眼，心里想着：坏了，这家伙不会被憋急了，真去投敌吧？！

门毫无征兆地又开了，余罪的脑袋又伸回来了，就听他严肃讲道：“标哥，这个任务我单人不行，我决定带上你一起去，别拒绝哦，兄弟有难，死也要帮，组织一定会成全我们的。”

鼠标这下惊得把自己舌头咬了下，他知道余罪惯于坑他，一下子吓得腿一软萎床上了………

烂泥上墙

门关着，窗帘拉着，灯也关着，只有清晰度不怎么好的投影在变幻着，那是东江和本省发回来的案情资料，三周的时间里，每天有若干小时都是在这个黑暗中的房间里度过的。这和余罪曾经憧憬过的警察生活简直是截然不同的两个样子。

无非是哪里出现了毒品销售，哪里临检发现了与“12・7”案子相同的样本，还有就是又抓住哪个贩毒分子，只要毒源还在，就不缺这些为点钱铤而走险的小鱼小虾。鸟为食亡，人为财死，展现得淋漓尽致。

其实余罪的逆反心态很强，特别是对于这种比监狱管理还严格的非人生活，不过经过几天后他发现，在这里的人都过着同样的生活，甚至比他更可怜。他还能吃到酒店的订餐，而那几位可怜的外勤每天的伙食补助就十几块钱，吃饭不见荤，喝水得自己热，唯一的一箱饮料，是供着他和鼠标每天喝的，那几位同事包括组长从来不碰。这其中的原因鼠标那张漏嘴说出来了，据说是这个出省任务早在几个月前就该结束了，经费早捉襟见肘了，紧巴巴地只能从日常生活上省了。

播放资料的时候，他侧头悄悄看了看高远，那哥们儿是个老警油子，私下里经常抱怨禁毒上没派出所舒服；李方远，警官大学出身的，摸爬滚打了四年，现在和余罪肩上的衔平级；王武为，头大发疏，明显是营养不良给整的。这几位常备的药一种是胃药，一种是泻痢停，因为长年换地工作的原因，都是一身毛病。

对了，那位大胸姐林宇婧，这唯一的女人总会让余罪每每多投去几眼审视的目光，太过肃穆的环境总会让人忽视她的性别，还真像鼠标说的，她的青春被摧残了，年纪轻轻天天熬在这暗无天日的地方，能让余罪想起狱里的阿卜，倘若自己做到人家这样以苦为乐，余罪估计得等到下辈子了。

不可否认，这是一个纪律严明，而且有信仰、有荣誉感的团队，余罪一直就无法融入其中，这里实在太压抑太沉闷，还不如和监仓里那帮人渣在一起快活。

放完了资料，接着又是近期对傅国生的监视记录，此时的傅国生已经完全不是余罪在狱中所见的那样子，家里是一幢三层豪宅，带游泳池的；开的是奔驰，家里还放了辆英菲尼迪；登记过的老婆暂时没有，不过家里住了一个女人，外面勾搭的也有几个落到了监视人员的眼线内；从监视可以大致看到他的生活轨迹，家里、公司、应酬，交际面不窄也不太宽，像所有有钱的富人一样，大致是一种稳定而体面的生活。

就这种生活，余罪实在想不通为什么还需要去贩毒，而且根本看不出哪儿可能有贩毒的迹象。即便省厅的财务专家把嘉仕丽的出入账核对了几遍，也没有发现非法资金的出入，至于嫌疑人的活动轨迹更别想了，那么小个圈子，你连随地吐痰乱扔垃圾都拍不到，别说犯罪了。

说什么来着，犯罪分子的“教养”高吧，最起码余罪觉得比自己要高不止一个档次。

资料放映结束了，坐在墙边的王武为、高远拉开了帘子，一屋的人又曝光在光线下，林宇婧揉了揉眼睛，掩着嘴打了个哈欠，杜立才回头看余罪时，这位队员痴痴地盯着已经没有影像的墙壁发呆，他敲了敲桌子示意着：“小余，怎么样？”

“什么怎么样？”余罪惊省问道。

这下子一组人都开始叹气了，方案已经提出了十几种，都是一干外勤根据经验制订的，每每讨论，余罪总是挑三拣四不满意，看来今天依旧是要流产了。杜立才却是无语了，侧了下头道：“你不是一直说机会不成熟嘛，现在怎么样？”

“现在……”余罪愣着，看看一干可怜巴巴的组员，看着忧心忡忡的组长，又回头看了眼一直坐在位子上的许平秋，他喃喃道，“现在，好像也不成熟。”

“那你说什么时候才算成熟呢？”杜组长有气无力地问。三周的时间，耐心早被磨完了。

“其实，不管什么计划，都不可能万无一失，那叫人算不如天算，所以就没有成熟的时候。”余罪道。

这时候已经没有言惊四座了，大家都很理解了，没有成熟的时候，也就不用去涉险了。杜立才瞟着许平秋，许平秋蹙着眉，像在揣度余罪这句话的意思，他不解地看着余罪，要是真畏难不准备去，应该早退出了，如果义无反顾准备去，那也应该成行了，难道，他有什么顾虑？

“你们，都先出去一下。”

许平秋摆摆手，把除余罪之外的人都打发走了，只剩下了他和余罪两人了，这会儿余罪只穿了个T恤，那身三级警司的服装估计有忌讳不敢随便穿了。许平秋盯了半晌，出声问道：“说说，有什么想法。”

“想法就是，你们给的想法都行不通。”余罪若有所思道，“比如让我扮成北边来要货的老板的马仔，绝对不可能，罪犯和警种一样，分门别类很清楚，贼和强盗不是一个祖宗；比如，你们设计让我上门找他，也不可行，他疑心很重，在牢里那么点儿时间，没人知道他是干什么的；再比如，设计一个相遇的巧合，也不太可行，我们的生活圈子差别可太大，根本没有交集的可能，他一定会怀疑的……我相信你们是觉得我畏难，我不否认，确实畏难，要不难，你们早把他拿下了不是？”

确实很难，跨境侦查，人生地不熟，刚来时语言都不通，偏偏还只能秘密侦查，这里头不是一般地难。

不过许平秋听到话里的潜台词了，笑着问：“看来你已经想到办法了。”

“没错，办法有，不过我要附加几个条件。”余罪道，漫长的被限制的生活，自己在这段时间已经想了足够多了。

“请讲。”许平秋很兴奋地道。

“先讲条件，这个事取决于你，不在我。”余罪道。

许平秋一愣，不过马上笑了，奸商家庭出来的，要不提点条件就说不过去了。他笑着道：“当然，只要在我的职权范围之内，一定帮你解决。”他揣测无非是升职、加薪一类的，这个案子的含金量有多少，在警察眼中看来，别说升三级，再多升两级也无所谓，无非是多一身警服而已。

“行动我说了算，别让人指手画脚。”

“没问题，当然需要你做主。”

“如果进不去，我马上就撤走。”

“没问题，安全第一。”

“如果发现有些端倪，我也马上撤出来，我根本没有处置禁毒案子的经验。”

“那当然，有人会在暗中保护你。”

余罪连提三个条件，好像都与自己无关，不过许平秋马上思忖到了，这是把自身安全放到第一位的，这一点是无可厚非的。他刚要开口，看到余罪踌躇的眼神时，不禁又关切地问道：“不要有顾虑，有什么条件，一并提出来。”

“我没有顾虑，只是希望你放下顾虑。最后一个条件，不管成与不成，我回来后希望得到一个普通警察的位置，而且不是什么特勤，我也不准备加入特勤籍。如果你再用什么手段诱我、骗我、逼我，我保证你会失望的。”余罪道，眼睛里闪烁着人渣的光芒，一闪而逝的寒芒吓了许平秋一跳。

他愣了，自己从来没有发现余罪身上还有这种气质。他愕然盯着余罪，有点想不明白了，付出得到相应的回报是天经地义的，余罪如果这样想，似乎就彻底颠覆以前自己对他的看法了，而且，许平秋担心，这家伙的甘愿领命是不是真的？

“不必奇怪，在你眼里我是个坏种，再教育我也不会有多高尚的情操，你逼我，诱我，让我一步一步走进你设计的圈子，不管你用多堂皇的理由，在卑鄙和无耻上，我们是半斤八两，所不同的是我活得很渣，而你混得像人一点而已。”余罪道，有点咬牙切齿的味道。

“那你为什么还选择接受？其实，我都做好放弃的打算了。”许平秋道，叹了口气，这时候才看出了浓浓愧意。

这份愧意让余罪的目光缓和了几分，他回想起了许平秋在教场上坦然认输的光棍气质，这一次他选择了相信，不过他很黯然道："我的理想不复杂，非常简单，我一直想凭自己的努力换一份稳定而体面的工作，而不是毕业了还要再像当初上警校一样，拿父辈的血汗钱去换。这一次，就当我是为我自己、为我爸做的事，我可以卖力，可别期待我会卖命。"

"不要有思想负担，如果实在觉得不行，后天随我一起回去，所有行动只能基于相对安全的基础上，组织……你不喜欢听这个词对吧，就用我们这个团队代替吧，这个团队，不可能让任何一个人去冒生命危险。而且据我们侦查得到的信息，傅国生应该不是一个毒贩，他应该是一个成功的托家，这种人，连他本人也不会轻易把自己置于险地。"

托家，就是"掮客"的意思，一手托两家，买家和卖家，在这种高度不信任的生意中，当好一位信誉高的托家着实不易，不过如果是托家的话，那危险系数就低了好几个档次，这种人是靠嘴、靠信誉吃饭的。

许平秋如是解释，是在淡化危险的成分，他看到余罪如此进退维谷，甚至有种冲动，想现在就结束这个任务，把他送回正常人的生活。

不过，想正常恐怕也难了，余罪嘴撇着笑着道："放弃你不会甘心，说不定我也不会甘心，毕竟付出的太多了。毕竟这也不是一件坏事，总得有人去做，我不去，你说不定又会去坑别人……我刚才提的条件，你都答应吗？"

余罪问，眼神很深邃。许平秋思忖了片刻，此时他才发现自己漏看了余罪身上最闪光的一个品质，那就是极度自我，特别体现在他对事物的判断上，不容别人置疑。这个品质，依然和余罪本人的性格一样，无从评价对错。他点点头道："好，我答应。不过……"

"不要加不过……只试一次，成不成听天由命，如果你舍不得给我一个普通警察的职位也无所谓，就把我的正常生活还给我，包括把这里发生的所有事抹去；如果办不到，那我只能认为是你们在逼我铤而走险。现在我很感谢你把我拉到滨海市受的教育，即便一无所有，我也不缺从头再来的勇气。”余罪道，越是这种时候，他越显得平静，平静得让人觉得有一种成熟的气质。

“好，全盘答应。”许平秋顺着这个话题道，他生怕这个妖孽真的逆反到投敌去，笑着补充了一句道，“你有选择的权利。”

“恐怕我是没有拒绝的权利了。”余罪坦然道，他知道命运被攥在别人手中，面前这个人掌握着他的过去和未来，偏偏未来太过模糊，而过去又太劣迹斑斑。这是一个选择，一个让他觉得无奈，又很有必要一试的选择，甚至于他觉得心里隐隐地有一种挑战的感觉。

什么毒枭，不过如此嘛。

什么禁毒局，也不过如此嘛。

余罪认真起来，他拉着电子地图，在上面点着傅国生的住处、公司、常去的地点，细细说着自己的想法，包括时机、方式、手法。看来这段时间他并没闲着，而且警校也没白培养，精心策划的细节，让许平秋的眼睛亮了亮，他思忖了好久，兴奋了，兴奋到想赞扬余罪一句，却碰上了余罪很淡定的眼光，又让他愣了下。

“就这么办，如果这样不成，那就别再费心思了。”

余罪起身道，在许平秋愕然的眼光里，轻轻地退出去了。

许平秋又重新捋了一遍余罪讲的细节，半晌才赞叹道：“越简单才越合乎情理，把原计划稍改一下，让对方主动找到……天衣无缝，改得好，天才！”

他兴奋了，嚷着行动组的人集合，这一次连严德标也用上了。

新任务下来了，短会一开，大家匆匆忙碌上了。余罪被关到了小间，林宇婧在详细给他反复讲着应急联络的通信码，遇到危险的临时处置方式。此时的余罪反而安静了，在仔细地欣赏着这位如临大敌的女警，细看林宇婧，才发现她是属于那种很耐看的类型，如果不是这样中性的打扮，一定也会有妩媚的味道。余罪怪怪的眼光倒把林宇婧刺激得话都说不利索了。

一切按部就班，就是把第一次接受配合任务的鼠标同志紧张得一夜无眠，尿频了一夜……

笨警妙贼

这个“运送”计划三天后终于等来了雷雨交加的天气。一行人分乘四辆车全部出动，为了保密起见，连兄弟单位也没有提前知会一声。

驶到了路上才发现，南国的大雨天名不虚传，只要碰到下水不利的街道，积雨就会有半个车辆深。余罪驾着一辆专案组配的车，驶到了深港高速不远的五仙桥段，看到收费站时，他远远地停下了。

收费站只有两个人，道路窄，来往车辆不多，有的刷卡，有的交现金。去向是一片高档住宅区，再远就是太阳岛旅游地，这样的天气，游客几乎绝迹了。余罪盯了一会儿，直到步话里传出信号时，他回头嚷着鼠标道：“下车，左边的监控线，圆的，有小指粗细，切掉。”

“妈的，就知道好事轮不到我。”鼠标骂了句，雨下这么大，他都不想下车。余罪扇了一巴掌回骂着：“切监控线，又不是切你命根，废什么话。”

他一开车门，把鼠标推了下去。鼠标从车后备箱里拿出了伸缩杆，鱼竿改制的，拉长后头上挂着弯刃，套住监控线，使劲一揪，断成两截了。这时候，余罪从望远镜里看到了收费站里有一人异样地起身，他知道，得逞了。

他没有管已经湿淋淋的鼠标，驱车直行，慢悠悠地行驶在路边，靠近了收费站。

鼠标冒着大雨往后跑，下一辆接应车还在两公里外，等他喘着气钻进车里时，早成了落水的老鼠了。林宇婧哑然失笑，笑着问：“手脚挺利索的，以前干过？”

“啊，我们为了保证个人隐私，在警校都这么掐监控。”鼠标道，惹得林宇婧又是一阵好笑，她看着前方余罪的动作，鼠标却是不知道全盘计划，拧着身上的雨水，好奇地问："警花姐，这究竟干什么呢？"

"抢劫。"林宇婧道。

"抢劫？抢谁？没见嫌疑人出来啊。"鼠标异样了。

"谁说没有。"林宇婧笑道，鼠标还以为开玩笑。等了足足有二十分钟，步话里喊着"目标出现"时，鼠标才见得前方的车里余罪蹿出来了，他眼一瞪，难不成是余罪抢劫去？

结果马上揭晓，就见余罪奔向收费站，敲着收费站的简易门，敲不开时，"咚"的一声一脚踹开了，鼠标远远地看着余罪拿着枪，顶着收费员的脑袋，把两人逼着蹲下，估计是胶带封上了嘴巴，然后就看到余罪换上了收费员的衣服，一眨眼又开始若无其事地收费了。

"哟，这事为什么不安排给我呢？"鼠标指着"抢劫"的余罪，好不惊讶道，"多刺激啊！"

林宇婧知道这鼠标三观有严重问题，没搭理他，听着步话传来的指令，把车开到加油站内侧，在看到一辆奔驰冒雨驶向收费站时，鼠标想到了什么，猛地一咬手指，明白了……

"表哥，今天雨大，下午就别去茶室了。"焦涛道。雨下得太大，他听着天气预报，台风即将登陆，不远的滨海市每年都要受到波及，严重的时候甚至会交通、电力中断。

"当然不去了，咱们生意的黄金季节就要来喽。"傅国生惬意地靠着座背，笑着道。

这个季节，是警力防范最松懈的时候，光抢险就够警察忙的了，这不，他在倒视镜里看了看身后，连盯梢车辆都没有跟来，估计是这天气把警察也撵回去了。

通过五仙桥就是近郊的太阳岛别墅区，车缓缓地靠近收费站，焦涛递着卡，可不料今天收费的骂了句："现金，不收卡。"

"什么？"焦涛摇下车窗，呵斥了句。

“肏你妈的了，现金，刷卡器坏了。”里面的收费员恶言恶声道。

他突然发现收费员换了，他异样着拿卡指指收费员道：“好像你不是收费的？”

“老子顶班，你管得着吗？”那人骂了句，气得焦涛直上火。他找找钱包，却只有一摞大钞，没有零钱，他侧头才发现傅国生异样了，似乎发现了什么让他惊诧的事，还未来得及问，傅国生从副驾上挪着身子，凑近了距离看了看，然后全身痉挛了下，像是被吓着了。

这人居然是狱友余小二装作的收费员，岂能不吓他一跳？

“怎么了，表哥。”焦涛异样地问。

“他、他、他……”傅国生千言万语，一言难尽，倾着身子透过雨幕喊了句，“余二！你怎么在这儿？”

“啊？”收费的余罪把脑袋从窗户里伸出来，一下子认出傅国生来了，惊喜道，“哇，老傅，你狗日的什么时候越狱出来了？走吧走吧，不收你钱了，后面有车。”

他挥手打发了句，又缩回去了，后面的车鸣着喇叭，是辆红色马六，司机是女人，被这个恶收费员收了现金。傅国生的奔驰驶过十数米，看看没有跟踪又折回来了，副驾车门打开，傅国生打着伞奔向收费站，收费站的门不用开，早被踹坏了。傅国生心里咯噔一下，吓住了，只见T恤塞在裤子里，正往怀里收拾钱的“余小二”顾不上搭理他，旁边两个收费员都被打晕了嘴上缠着胶带，歪着脑袋撂在桌下。

完了，狱友正在作案，傅国生一下子苦不堪言地叫着余罪：“余二，你干的活怎么一点长进都没有，这不找死吗？”

“没事，监控早掐了，电话也拽了。下这么大雨，鬼才来呢。”余罪利索地收拾着，好歹戴了副作案手套，出了门，和傅国生抢着伞，傅国生却是从愕然中还没醒来，惊讶地问：“你怎么在这儿？”

“找钱呗，这地方派出所不管，正好下手。”余罪道，抹了把脸上的雨水，作案后的兴奋之意溢于言表。

“你这么胡干，是要出事的，抢收费站，亏你想得出来！”傅国生气呼呼道。

“啊，对，我正准备收手。”余罪道。傅国生刚觉得有长进了，却不料余罪又道，“过两天抢加油站去，那儿钱更多。”

“哎哟，余二呀，你真是嫌命长了。”傅国生哭笑不得地看着干练的余罪，他什么都好，就是干的事让他不齿。一直以来余罪在他眼里就是悍匪的形象，现在看来，一点都没错。

“你烦不烦，老子命长命短关你鸟事。”余罪一捂抢来的钱，生气了。眼看要分道扬镳，可好容易碰见了，岂能错过，傅国生一把拉着余罪：“走走，坐我的车，你得赶紧离开这儿。”

余罪老大不情愿地被傅国生拉上了车，焦涛驾车，傅国生说了句别回家，去某某地。车在原地打了个旋，绕过收费站，驶向高速路。冒着雨，车速越来越快……

“包袱成功送出。重复一遍，包袱成功送出。”

林宇婧从望远镜里看到了全过程，她对着步话重复着这一句话，等了数月，终于制作并送出了一个“包袱”，或者说“包袱”不是送出去的，是被目标强拉走的。

步话里传来了杜立才组长的呼叫声：“收队。”

车行驶了五里，才适时听到了警报的声音，110接到了居民报警，有人抢劫了五仙桥收费站。

“这就完啦？”鼠标过了好久才反应过来，第一感觉是，忒他妈简单了，早知道，何至于吓得失眠呢？他想了想，自作聪明道，“我明白了，让余罪身上带着追踪，然后咱们跟着他，就能找到贩毒分子的老巢了。”

“你要是少说两句，别人一定以为你很聪明的。”林宇婧此时心情放缓，取笑着鼠标道，“带追踪，你想得美，现在有些罪犯的仪器，比警械还先进，同位素追踪都逃不过他们的眼睛。”

“那怎么办？”

“随机应变呗，他如果有发现，会设法和家里联系的。”

“那要没发现呢？”

“要没发现，能有什么危险，自己回来呗。”

“那要发现了，有危险了，而且没机会联系家里呢？”

“你终于聪明了，这就是特勤最难的地方，不过除了靠他自己，家里可帮不上什么忙了。”

林宇婧本来舒缓的心情，又蒙上了一层阴影。

此时，雷声轰鸣，大雨滂沱，好一副天怒地怨的场景。鼠标看着路两边的乔木，就像风雨肆虐中的小草，时刻都有倾倒的危险。他的眼色凝重了，他的表情庄重了，他的心情肃穆了，他在喃喃地说着谁也没听到的话：“兄弟啊，我天天诅咒你遭报应，可那是说着玩的，可别真应验了啊……”

飞驰的车轮溅起了银色的水花，车身被滂沱的雨洗刷了一遍又一遍，焦涛不时从后视镜里看看那位其貌不扬的“余小二”，实在和表哥闲谈中说的那位悍人联系不到一块。眉不浓，眼不大，鼻梁不高，嘴型也不突出，这种普通的长相，连一点地域特色都没有。

对了，也有点特色，这小子一见了钱眼睛格外亮，此时正把怀里兜的钱整理着，老厚的一摞，不过大票不多，一把小票把这哥们儿乐得，直蹭着身上的雨水数着。走了好远傅国生都没有从相遇中的惊愕中清醒过来，每每回头都刻意地审视余小二，可余二兄弟根本顾不上他，收拾完还数呢，数完再一次看到傅国生回头时，他慷慨地分出一半递上去：“老傅，见面分一半，给！”

“啊？给我？”傅国生一愣，逗乐了，看着一摞小票子，愕然道，“哇，好多的钱啊，哈哈哈。”

他接住了，实在却之不恭，手上扬扬票子，连焦涛也被逗乐了。傅国生回头好奇地问着：“余二，出来就干的这个？”

“没有，回家了，待不下去，又来了。”余罪道。

“为什么？”傅国生异样地问。

“啧，你不知道我们岳西那穷地方，干一天活累个半死，才挣几十块钱，哪如这地方，遍地是钱啊。”余罪撇着嘴，痛快说道。毛贼本色，这个不需要装。

“来了搞了多少了？”傅国生好奇地问。

“没多少，抢了两把，我就寻思着啊，这段台风天气好，警察顾不上，多抢几把，回我们老家潇洒一段时间去。”余罪道。

“那潇洒完了呢？”傅国生问。

“再来抢几把，反正这儿有钱人多，相当于社会财富再分配，对不对？”余罪道，很直白，听得傅国生和焦涛哈哈大笑了，这乐子可比茶室里谈资要好玩得多。笑了半晌，傅国生尝试地问着：“要不这样，余二，我给你找点活干。”

“不干。”余罪道。

“为什么？”傅国生异样了。

“你这么有钱，干的肯定是大买卖，那活儿老子干不了。”余罪显得糊涂中有朴素的精明，这一点似乎是最让傅国生欣赏的，他笑着道：“不难，我觉得你能干得了。”

“少来了，老子就是毛贼命，钱多了别把我给撑着。”余罪道，似乎很有毛贼的自觉。

“真不难……司机怎么样？你给我朋友开车去。”傅国生道。此时焦涛异样地看了表哥一样，这是拉人入伙了，还没有通过考察就拉入伙，可是首次。

即便如此人家还不愿意呢，余罪一撇嘴巴不屑了：“开车能挣多少钱？”

“啧，这你就不懂了，在这个地方你得有个正当职业，正当职业无可挑剔，而且也安全，业余时间，想抢再去抢得了。”傅国生意外地退了一大步。

“哦，这还差不多，我考虑考虑。”余罪道，刚说着，傅国生却是把钱给递回来了。余罪客套了两句，不过人家派头实在太大，他笑了笑不好意思地全收起来了。

司机焦涛没有说什么，不过还是不时地打量着后面的余罪，他有点奇怪，为什么表哥拒绝了不少上门的狱友，偏偏对这个人情有独钟，他在思索着今天这个偶然相遇是巧合还是刻意，再看表哥似乎也在若有所思地考虑着什么。

就在这个犯疑时候，后面的余罪把头凑到前排两座中间，弱弱地问着：“两位哥哥，说个事。”

“什么事？”焦涛随口道了句。

“开车我倒是会，没驾照行不？”余罪一脸土鳖相，那老实劲别提了，明显就是个只有硬抢胡干的土贼。两人听得哈哈大笑，就即便刚才泛起的一丝疑虑，也消散得无影无踪了。

车冒雨行驶了一百多公里，转上了水泥路，东江这地方市连县、县连镇，饶是余罪记忆力强悍，也不太分得清走到哪儿了，最终在另一座城市的一家酒店式公寓停下了。傅国生和焦涛把余罪交给了一个英俊小生，长得很帅，能让余罪想起同学里的汪慎修，这位领路人把余罪安排在公寓里，不多会儿换洗的衣服、暖胃的酒、花销的现金一应俱全送来了，看来地下组织的待遇不错。

就在余罪还蒙头蒙脑欣赏这六十平的精装公寓时，居然发现那位帅帅的领路人背后还跟了一位娇滴滴的姑娘，学生妹的长相、风尘女的眼神，再加上领路人暧昧的介绍，余罪就再傻也知道这是怎么回事。

瞧人家这组织，待遇是相当不错！发房发钱发衣服不说，连妞都发！

余罪心里暗道着：早知道是这种VIP待遇，何至于心里七上八下不敢来？领路人一走，那妞儿很自然地脱了衣服，那么一丝不挂地向余罪嫣然一笑，然后走进卫生间打开水准备洗澡。这可把余罪难为得在屋子里来回转悠，他心里在挣扎啊，是不是得为任务献身一次？

挣扎的时间不过几秒钟，余罪义无反顾地作了一个决定……

潜力新人

三天后，滨海市珠江路一家茶楼。

服务员把热气腾腾的虾包放在一对靓仔的桌上，会心一笑。那两位靓仔端着早茶，不知说到了什么笑话，笑得眼眯成一条线。是焦涛，另一位叫莫四海，看两人的亲密样子，关系匪浅，事实上这位莫四海相当于地下组织的人事部长，很多入行的人都是他引荐的，焦涛对他的履历知之不详，不过知道他是海关通关员出身，因为涉嫌走私被单位开了，一直混在滨海的走私领域，也算是这个领域里的名人了。

这不，笑了半晌，焦涛对于他报回来的余小二的信息实在捧腹，吃不了海鲜埋怨伙食太差，开个车横冲直撞，出门买包烟都能和街上烂仔干了一仗，一对三打架，居然没吃亏。反倒是上完那个妞后直说自己是处男，吃大亏了。

莫四海笑得直打颤，摆着手评价着："焦哥，这个、这个是人中极品啊，你们从哪儿找回来的？"

"呵呵，富佬的狱友，我们碰到他时，他正在抢收费站。"焦涛笑着道，把此行的来意说了，"你觉得怎么样，有没有问题？"

"肯定有问题，一点都不低调，迟早是被砍死的料。"莫四海道。干这行最重要的是低调，可这个新人除了缺低调，其他的都齐活了。

"呵呵，我听傅哥说，这小子在监狱里，差点勒死他，人确实有点横。"焦涛道。

"嗯，看得出来，不过这样的人可不适合在咱们这行待得时间长了。"莫四海提醒道。

"待多久你不必操心，我是说……你觉得他本人有没有问题，会不会……咱们这行的担心你知道。"焦涛道，进入组织审查的这一关很严，别说警察，就是以前有过坦白从宽经历的，都被视为履历中的"污点”而不予录用。余小二狱友的履历自然没什么问题，但有关政治素质，是不是存在潜在危险，这就得仔细审查了。

任何组织都有组织原则的，地下组织的原则性反而更强一点。

“他？”莫四海笑着道，“他刚到我那儿，我请了个女技师就是去试试他，一般正常人都要有一个心理适应过程，总不能有个美女脱了你就敢上吧？嗨，他就敢……直接就冲进去了，别说条子，就牲口也不能饥渴到这种份上。”

焦涛笑了，这不仅仅是个“性福利”，这种试验有时候是最好的一招，如果真是条子或者线人，不可能一点心理障碍也没有，也不可能对这种事没有防范心思。

可这一位，没怎么犹豫就上去了，那天的录像焦涛看过了，这哥们儿除了色急就是猴急。两人相视谑笑，莫四海小声补充着：“焦哥，您觉得这样的人能有什么问题？我就是有点怕他不听指挥胡来。我把他送到镇上了，不过我估计下面压不住他。”

焦涛笑了，似乎并不在乎胡来不胡来，而是担心能不能来。似乎他已经知道了自己需要的东西。两人边吃边谈着，冷不丁焦涛像是作了决定，轻声道了句：“本周六台风登陆，气象预报是晚十九点。”

“知道了。”莫四海的眼睛突然间严肃了。

“把新人带上，让他走一趟。”焦涛又道。

莫四海眼皮跳了跳，有点担心，不过还是应了声：“知道了。”

台风、登陆、新人、走一趟，这个组织的关键词大多数人听不懂，不过莫四海揣度到了，冷清了数月的生意又要重新开张了。其他的他倒不担心，就是送货的都是新人，能不能蹚过缉私那个关口，实在是尚难定论。可对于信奉富贵险中求的人来讲，越难定论的地方，说不定越是有机会的地方。在这一点上，已经被很多事实证明了。

早茶完毕，两人各分东西，这是个谈事的好地方，人挨人，桌连桌，即便是相互不熟识也会因为面熟而打个招呼，出了茶楼分道扬镳的两人警惕地四下看看，未发现尾巴时，各自乘车离开。

尾巴其实一直就在茶座里，两人走后，一直咬着焦涛的“尾巴”赫然便是高远。不过收获不大，仅仅是拍到了一个生面孔。

此时，滨海市的天空依然乌云密布，大雨初歇后的天气不像是要放晴，而像在孕育着一场更大的风暴。

“这个人，仔细查查……‘包袱’送出后三天，他的出现是唯一的动静。”

许平秋指着监控发来的画面，向属下布置着，林宇婧向外线提醒着这一信息。这倒不难查，特别是对于有案底的人物。

“包袱”终于送出去了，手里仅有的外勤已经撒出去了，家里唯余林宇婧和杜立才，还有暂时用不上的严德标。他进入了惯例的焦灼状态，像曾经当刑警时的那种高度焦虑状态。这个案子距离省厅限期已经过了接近一半，到现在为止，除了送出去一个不知道会有什么效果的异数，其他方面几乎还在原地踏步。

不知道这个犯罪组织的人员构成，不知道他们的犯罪模式，更无从知道他们的地下渠道，其实除了知道傅国生这个疑似“托家”，专案组没有掌握更多有价值的信息。说白了，众人已经被省内的新型毒品犯罪形势逼得不得不死马当活马医了。

“许处，咱们人手不足啊，要不要申请地方同行支援。”杜立才提议道。

“暂时不行，万一泄露风声，那就是前功尽弃，一旦有闪失，咱们送出去的包袱也危险了。”许平秋道。虽然不知道对方会不会在警方安插棋子，但他不敢冒那个险。

“要不，调咱们自己的人过来？”杜立才又道。

“这个可以考虑，对，就从家里往这调，这事我办，你们盯好了。”许平秋道。空降信得过的人手，这是首选。

杜立才不断点头应声，能与许平秋一起办案对于他来讲，也算是一种莫大的荣耀了，丝毫不用怀疑，只要能咬住哪怕一条线索，禁毒局的办案手段再加上许平秋的经验，再大的案子也会水落石出，他对于结果的期待无形中又高了几分。

“指导…知导…知道……知道了，是知道了……”

有人在喃喃说话，声音很怪异，杜立才侧头才发现是无所事事的严德标，嘴里呢喃着，说得莫名其妙，他训了句：“说什么呢？没规矩。”

对于这一拨人，杜立才成见已深，特别是这个街头骗子，杜组长从来就没给过他好脸色。鼠标胆可不大，笑着指指屏幕道：“我看见刚才那人说什么。”

“看见……说什么？！”杜立才异样了，不过猛地又惊省了，想到了警中曾经有过的特殊训练，惊讶地问着：“你会读唇？”

那可难了，就在全省警中也找不到读唇的人才，毕竟能用到的地方不是很多。就算有这种人才也是年纪一大把了，难道这个小骗子能会？杜立才不信。

“会点。”鼠标道。

杜立才全身一抽搐，一看许平秋，两人都愣了下，然后两人都惊喜了，一左一右拽着鼠标，示意着林宇婧道：“放一遍，再让他读读。”

又把监控的画面回放了一遍，鼠标指着道：“看，最后这两句，唇形一模一样……他连说两个‘知道了’，前边人一直在动，好像讲什么笑话。”

“知道了，知道了……”许平秋低头逡巡了几步，猛地有点惊惧般自言自语着，“难道是在布置任务？宇婧，未来几天的天气怎么样？”

“台风雷雨天气，一直持续到本周末。”林宇婧道。

“那应该就是布置任务，趁这种警力防范薄弱甚至无法防范的情况走货……可货源地和目标地在哪儿呢？这人刚刚进入咱们的视线，难道他能直接接触到贩运？如果很快就有动作，恐怕咱们的人接触不到核心啊。”许平秋拍拍脑袋，逡巡几步，自顾自地出去了，他要静心思考一下了，当然，在没有准确消息前，只限于思考。

时不我待呀，杜立才三人眼巴巴地看着许处出去，没敢打扰，人一走，杜立才回头问着鼠标："到底有谱没谱，这可不能胡说。"

"组长，怎么叫胡说？你自己瞧瞧，就三个音节能错了？舌卷一次，下颌动一次，知道了……知道了……"鼠标不服气地示范着，就这三个字看得最真切，林宇婧被他的样子逗笑了，杜立才却是抱着万一之想，让林宇婧回放到前面，问着鼠标："那这几句说什么？"

这个难度大了，上面那位兄弟是连说带笑，低头笑就看不到嘴型了，鼠标目不转睛地盯着，喃喃地把看到的说出来了："女技师、过程、美女脱了……"

鼠标说得庄重无比，不过杜立才听得眼睛往外凸了，他正要打断，更猛的来了，鼠标一吸溜嘴皮子接着道："……这句是，她全身……都疼……有什么问题？要有也是什么问题？……没法看啊，组长，一直低头笑。"

那位帅哥说得语速快，而且边说边笑，实在难为鼠标兄弟了。鼠标懊丧地抬头时，看到杜立才的脸色才省得自己读得有问题了。组长阴着脸，气着了，训斥着："脑袋里装的什么龌龊思想。"

训完他也不愿往下听了，气呼呼地走了，把鼠标哥给郁闷得呀，好不容易显摆一回。他气愤地瞪着杜组长出去的方向，回头时，林宇婧正同情地看着他，他急于辩白说道："大胸姐，我真没说错话，他们就这么说的，你信不？"

"信，这帮人渣除了这些也没什么说的。"林宇婧笑着道，不过马上又拉下脸了，反问着鼠标，"你刚才叫我什么？"

"大……叫什么来着，瞧我这记性，我怎么忘了。"鼠标一惊，吓得直捂嘴，不经意把私下起的绰号给说出来了，林宇婧一抬头，看看自己的胸前，又看看鼠标贼溜溜的双眼，她面红耳赤地拍案而起，标哥眼见惹人了，缩着脑袋掉头就跑。

不过没跑利索，出门时"啊"地吃痛叫了一声，捂着臀部被林宇婧追着踹出去了。

没说错，但真的叫错了。

在这个同样的时间，千里之外的岳西省特警训练基地刚刚结束训练，满头大汗的特警们正在期待着即将开始的午饭，哪知集合哨声毫无征兆地响起，身穿迷彩训练服的学员玩命地从食堂又往大操场跑来。

整队、报数、等着长官训话，从进队起，豆晓波就没见过训话的长官脸上有过表情，今天也没有，直接大吼一声："豆晓波，出列。"

豆晓波早被训练成条件反射了，一跨步出来了。长官背着手："其他人，解散。"

那些饿了的一哄而散，这位长官饶有兴致地看着豆晓波，一个多月下来练得还是蛮有效果，除脸上的肉没减，身上倒是减了个差不多，他就那么看着，看得豆晓波心里发毛，还以为又是犯了什么小错要得到特殊"优待"，最轻的优待都是多跑十公里，他紧张道："报告教官，您这眼神是什么意思？我不明白。"

"我也不明白，禁毒局的瞎了眼了，居然找你。"教官异样地道了句，不过他懒得解释，因为警务繁忙的原因，经常有队员被半路征调走参案，不过奇怪的是，这次走的，却是在他眼中素质最差的。

豆晓波迷糊的时候，看到了一辆三菱越野式警车驶进了中队，双方敬礼，教官一指人，没说的，东西都没收拾，上车就走人。

这一天，还有很多人接到征调的命令，禁毒局的、二队的、四队的、重案大队的、治安总队的，全部聚集在禁毒局的大院。大门紧闭着，一院的警车静静地停着，报到的警员被打乱、重组，列成若干方队，静静地站在行动车前，只有一位收缴通讯工具的警员在悄然无声地穿梭着。

从中午直到下午再到天黑，在行动的命令发出的一刹那，警灯闪烁，警笛齐鸣，从禁毒局驶出的警车成编队地驶过省城繁华的五一路段，从市中心开始分拨，像一股股激浊扬清的洪流，奔流向夜幕掩盖着的城市里每一个藏污纳垢的角落。

岳西省，"5·10"扫毒行动，当日二十时拉开了帷幕。

顺藤摸瓜

“走私，肯定是走私渠道，新型毒品的主要成分，GHB，也就是羟基丁酸，甲基苯丙胺，据我们技侦分析，配制‘神仙水’必须要大量的高纯度原品，而这类麻醉类药物在我国的管制非常严格，但在国外已经是被滥用的精神类刺激药物。如果有一条走私入境的通道，那么来源量足，源地在港口城市，就说得通了。”

杜立才指着与滨海市毗邻的几个港口、码头，与省内案情相衔接，结合出现的这位新的嫌疑人，作了一个大致的判断。莫四海涉嫌走私受过刑事处罚，这一点已经确认。结果东江猖獗的走私，不难作出这样一个推断。

发源地在滨海市，出货量比地方处方药品的存储量还大，除了走私和生产，不会另作他想，但生产的难度不是一点半点，原料供应、厂房、工人都可能成为顺藤摸瓜的线索，东江曾出现过多例制贩冰毒的地下工厂，不过经过数年严厉打击已经销声匿迹。能存在数年之久而且把生意做到省外，这样的货源只有一种情况了：境外走私。

许平秋一支接一支地抽着烟，脑袋里回放着前一天扫毒行动的战果，省城及所属的十三个地市里，全部都发现了这种含GHB麻醉药品的吸食物，剂型、胶囊型、粉型……所知类别不下六种，这泛滥的态势再不控制，很快就会是一场灾难。

“如果是走私的话，那难度可又要上升一个档次啊，几百上千公里的海岸线，一条舢板、一条渔船，都可能是目标，就即便放在大型码头，每天上万的集装箱运输，哪一个也都可能是目标啊。”许平秋出神道。本来觉得避开终端，直掐源头的方式会事半功倍，可现在觉得难度开始无限制膨胀了。

几百公里的海岸线，每年光海关缉获的走私船只就有上千只，以滨海为中心，四市十九县六十多个镇，一半沿海，在如此庞大地域的人口区域内找到一个特定的目标，这个难度足以让任何一位警察脸上皱纹多上几道。

林宇婧拨弄着定格的画面，她总是在下意识地看着放在电脑旁边的大功率手机上，期待着手机响起，那是唯一和前方联结的信号，如果可能，这个信号将成为后方行动的航标灯，不过它就像此时的会议室，一直处在静默中。

“多少天了？”许平秋问。

“四天，零十四个小时。”林宇婧准确地回答，这么长时间，真不知道嫌疑人“余小二”究竟在干什么，理论上，应该有一个电话回来呀，最起码应该设法告诉家里他的方位。

“安全问题暂时不用考虑，短时间我想对方不可能让包袱接触到他们的核心东西。”许平秋思忖道。现在他开始觉得就即便放出去这么一个棋子，效果究竟有多大，还很不确定。

“许处，如果实在不行，咱们省禁毒局再加大侦查力度，先把省内货源通道查一查？”杜立才道，“尽管那是一个笨办法，可总比闲等着没办法强吧？”

“斩草不除根，治标不治本啊。”许平秋道。

“我们把希望全寄托在一个人身上，我觉得是不是过于乐观了？”杜立才小心翼翼地提了个建议，实在对余罪缺乏信心。

“谁说只有一个。”许平秋不动声色道，只待杜立才和林宇婧投来惊讶眼光时，他才缓缓说道，“不用奇怪，还有一位编号02的特勤，一个月前已经打入了这里的走私团伙，他暂时只向我负责。有情况我会通报给你们，他是个老特勤了，我倒不担心，就是咱们这个新人，我实在是……唉。”

幽幽一叹，众人都知道许处在担心什么，也都没有应声，不过各自心里想法不同。也许许平秋担心的是安全，也许杜立才担心的是任务，而林宇婧担心的却是这家伙不会有其他事，就怕混几天投敌去。

“叮铃铃铃！”手机毫无征兆地响了起来，杜立才一拿手机，断了，他亮着号码，一使眼色，林宇婧飞快地敲击着键盘，随着红点指示方向的移动，半晌她叫了声：“寓港，新垦镇附近。”

“走，尝试建立联系。”许平秋喊了句，带着仅剩的几人飞奔出会议室，把蒙头蒙脑的鼠标也给拖上了。

这是个特殊的通讯频道，需要加前缀密码才能打进来，也只有一个人能打进来——

余罪！

“咦，我的火机呢？刚才吃饭还在来着。”

一辆厢货车上，副驾上一位长发哥们儿浑身长虱一般，乱摸着身上，嘴里叼着烟，就是找不着火机。“当”的一声，开车的司机把火点到他跟前了。长发哥们儿笑了，笑眯眯地看着新人“余小二”，带着颇为赞赏的眼神：瞧这孩子，多有眼色啊。

余罪看样子已经融入这个团队了，谄媚地问着：“高潮哥啊，咱们这趟能发多少钱？”

“少不了你的。”高潮哥应声道，马上又斥着余罪道，“叫潮哥，不要叫高潮哥，哥叫郑潮好不好。”

“OK，知道了，高潮哥。”余罪道，悠哉悠哉地开着车。高潮哥直翻白眼，这孩子有眼色，就是没记性，感觉像个愣头青，这不，训了他两三天，还是顺口叫“高潮哥”。

不过这孩子不错，人小，胆大，干活实在，郑潮还真庆幸顺口答应了莫四海一句，捡回这么个好劳力来。他顺手给余小二递了根烟，小二裤子上一蹭进口的ZIPPO火机，点上火了。

扮猪吃老虎的事余罪一般不干，不过扮老虎啃猪倒不介意，自从离开那个组织自己就自由自在地胡来，这根本不用伪装，简直就是本性使然。至于故意，顶多就是扮得智商低了点，人横了点，没办法，那个组织也不太喜欢过于聪明的属下不是？

不过现在这个上司嘛……余罪皱皱眉头，这家伙只要一抽起烟来，德性就不入眼了，鞋子一脱，脚丫子搭到车前窗上，那味道比汽油味还冲。余罪苦着脸给车窗开了条缝，暗骂着这些组织成员素质实在太低。

“小二，你以前干什么的？”潮哥闲得无聊，开问了。

“没干啥，抢了花，花了抢。”余罪一言以蔽之。这个答案让潮哥大笑了几声，表示理解。从寓港通向海港这条路上，要是没前科的，都不算合格。可对于余小二这类拿把铁疙瘩假枪敢抢收费站的，那属于高水平的。

余罪眼瞥着这哥们儿，小心翼翼地问着：“高潮哥，您还没告诉我，这趟咱们能发多少钱呢？”

“千把块吧，你就送送货，想要多少？”郑潮道。

“那也没什么意思，干完一个月不干了啊，一个月又没几趟活，挣上几千，够干什么？吃喝顾住了，嫖赌朝谁要去？”余罪叼着烟道，嫌待遇实在太低了。

组织的饭都不好混，就在寓港待了一天，随后就被扔在不知名的小镇上了。余罪估计自己就算真混进去，也是炮灰成员。在这一点上，两方组织没甚差别。

郑潮哈哈大笑了，饶有兴致地看了看余小二，神神秘秘道：“这条路上走的活分三等啊，一等是辛苦钱，就像你现在干的，帮人拉货，挣运费；二呢，那是关系钱，有本事和通关的、缉私的搭上线，送人通关，一般都是本地人干，估计你干不了。”

“三呢？”余罪问。

“那就是卖命钱了，拉得越值钱，运费越高。命不好的话，一趟货就能让你住几年；命好的话，三两趟货能挣个十几万，什么都有了。”郑潮道，眼瞥着新人，看他的反应。

果不其然，新人眼亮了，回头兴奋地对他道：“十几万？高潮哥，算我一个，十万我就干。”

“好好开车。”郑潮给了余罪一巴掌，用手抹着喷在自己脸上的唾沫，没想到新人被钱刺激得这么激动。余罪呵呵笑着不介意，规规矩矩开车了。郑潮左看右看，没发现什么破绽，提醒道："小二，别光想着挣钱啊，咱们这一带啊，没农户了，基本是劳教劳改专业户了，每个月都得被抓走一批，惨啊，我们村姓谭的兄弟仨，进去一对半，赔上几年没自由啊。"

"哎哟，那不算最惨的事。"余罪摇头晃脑道。

"那还不够惨？"郑潮异样了。

"不够，最惨的是像我，不缺胳膊不缺腿，就缺钱。您不知道啊，我在看守所仓里好歹是坐二把交椅的人，那是相当有地位的人了……可现在您看，自由有了，其他什么都没有了，还不如蹲在里面呢。"余罪道，好不懊丧，其实还真感觉失落得很，好像从来没有被那样尊崇过。

郑潮听着，哈哈大笑着拍着余罪道："放心吧，小二，有的是钱赚……我咋越看你小子越投缘呢？"

他笑着，不时地打量着这个新人，心里暗揣着这个人的思想状况。

这不，余罪又投向他谄媚地一笑，巴结道："高潮哥，有什么事尽管吩咐兄弟去办啊，别的不说，捅人砍人，我有经验。"

瞧瞧，这素质，出乎意料了。郑潮分外高兴了，专给余小二同志又点了根烟，甭小看这农村人，抽的都是正宗的走私货——万宝路。

车在不太宽的村道上行驶着，即便是村道，也比北方地区的二级路要好很多，顶多是连绵的雨天造成了几方塌方，早已被当地修缮完毕。在过一处临时设立的检查站时，余罪按着郑潮的吩咐一声不吭，全是郑潮和那些穿缉私服的打招呼，车上拉了一车电子垃圾，缉私的草草一看便放行了。

又驶行十数公里，终于回到了目的地万顷镇，沿海的小镇，坐落在青山绿水中，山不高，像南方人一样显得小巧而又灵致。车子在镇南边一个标着新华电子厂的地方停下，余罪进大门时，下意识地回头看了眼，也不知道，"家里人"能不能跟上来。

当然，更难的是，他发现这是个货真价实的电子厂，专门处理走私入境的电子垃圾，和什么毒品什么麻醉品根本就风马牛不相及……

“这儿……”

林宇婧在车上，拿着信号指示，定位到了一个地方，同乘一车的鼠标、杜组长，还有副驾上的许平秋，都有点蒙了。

这是个手机的信号追踪，没有追踪到行踪，却追到了公厕里，可让众人郁闷了，而且还是一个乡村公路路边的公厕。

要下车时林宇婧停了下，回头一叫鼠标：“你去。”

“啊？”鼠标一愣，早看见那地方是公厕了，还是露天的，而且还是在路边的，脏到什么程度可想而知了。他踌躇片刻，发现车上除了他没有再适合干这事的，才悻悻然地下车，小跑着钻进了厕所。过了不一会儿，鼠标捏着鼻子出来了，上车时，拿到了一部三星手机，杜立才兴奋道：“好，查这个号码的通话记录，看看能不能和咱们掌握的情况比对一下，还有，看看手机里有没有存什么东西，看看他们的窝点，会不会在这个镇周围。”

“哎，他在上厕所的时候留下的，会不会写在厕所里，存在手机里可容易被人发现啊。”鼠标提议了。

哟，这个提议不错，杜立才急切之下，奔出去了，连许平秋也按捺不住跟着下去了。两人直朝那个脏兮兮的露天厕所一进去，鼠标哈哈笑了起来，林宇婧回头时，看到这货咬着下嘴唇在憋笑。她瞪了眼，鼠标立马正色了，她问怎么回事，鼠标翻着贼眼，就是不说。

过了好一会儿，林宇婧翻查着手机，突然看到了一条文本消息，回头就扇了鼠标一巴掌。鼠标也不吭声，就那么憨憨地笑着。

文本的消息内容是：万顷镇南新华电子厂，驻地十一人，无法通信。落款：余罪。

这是余罪留下的消息，鼠标肯定看到了，不过却装不知道把两位领导哄进厕所里了。林宇婧打开门要下车，鼠标赶紧拦着道：“姐姐，那是男厕所，你进去，名节不要了？”

林宇婧被气得哭笑不得，她刚要问什么意思，就看到杜组长捂着鼻子出来了，跟着许处长也蹙着眉出来了，出来后杜立才就吼着："严德标，下来……那里面东一堆西一堆，就个站脚地方，能有留下的字？"

"我就想着说了句，没说一定有啊。"严德标站在车门里，好无辜的眼神，心道是你抢着跑进去的呀！

"算了，查查手机。"许平秋拎着裤腿，摆着手道。林宇婧说着查找到的信息的结果，几人都翻着白眼看着貌似无辜，实则故意的鼠标。不过好在有了具体地点，杜立才兴奋之下倒忘了再训鼠标兄弟，四人一行，等到了后续跟来的高远、王武为一队，风驰电掣地向万顷镇驶来了。

"包袱"送出后第五天，五月十七日，终于在距滨海一百九十余公里的小镇上，又一次看到了已经改头换面的余罪。

假戏真做

不是所有的警务都能靠大量使用警力解决的，有些习惯蛰居藏污纳垢之地的人，也习惯于和警察玩捉迷藏的游戏，你来我走，你查我溜，这种办法已经被他们使用得纯熟无比。比如万顷镇的地下市场就是如此，大量的境外电子垃圾通过这里林立的小型电子厂消化，变成贴牌的显示器、电脑主机、笔记本、手机，更有甚者，有些电子厂根本就是把旧货喷漆抛光，堂而皇之地卖给分销商。

高倍监视镜里，高远看到了又有若干辆车泊在电子厂的门口，厂里的工人把成箱成件的货物搬上车，不光新华电子厂，每个厂都有自己的客户。这里黑夜比白天忙碌，忙碌到清晨的时候才稍歇下来，他打着哈欠，异样地向同伴问道："武为，咱们内地那些水货手机是不是搁这儿出的？"

王武为笑了，后来的两位也笑了，李方远捅捅打呼噜的鼠标，道了句："应该是吧，我见咱们队里内勤用老美的黑莓全键盘机，八十块钱，还包邮……小胖子，起来起来，几点了。”

几人笑着，鼠标揉着睡眼嘟囔着起身了，鉴于他和“包袱”的关系，队里老刑警对他也格外重视，任务是要想办法和余罪联系上，鼠标起身打着哈欠，露着一半光屁股，以为是警校宿舍，随手就去拉门。不料一拉门，正好把杜组长迎进来了，杜立才又训了这货两句，鼠标提着裤子赶紧往卫生间奔去。

“怎么样？有发现吗？”杜立才问。

“没有，那小子喝多了，一晚上没出来。”王武为道。

“好像在里面地位不低了，都不用装卸了。”李方远笑着道。

“还别说，这小子张牙舞爪，咋咋呼呼，我看见他都不敢相信是自己人。”高远道。

“继续监视，你们轮班，轮流吃饭睡觉，千万别漏了啊……严德标，跟我来。”杜立才喊着，鼠标从卫生间出来，嘟囔着还没吃早饭呢，又把一干刑警听得哭笑不得。

进了林宇婧的房间，饿得前心贴后背的鼠标一下子看得凸眼流口水，不觉得饿了——已经收拾打扮利索的林宇婧披散着头发，短襟的上衫系在腰间，下身穿了条快到大腿根的短裤，本来就够火辣了，偏偏媚眼一回头问鼠标：“怎么样？帅哥。”

鼠标惊得差点倒地不起，半晌没回过神，哎哟这形象差别实在太大了！严肃的警花成了美人花了，看得鼠标直吞口水，竖着大拇指惊喜道：“绝对靓，绝对够……那个那个……”

后面的话鼠标没敢说，这打扮和地方上的站街妹一个德性了。杜立才介绍着两人的任务，听上去没啥，就是在四周逛悠，设法联系上余罪。这任务相比窝在房间里更让鼠标乐意，更何况一出门就被林宇婧挽上胳膊了，哎哟喂，标哥浑身直起小疙瘩，紧张了。

“这里从一个小渔村发展到现在，基本是靠走私起家的。”

“组里判断，咱们要找的货源渠道很可能藏在这些大大小小的团伙中。”

“多少团伙？有十几个吧，保守估计。”

鼠标开着车，林宇婧大致给他讲着万顷镇的事，一年收入数亿的富裕城镇，靠着长年走私电子垃圾存活，被打击不止一回了，可走私也不是第一天了，可打击归打击，走私照样走私。

这些都不是专案组能够顾及到的。“包袱”是送到贩毒嫌疑人傅国生那里的，不过几天工夫，这个“包袱”被扔到离滨海市近两百多公里的小镇上，毗邻走私严重的邻海，这其中有着什么联系，想想都让专案组的人振奋。

监视地离目标直线距离不到两公里，前一天晚上运来的设备，从监视里看到了余罪，当晚正和一帮貌似工人的大吃二喝，桌子就摆在院子里，鸡鸭鱼带上成捆的啤酒，余罪同志为任务不惜自身，喝得被人背回去睡觉了，不过这让负责观察的鼠标老羡慕了，余儿吃得满嘴流油，而专案组的是盒饭就着矿泉水，这几天吃得都快吐了。

鼠标不知道的是，这个监控点的运行效率非常之高，当晚就开始查企业代码、注册资本以及相关业务，居然没查到什么。这挂名的是个黑厂，原址是镇罐头厂，早倒闭了。传回来的消息还证明了一件事，这个镇有三十多家所谓的电子厂，基本都是黑厂。不过，在目前没有确切消息的情况下，只能凭自己了。

鼠标和林宇婧吃了早饭，这顿饭吃得食不知味，眼睛老在林宇婧身上瞄，哎哟，还真无法想象啊，平时板着脸一本正经的林宇婧，衣服少点，口红描点，眼线画点，整个就一迷死人不偿命的狐狸精了！还偏偏是胸部如此之大的狐狸精，把鼠标看得口水都掉粥碗里了。

吃完饭两人开着车在镇周边晃荡，不时根据后方的监视往新华厂的方向驶去。不过遗憾的是，忙碌了一夜的工人都在大睡，厂里到了十点都没有开门，这里刚刚雨后的天气又闷热得要命，鼠标不自然地乱摸脖子，乱耸肩膀，边耸边偷瞄坐在副驾上的林宇婧，小动作被发现时，林宇婧不客气了，拧了把鼠标的耳朵问着：“你是怎么了，屁股上长刺了？”

在这个老刑警眼里，鼠标还小，可再小也到了生邪念的年龄了，他苦着脸道：“你坐我旁边，我不自在。你打扮成什么样不行？非把大姐打扮成小姐样，谁受得了。”

林宇婧一噎，再要伸手，又被鼠标逗笑了，她解释着，两人语言不太通，和当地人一搭腔就知道是哪儿的人，还是这种打扮合适，有助于降低别人的警惕性。鼠标却是打岔道：“警惕性是降低了，可回头率太高了，容易出事。”

“未必，你看看街道上。”林宇婧笑着道。

哦，鼠标再看时明白，还是自己老土了，大街上走的年轻姑娘，不是短裙就是短裤，露着修长的大腿，穿个人字拖，回头对比林宇婧的打扮，在这个环境里，还真不算太惹眼。

“三号，三号，‘包袱’出来了，你们想办法靠上去。”

步话时传来了监控点的声音，鼠标一激灵，赶紧驾车驶向镇北那条道上，驶到半截，发现监控点的指挥人在院子里。两人这趟怕又是空跑了，放缓了车速，林宇婧想起什么似的叫鼠标停车，下车叫鼠标等着，别跟上来，然后她像找客的流莺一般，翩翩地向新华厂方向踱去。

鼠标把车停在路上，支着脖子看看四周，矮山、芭蕉林子、小池塘、稻子地，乌黑的柏油路把几处景物连接在一起，沿途几处厂房院子，这风景可要比北方风沙弥漫的天气要好上不少，特别是路上又有这么一位翩翩美女，直看得鼠标咽口水，现在倒有一种好饿的感觉。

近了，越来越近了，从路上可以看到简易厂房的二层，那从二层也能看到路上了……林宇婧这样想着，放慢了脚步，思忖着，不知道余罪能不能认出自己来……

进入这个组织对余罪来说是糊里糊涂的，寓港住了一天，第二天就被人接到这里了，对那位给自己“性福利”的帅哥都没来得及说句谢谢，接着又认识了郑潮和他手下几位歪瓜裂枣。

楼道里搭衣服的叫粉仔，三十多岁，瘦得像具骷髅，一看就让人严重怀疑是被毒品摧残的人士；屋里蒙头还在大睡的一个胖子叫化肥，郑潮这么叫，余罪也跟着这么叫；还有端着碗粥上楼的叫“大臀”。

余罪因为叫余小二的缘故，来这里头天也荣膺了个“老二”的绰号，江湖人士，萍水相逢，就这么瞎称呼着，没人深究你姓甚名谁。据说郑潮还有很多兄弟，不过前段时间风声紧，抓了几个，跑路了几个，然后就剩下包括余罪在内的几个歪瓜裂枣了。

“老二，瞧，路上来了个漂亮妞。”大臀端着碗，拨拉着粥，眼睛看到了厂门外的路上，眼光发亮了。

“少扯淡，这儿哪有漂亮妞？”屋里余罪道了句，心不在焉了。这儿管理很严，除了手电筒，根本不允许使用其他电子产品。

“那倒是，不过这个漂亮妞，哪个洗头房的，怎么没见过？”粉仔道，在和大臀说话。天下男人共通的地方就在于，不管什么环境，谈的都是钱和女人。

“粉仔，就你那傻样，对这个还感兴趣？”余罪在屋里取笑着，那粉哥骂了他一句，大臀头也没回，直吧唧嘴。何等绝色让大臀哥这么出神呢？余罪异样了，站在楼杆上，看着凸凹有致的美女，猛地噎了下，好熟悉的感觉。

“看看，漂亮吧。”大臀哥得意了，筷子指着那美女很有成就感地说道。

“老大不让出去啊，你看也白看。”粉仔提醒着。

余罪愣愣地看着，那一闪而过熟悉的感觉让他很异样，他盯着那洁白如玉、几乎能反射光线的腿，盯着她晃悠着的胸，又看着她俏丽、庄重的半边脸，马上判断出来情况了。这地方的姐们儿很开放，要是她们路过，早招手拉生意，告诉你去哪个洗头房找她了。

“吁”的一声，粉仔吹了个口哨，那妞儿侧头回眸一笑，露着整洁的贝齿。啊哟喂，余罪这下看清了，直吸凉气，真想不到谁出的这馊主意，好好的一朵冷艳警花扮成抛头露面的流莺了！这时他知道该干什么了，一转身严肃地告诉同伙几位：“你们等着，我去撩撩，给你问问价格啊。合适的话我叫回来，咱们……嘿嘿。”

“哎，好。”大臀流着口水道。

“嗨，老二，潮哥不让随便出门啊。”粉仔提醒着。

“我找妞玩去，我这是随便出门吗？老子都快憋出前列腺炎来了。”余罪很横地来了句，把粉仔吓得不敢吱声，自从到此第二日和当地烂仔干了一架后，郑潮手下这几个也识得“老二”有点横，等闲不敢招惹。

这倒简单了，余罪大摇大摆了出了厂门，林宇婧装作不识慢步走着，像赚足了钱去路口等车回市里的妞儿。余罪出门招手道：“嗨，美女……商量个事，等等我。”

余罪快步跑到了她身侧，两人交头接耳不知道说了些什么，不过看似极亲密，很像讨价还价。

完了，大臀哥很有预见性地道：“完了，老二要办事了。”

“不至于吧，大白天的。”粉仔道。

“大白天才刺激……爽歪了。”大臀道，喝着粥，嘴里说着荤话。不知道哪儿看着可乐，粉仔张着嘴哈哈笑着。

屋里电话响了，化肥醒了，嚷着外面：“老大电话，粉哥来接下。”

这个时间很仓促，厂外十几米远的地方，两位交头接耳地在交换着情报。

林宇婧媚笑，不过语速很快地问：“莫四海，知道这个人吗？”

“不知道。”余罪干脆地回答。

“郑潮和莫四海什么关系？莫四海你应该见过，就是在寓港遇到的那个人。”林宇婧问。

“不知道。”余罪一愣，确实不知道。

“你们运输的什么东西。”林宇婧问。

“不知道。”余罪又道，看林宇婧上火了，马上补充道，“成件的不成箱，应该是电子垃圾。”

“他们在近期有没有异样的举动，有没有什么安排？”林宇婧问。

余罪愣了下，摇摇头：“不知道。”

哎哟，把林宇婧气得，千辛万苦送进来个内线，一问三不知，再问他第一天落脚的地方，那是根据交通监控反查到的，这位身处其中的人，居然也说不知道，差点让林宇婧生气地踹他两脚。余罪却是火冒三丈地解释着：“我才来几天？能把去的地方记下就不错了。”

那倒也是，林宇婧蓦地觉得要求太高了，她不经意回头时，瞟到楼上有人出来。她一拉余罪，示意着往路边另一幢厂房后走，边走边说着：“家里判断近期可能有大的举动，如果发现什么异常，一定设法提前通知家里。鼠标就在你的对面看着。另外，要尽快查清郑潮、莫四海、傅国生之间究竟是什么样的关系，如果能查到他们毒品的运输渠道或者藏匿地更好。对了，你昨天通信的那部手机哪儿来的？不会引起疑心吧？”

“不会，吃饭时候，顺手偷来的。”余罪小声道。那是跟狱里短毛学的本事，没想到用上了。不过林宇婧可皱眉了，那部手机涉及的电话，可是让技侦反侦查了一夜。她正要说话时，猛地一惊闭嘴了，有人快步跑来了，余罪也发现了，是化肥，那胖哥浑身肉颤，往两人藏身的地方奔来了，像有急事。

哎呀，要被发现咧，林宇婧一愣，低叱着：“快走。”

“走什么？一走就露馅儿，你是生面孔。”余罪早能走了，不过眼直勾勾地盯着林宇婧，不怀好意的眼神，根本没走的意思。林宇婧猛地感到危险的时候，却被余罪两臂一撑钉在墙上，余罪春心荡漾着，毫不客气地吻上来。林宇婧一躲一推，余罪严肃道：“我是为了完成任务啊，要露了馅儿，只能跟你回去了。”

脚步声越来越沉，余罪看着近在咫尺的林宇婧，从来没想过还有机会亲近老板着脸的大胸姐，这时候不必客气了，他坏笑着道：“你忍着点啊，就当我们为理想和事业献身，我们是崇高的，更是纯洁的。”

林宇婧一笑，戒备全松。余罪重重地吻上去了，有时候，猝来的心动总会让人很有感觉，特别是那种紧张的心跳感觉，那种惶恐又迷醉的感觉，仿佛置身于明媚的阳光之下，在品尝着情爱的滋味，全身像接驳着电流，一阵阵战栗接连袭来。

不对，林宇婧感觉到了，战栗的原因是因为有只手摸着她的腿，她脸红了，一边抱着余罪，一边狠狠地在他背后掐了一把。余罪吃痛一耸肩，手离开腿了，一下子摸到上身了，林宇婧一紧张一缩，可不料背后碰到的是硬硬的墙壁，于是只能避无可避地继续与余罪吻着。

化肥哥一跑到路边能看到余老二的方向就晕了，瞧老二此刻多缠绵，忘情地吻着，使劲地搂着，就差放开手脚干一场了。

蓦地，林宇婧推开余罪了，眼瞟着来人，一个穿着大裤衩的胖子，比鼠标还猥琐，正流着口水看别人接吻，眼睛瞪得像蛤蟆。两人分开时，他这才一梗脖子，往回吸口水，明显这哥们儿的代入感太强了，估计把自己代入成余罪了。

余罪一回头呵斥着："你来干什么？"

"潮、潮哥找你。"化肥紧张道。

"知道了，滚蛋。"余罪骂了句。

"哎。"化肥立马就跑。余罪刚要说话，这胖哥却又不知趣地回来了，怯生生道，"老二，潮哥让你马上回去。"

"我操，逼着老子砍人是不是？刚有点情绪都被你搅和了。"余罪作势要扑上去，化肥赶紧跑。回头看余罪没追上来，只见他掏着口袋，塞给那妞两张钞票便打发走了。这倒是了，肯定是勾搭了个流莺，化肥刚一回头，冷不丁后面追上来了，没跑几步就被余罪揪住后领，跟着就是"哎哟、哎哟"声不断，就听余罪边打边骂着："王八蛋，早不来晚不来，老子刚谈好你就来……看看，黄了吧……"

"别打，别打，二哥，二爷，我真不是故意的。"化肥哀求着。

"靠，等着啊，等着老子晚上打你。"余罪踹得更狠了，一路踢着踹着这个可怜的化肥，直撵进了院子。

快步跑回去的林宇婧脸上有点发烧，边跑边整着被余罪揉乱的衣服。心想真是没有比这个演得更像的了。她有点气恼，有点紧张，也不知道家里监控看到了没有，跑了不远，车喇叭响着，一看是鼠标，她拉门上车，催促着：“往前开，绕十公里再回来。”

林宇婧紧张地喘着气，直到此时她还没有忘记任务，摊开了手心里的钱，余罪最后附耳对自己道了句：查这几个车号。她摊开才发现，七八个车号，密密麻麻地写在钱上，另一张钱上，居然还像模像样地画了张示意图，滨海、寓港、万顷镇、新垦镇、海边码头……标着地名、时间、路线。

此时她才松了口气，是自己太心急了，刚进门怕是无法接触到犯罪组织的上层，而这个图和车号，应该就是他这几日活动的最好描述了。

自己松了口气时，瞥眼正和鼠标对上眼了，林宇婧有点心虚地躲避着鼠标的目光，可不料鼠标很不知趣地道了句：“我看见了。”

“看见什么了？想挨揍了？”林宇婧瞪眼，威胁着。

“什么也没有。”鼠标老实了，不过好一副懊悔的口吻自言自语着，“我就知道，好事就轮不到我。早知道吃香的喝辣的，还有这待遇，他妈的我也当卧底去了……啊！”

果真挨揍了，脑后挨了一巴掌。林宇婧有些不好意思地侧过脸，鼠标驾着车，暗自腹诽着：妈的，人真和人不能比啊，人家打啵儿，我他妈挨打。

绕了不止十公里，确认安全后，车驶回了监视地。即便是回到了驻地，林宇婧还免不了心虚，不过杜组长和许平秋被她带来的车号、路线图吸引住了，能清晰地描述出行程、路线，也算难为“包袱”了。监控和外围排查继续进行着，不过坐到了监控镜前的林宇婧，每每看到余罪在楼道里出现，总有一种怦怦心跳加速的感觉，这个时候她总是会悄悄瞥眼看同伴。

还好，似乎没被发现，她这样想着，一想就下意识地感觉到心跳得更快了……

第四章
从跑腿的成为大佬

真戏假唱

又是阴云密布的一天过去了。

闷热的旅馆房间里，即便光坐着监视，个个也是挥汗如雨。好在这里没人关心你干什么，要不几个大男人窝一块，还真容易被人怀疑。数位外勤轮班作业，两天两夜愣是没发现什么，第三天清晨细雨来袭时，几人终于在监视里又看到了这里负责人的影子：郑潮。

他的到来，仿佛给闷热的气氛带来了一丝清凉，监控们一下子都有精神了。这家伙是乘一辆五菱车来的，也是辆厢货。进厂关门，把手下包括余罪在内的四个人收拢起来，关起仓库门不知道说什么。

这时候监视的紧张了，喊着鼠标，让鼠标全程监视，只等着余罪发出信息。鼠标光着膀子，眯着眼，盯着监视镜一动不动。两天里，他和余罪也打了个照面，远远地就像路人甲，不过对于内裤都混穿过的兄弟，根本不用语言就能交流。

其实对于余罪来说，就是换了个自由点的地方而已。

“包袱发回来的车号经排查发现根本对不上号，也根本不是厢货车，我和许处交换过意见，这很可能是这个团伙用于作案的车辆牌照，家里已经知会交通监控部门，监视这几个车号的出现。另据02号的外围侦查，他打探到，确实有过招募的黑车司机靠运货一个月就挣了近十万，能运送什么货挣十万，肯定不是电子垃圾了……现在这个郑潮，是运输麻醉品的重点嫌疑人，根据种种迹象家里怀疑他就是送货人。咱们拟定的行动方案是这样的……”

杜立才铺着地区地图，向几位队员解释着。渠道有三种，寓港码头、新垦港，两个港口，都是集装箱大型码头，有海关缉私的监控，大批量走私麻醉药品的可能性不大。那第三种就是“包袱”发回来的路线图了，两个港沿线上百公里的海岸，随便一个小舢板就可以把公海上接到的货运送抵岸，这种可能性最高。有了一个内线，行动的胜算似乎又大了几分。

“家里”已经来人了，禁毒局和二队组的两个抓捕小组，外围的嫌疑人要全部交给地方负责。这个庞大的计划雏形已成，杜立才讲得兴奋，有点结巴，丝毫不在意现在根本没有看到毒品的影子。

不过都不觉得意外，从“包袱”的转手流程已经隐约反映出了傅国生和莫四海、郑潮的联系，只要货浮出水面，跟着货，迟早是一个人赃俱获的局面。

“出来了。”鼠标喊了句。

一拨人不商量了，都凑上来看着那也在刚刚开会完毕的组织……

“拿上衣服，装上随身东西，吃的出去准备，这两天没活儿，带你们出去潇洒潇洒。”

郑潮挥着手，光膀子的大臀、瘦干巴的粉仔，屁颠屁颠都往车上跑。化肥和余罪上楼拿衣服，站在楼道时，余罪慢条斯理地收着衣服，不时地看着直线距离不到两公里的地方，像在喃喃自语着什么，不知道的还以为咒骂这鬼天气。天气预报上说今明两天有台风加雷阵雨，附近海面七级海浪。

“快点，磨蹭什么呢？”郑潮喊着。

“哎，好嘞，高潮哥。”余罪笑着应声道。

“都说了，叫潮哥，别他妈叫高潮哥。”郑潮生气地骂上了。

“知道，高潮哥，以后叫你潮哥。”余罪一笑，转身进屋了。听得下面人一阵好笑，郑潮骂咧咧道：“这老二就是有点二，不长记性。”

一拨人上了郑潮的车，驶出厂门，向着滨海市的方向冒雨前行。

“郑潮说……这两天没活儿……带兄弟们出去潇洒去…”

鼠标眼睛盯在监视镜里，读出了这么一段余罪给的唇语，这本事真让一干刑警叹为观止了，杜立才急切地问：“还说什么？”

“我估计……要有什么动作了，郑潮表现很反常，好像很紧张。”鼠标读着，余罪转身的一刹那，他回头正看到了林宇婧，对方不自然地避开那眼光，鼠标又道：“就这么多，走得很仓促。”

“行啊，这小子也嗅到点味道了。”杜立才笑着道，同时安排上任务了，“武为，你和方远一组，守在万顷镇入口；高远，你和我一组，我们到滨海公路这个三岔口守着，支援队伍已经到了滨海；宇婧、德标，你们两个守在家里，把这个节点的异动随时告诉我们；其他两个组属于机动，盯货不盯人……只要‘包袱’确认货在，我们先把这边拿下，然后再解决庄家。”

这是个卡源断流的方法，只要抓住源头和渠道，下面的不愁攻不破，而且只要咬住货源，就很容易顺藤查到下家。说起来这个计划也出得有点急了，可是没办法，时间不等人，再没有任何收获，许平秋也无法向省厅交差了。

一阵骚动后人去楼空，鼠标仰躺在沙发上，林宇婧起身踢了他一脚呵斥道：“刚走你就偷懒啊？盯着去！”

“人都走了，还盯什么呀？”鼠标懒洋洋地不动弹。

林宇婧倒是没有逼他，自己坐到了监视位置，观察着那个已经安静的新华电子厂，确实安静了，大战前的安静，她没有想到会进展得这么快，总觉得什么地方不对劲似的，可她又说不上来。疑惑间，她问着鼠标道：“德标，你觉得这次咱们能不能抓到货？”

“你问我，我问谁去？”鼠标躺着未动，一副事不关己，高高挂起的懒散德性，补充道，“不过，我就觉得不能这么容易吧？”

“对，我也觉得似乎有点太容易了，查了几个月，难道他们这么不堪？”林宇婧疑惑道，找到让她心神不宁的源头了。虽然放进去一个棋子，可这个棋子仍然在最底层，得到的这些支离破碎的信息，根本无从验证。

“不对，我不是说任务容易，我是说，这么容易就让他立功了，待遇上来了，艳遇也有了。靠，回来还不知道把他小子嘚瑟成什么样子呢。”鼠标道，酸溜溜的口气。林宇婧回头看时，明白了，这哥们儿是对余罪极度羡慕嫉妒恨了。

她没有异议，笑了笑又盯到了监视镜上，轻声细语地问着鼠标：“德标，反正等的时间长着呢，说说你们警校的事。”

“有什么说的，除了打架就是打牌，没意思。”鼠标百无聊赖道。

“那余罪呢，说说他的事。”林宇婧问。

这个口气，很平淡，不过却有点像诱供；很随意，不过更像故意。鼠标上心了，却没音了。半晌林宇婧回头看了眼，奇怪地问着：“怎么了？”

“大胸姐……嗨，嗨，别生气，那家伙非礼你，我谁也没说，我是非常同情以及愤慨。我建议你呀，等这小子回来，你好好揍他一顿，什么你们特警的锁喉爪、踹心脚、大背摔，干他个七荤八素，最好生活不能自理……”鼠标兴奋地道，挥拳、切掌、掐人，动作着实利索。

林宇婧听得鼠标这么恶毒，更不解了，她也是直爽性子，奇怪地问道：“那是为了掩护，再说被非礼的是我，你着什么急？”

“可不，我生气啊。”鼠标痛不欲生地说着，“腾”地起身了，几乎怒发冲冠地说道，“我天天和你在一块，也就想想，谁知道我想的事……靠，我恨不得亲手揍他一顿，就怕打不过他。”

林宇婧先笑后愣，随即明白了，脸红了，生气了，发飙了。接着一声呻吟传了出来，鼠标哥又被踹出房间了。

把“包袱”送进对方组织是数月来专案小组最成功的一个试探了，从傅国生到焦涛，从焦涛到莫四海、郑潮，这一点最起码能直观地反映出傅国生与地下走私有着千丝万缕的联系，而只有这种渠道，别说化整为零的麻醉药品，就是汽车、枪支那种大宗物件，这帮走私的也有办法给你运进来。

滨海市，长阳路煤炭大厦，许平秋背着手对着高倍数地图，在地图上小心翼翼地画了三条线，这是大致的追踪方向——两个码头，确定；第一个箭头是圆的，不确定，因为那里有几百公里的海岸线，就把全部警力拉上去也封锁不住神出鬼没的小舢板，那是一个走私者、蛇头、偷渡者云集的地方，即便是大宗麻醉药品非法入境，放在这种环境中，比大海里捞针、沙子里淘金容易不了多少。

“那个司机开口了？”许平秋突然间回头问着。

“开口了，他是王白手下，王白这个档案很好查，被东江公安打击过多次，伤害、组织黑社会、拐卖妇女，一直就在市区火车站一带混，人称‘疤鼠’，道上的名人。司机在去年十月份被他招募，跑过五趟货，每次三千到一万不等，最后一次遣散费给了三万，打发回了老家，不过他不知道拉的什么货。”

身后恭立的那位缓缓地说着，浓眉、平头，如果余罪在一定认识他，是当初他踹过的那位。不过这位也是许平秋最倚重的02号特勤，一个多月来在各码头的潜伏和打听，也带回来了一个直观的消息。

“遣散的时间，正好是线人吉向军被杀，傅国生案发后第三天……这其中，会不会有什么联系呢？他直接接触的上线是谁？”许平秋问。

“就是疤鼠王白，溜了。”特勤道。

“这个人，和现在这一拨似乎风马牛不相及呀。”许平秋狐疑道。

“不过手法类似，都是招募一群只顾挣钱，什么也不懂的司机。走几趟货，折进来他们说不出什么，就算不折，也会在几次之后被遣散。这说明操纵者很谨慎小心，而且沿海这种走私招募新人都是惯用手法，我怀疑，不只是疤鼠一个人在做。”02号特勤道。

这是找一群替罪羊，就算折了也是赔几辆车、赔一批货的事，庄家永远隐身在幕后。而且在走私行业已经成了约定俗成的规矩，送货人只认钱，不认人，不问货。许平秋思忖着，此时他似乎觉得连傅国生也不太像这个幕后的庄家，见面又灭口，生怕引火烧不上身似的。以他的经验去揣度，这种事只要不交易抓不到证据，根本没事，何至于惹上谋杀的案子。

“看来疤鼠这个人很关键，他应该能直接接触到核心……傅国生、焦涛、莫四海、郑潮，他们这个团伙究竟是怎么运行的，能在海关缉私和警察的视线下隐藏这么长的时间不被发现……你再找传讯的司机查查，他们同一批有几个人，体貌特征，看看有没有发现。”许平秋安排道。02号告辞出去了。

正午时分，对于辗转难眠的许平秋来说已经没有胃口，午饭也忘了吃，他心焦地看着越下越大的雨，不时地询问着各点的情况。

万顷镇一切安静。

高远一组，还在待命。

杜立才一组，待命。

他们分乘两辆闷罐车抓捕组，分别在通往寓港市区、深港的高速路口，待命。

两省禁毒局的横向协助已经建立，在这里随时可以查到监视点的交通信息。禁毒的缉私上层，已经达成了协作，部分特警已经穿上了缉私的服装进驻检查点。

远在岳西省内，连日的重拳出击，已经查获和捣毁了数个窝点。在许平秋看来，这样看似治标不治本的方式，打掉一部分毒品，一定会间接抬高毒品销售价格，价格一高，会刺激蛰伏着的毒贩不顾一切地铤而走险。

从宏观到微观都思忖到了，这个没有浮出水面的贩运渠道，他相信一定还在高效地运作着。可一切还在未定之中，他不知道会不会有货出现，甚至不知道郑潮一行人所去的目的何在。

午时过去了，郑潮带着四名司机在寓港粤海大酒楼吃完饭，就在街上晃悠，行动似乎根本没有目的。

与此同时的监视，却是傅国生拉起了窗帘，习惯性开始午休了。那位贤内助倒是很勤快，驱车从别墅进了市区，在嘉仕丽公司处理业务。

预期中的郑潮和莫四海并没发生交集，甚至连嫌疑很大的焦涛也一直待在嘉仕丽公司，根本没有出去。

时间一分一秒地流逝着，聚焦的中心还在郑潮那辆车和车上坐的四名司机身上，他们漫无目的地在寓港市的大街上逛荡着，连续四个小时都没有停车，诡异的行踪越来越值得怀疑，甚至许平秋下令跟踪的外勤也不得再靠近，大雨天街上行车不多，太容易暴露了。许平秋判断：他们这是在等天黑，等着台风登陆。

下午十八时，目标又回到粤海酒楼，继续吃晚饭，在饭店门口再次拍到结伴出来的人。这一刻，许平秋觉得目的即将暴露出来的时候，这群人却驱车到了一个意想不到的目标：德亿洗浴中心。

连吃带喝加洗涮，难道果真是来玩了？

许平秋猛拍着额头，在看到几人勾肩搭背进了洗浴中心时，他实在不相信，费这么大劲，却只是这么一趟无聊之旅。

此时，风劲雨急，透过窗户，华灯初上的滨海市也沐浴在瓢泼的大雨中……

道消魔长

进门，跺跺脚，拍拍头上的雨水，化肥很猥琐地提提裤子。来到这种暧昧的地方准备干什么，大家都懂的，粉仔在搓着手，和大臀耳语着什么，郑潮在前面走着，余罪这个时候抢前一步，到了郑潮前面，迎着吧台一摊巴掌:“五位,五个房间,多少钱!”

说着余罪把兜里一摞钱全掏出来了,连洗带涮加服务,每人四百八十八。余罪很仗义地扔了一把,大臀不好意思了:“老二,让你付钱多不好意思。”

“要不各管各的,不啰嗦。”粉仔小气,提议道。

“啪!”余罪拍了吧台一声,怒目圆睁,吼着:“什么意思嘛,看不起我是不是?”

“不是不是,二哥仗义,怎么敢啊。”化肥笑着,赶紧安抚二哥。

“就是嘛,别觉得二哥很二,我就认为,不抢着付钱,都他妈不算兄弟,对不对?”余罪很二地问,这一问兄弟们哪还介意?频频点头,直称老二仗义,巴不得次次有这么仗义的兄弟呢。

郑潮只是异样地看着,听到此处时他笑了,很嘉许地拍拍余罪的肩膀,一勾手指,那小妹服务生凑上前来,听郑潮不知道说了些什么。小妹点头,把钱又退回来了。郑潮把钱往余罪口袋里一塞,余罪不乐意了,叫嚣着:“高潮哥,你也看不起我是不是?”

“哪儿跟哪儿呢,甭废话,跟我走……”郑潮顺手搂着余罪,态度却有些严肃,这下众人收起淫邪念头,心想肯定有事了。余罪又是小声问着:“高潮哥,不是砍人吧?家伙准备好了没有?”

“就你废话多。”郑潮斥了句,很不中意地训着余罪,“别叫我高潮哥。”

“是,潮哥。”余罪应了声,故意补充了句,“不是高潮……哥。”

众人笑着,对于这位有点二、有点惫懒的余小二,郑潮是既赞赏又无奈,警示着不要乱说话,马上要开工。可这地方,怎么开工?

灯光处处暧昧,视线所及,几幅裸女汲水的美画;鼻子闻闻,全是一股桑拿味道。楼层被改装成小胡同的样式,仅容一人通过,而且还处处都是房间,偶尔穿着暴露的摇着臀部出来,看得哥几个忍不住流口水。

难道,这是藏匿地?

余罪被自己的想法吓了一跳，上了二层，走到通道尽头，和侍应生点头示意，又进一个貌似配电房的房间。拉起楼盖时，只见一条通道直往下通向一层……下楼，左拐，左拐，进楼道，在一个黑漆漆的地方停下来了，跟着“当啷”一声，一个小铁门打开了。外界瓢泼的雨声一下涌了进来。

居然又有一辆车等着，郑潮催着上车，四人鱼贯上了厢货。郑潮坐到车前，“呜”的一声，车启动了。

余罪傻眼了，这是进去桑拿转悠一圈，从暗门出来了，这么转悠连他的方向感也没了，更何况，被关在黑乎乎的车厢里，谁知道会被拉到什么地方？

“别抽烟，这儿不通风。”粉仔骂了句刚点火的大臀，大臀没敢抽。相比余罪，那三位反倒很安静，半晌余罪憋不住了，小声问着：“这干吗呢？不是说出来开心一下吗？”

“有时候开心就是开心，有时候开心就是干活。”大臀道，已经习惯这种保密的运送方式了。

“至于嘛，这鬼天气还用出来干活？”余罪发牢骚道，现在觉得自己不用装智商很低，本来就不高。自己早该想到是出货了，要是吃喝嫖赌直接在镇上就解决了。哥几个炮灰兄弟，人家什么时候当回事了？

“这种天气才是走私的黄金季节呀，运气好，一趟咱们就能挣几万。”粉仔小声道，黑暗里，眼睛闪着绿油油的光芒。

其他人也是如此，知道挣大钱的时间到了，个个屏着呼吸，仿佛等着天上掉人民币砸脑袋的那种紧张气氛。

即便是密封车厢也能听到急如鼓点的雨声，偶尔轰隆隆一个响雷，车里会被震得嗡嗡作响。余罪心里越来越凉，这样的天气可不是黄金季节是什么？通信不畅，交通不畅，指挥更不畅，就算有警察的千军万马，也挡不住这奸诈狡猾的人渣啊！

风声、雨声、雷声，声声入耳。余罪在思忖着，想得头痛，也想不出一个应对的方式，甚至于他有咬破后槽牙的冲动。那是唯一的，也是最后的一招！出行时林宇婧慎重交代，发现重大线索或者生命受到威胁时，咬破后槽牙里安装的信号源，最快可以在五分钟之内得到救援。这种出于安全考虑制作的弱电信号源，它的时效也只能持续五分钟。

可现在算是什么情况，余罪自己都说不清楚。此时他不得不承认，人家就是比他聪明，闷罐子一捂，饶你有通天本事也施展不出来。

桌上烟灰缸里的烟头越来越多，有的还尚未燃尽，冒着袅袅的青烟。又一支烟掐进来了，一屋子烟雾腾腾，许平秋在烟雾缭绕里徘徊。

进去的人一直没有出来，已经一个多小时了，他看看时间，晚八时一刻，这样的天气如果要走货，理论上也该出发了，可前方监视的，还没有消息传回来。

他又一次起身，皱着眉头，对着一副沿海交通道路图发呆，这上面可能走通的路已经画了六条，甚至于他指挥后续的警力沿途试过，不但全部可以走通，甚至还有隐藏的路，在地图上无法标示。群众的智慧从来都不可小觑，这里私开的小路怕是你一时无法查清，即便是缉私警力比十年前增加了不止二十倍，这里的走私、偷渡仍然是相当猖獗。最起码他就知道，每年通过蛇头往世界各地输送的非法劳工有数万之众，那个渠道GA部三令五申，到现在都没堵绝。

好在有这几个棋子，他脑子回忆起了万顷镇那边的监视，豢养着这样的人去干什么，目的很明显，而运送的东西是什么，正是他急切想知道的。这一次他不怀疑自己的判断，从傅国生到焦涛，从焦涛到莫四海，从莫四海再到郑潮，还有已经跑路的王白。这样的组织结构，这样的人员组成，干什么事能在短时间聚敛如此庞大的产业，答案已经昭然若揭了，所差的只不过是证据而已。

可案情就偏偏卡在没有证据上，这是让所有警察扬眉吐气，也是让所有警察黯然无语的东西，有时候即便你知道罪犯是谁，也无计可施，差的就是这东西。

证据，只要抓住一例大宗贩运，就能顺藤摸瓜把这窝端出来，就能把这个口子补上，就能把这个毒源铲掉，就能引起各方的高度重视，对类似的犯罪行为形成高压。

有些事是警察必须做的，哪怕是错上一次两次惹人耻笑也在所不惜。他揉了揉眼，手指随即在寓港德亿洗浴中心的方位点了点，计算了一下离港口、离海边的距离，有一百多公里，如果绕路会更长，在里面玩得昏天黑地，难道是作为任务之前的犒赏？

他笑了，他实在怀疑余罪能不能禁得起声色犬马的诱惑，他觉得大多数时候这小子一定是沦陷，不过他不在乎这种小节，为了任务有时候牺牲比这个可大得多。这个时候，那小子应该在温柔乡里吧？不知道他会不会想起他的身份来……

不对！这不符合逻辑，最起码不符合这个主谋策划的逻辑。

隐隐地他觉得哪儿有什么疏漏，又从头开始整理思路：“包袱”送至寓港，然后被送到万顷，已经走了两趟货，其间看管极严，“包袱”连通信的机会都没有，平时就被关在厂子的大院子里……今天这种时候，很明显是一个走货的绝佳机会，难道，会这么让下面的人放松？

“坏了……”

许平秋一念至此，感觉到要坏事。“包袱”也就是个底层运输人员，他无从知道上层真正的意图，结合对所掌握的犯罪模式的规律分析，即便是贩运，他很可能也是在最后一刻才知道，甚至不知道。

跑出了房间，许平秋差点和来汇报的技侦撞个满怀。那技侦紧张地汇报着还是没有发现消息，许平秋看看时间，更确定了自己的判断，跑进了专案组所在的会议室，对着一圈发愣的属下吼着：“快，查查他们进去后的时间里有没有异常，我怀疑他们在耍花招！”

什么？被放鸽子了？

技侦吓坏了，调监控的，接驳交通记录的，联系前方监视的，忙碌了十几分钟，周边的交通监控才传过来。天雨车稀，影视不甚清楚，不过技侦在捕捉到一帧画面时傻眼了：从德亿洗浴中心的侧面胡同里，果真驶出来一辆车。

又过十分钟，前方的便衣传回了消息，胡同里，是德亿洗浴中心一个专供内部人员出入的后门。

时间，指向九时四十分，在更换追踪目标那辆货厢车时，已经错过了整整两个小时……

“下车……穿上雨衣，都下来，一人来两口，别多喝啊。”

车厢开了，郑潮拿着瓶红酒，递给了余罪。余罪仰头就是一大口，刚要再喝，被郑潮抢走了，递给了下一位大臀。披着雨衣灌口酒，挨着车厢站着，余罪再看四周，郁闷了，自己简直就是黑夜里的一头牛，根本分不清东南西北，只是能听到浪涛声，知道离海边不远，地方在公路边上，暴雨倾盆，冲断了不少路上的护栏。他用手电筒微弱的光往脚下一照，只见流着几寸深的泥浆水。

“这鬼天气，真操蛋。”大臀闷了口红酒，骂了句。

“你得赞美这天气，发财的机会来了，兄弟们。”郑潮接过酒，随手一扔，然后用手电筒一晃不远处，那里有四辆小型货厢，是这里通行市乡镇的沿海走私专用车，就听他说道：“四辆车一人一辆，给我开回指定地点去，养兵千日，用兵一时，能不能发财，看你们的本事了。”

哦，发财的机会终于来了，几个哥们儿跃跃欲试。余罪却是心里膈应，这话怎么听着熟悉，警队战前鼓舞也是这么说的。

“前三辆，开回去货主给五万，你们和我四六开，你六我四，粉仔，大臀，化肥，拿着，上路。目的地会随时通知你们。”郑潮递给三人一人一部手机，一挥手，那仨人兴奋地要上路了。余罪可急了，一把拦着：“喂喂喂，说清楚啊，我那辆多少钱？”

“三千。”郑潮竖了三根指头。

“高潮哥，你这什么意思？看不起人是不是？有钱不让兄弟挣是不是？太不够意思了！给我一万我就干。”余罪一副挣钱心切的嘴脸，争论上了。就是嘛，太他妈小看新人了。

“这……哪成？不能抢生意啊，老二。”大臀嚷上了。

“就是啊，听大哥的。”化肥惹不起余罪，可也舍不得让出来。

余罪却是二话不说，一把揪着干巴瘦的粉仔，恶狠狠地瞪着：“我跟你换，换不换？”

“这、这……潮哥，你看这？”粉仔吓住了，郑潮挡在他前面，拉着余罪。余罪不放手，郑潮一巴掌扇在他手上，余罪悻然放了。这时候，还不是决裂的时候，只是没想四个人分四路，这让再聪明的人也判断不出究竟是怎么个情况啊。

挥手让那三位走人，郑潮揽着余罪道：“兄弟，想挣钱的机会有的是，别嫌命长。你以为这趟路好走，一逢这种时候啊，都是蒙头撞大运。缉私的各个大路小路岔路都卡着呢，没有港口的货单，一律罚没，人得拘留。听我的，你先熟悉熟悉，想上路以后有的是机会。嫌少再给你加两千，大雨天的出来趟不容易。”

郑潮揽着余罪到了这辆车前，小型货厢，和厂里停的没什么差别。一看车号余罪郁闷了，又他妈换了，先前看厂里的车牌，恐怕是备用的。踌躇间，郑潮把一部手机递给余罪，余罪想了想，心道只能如此，不涉险也好，反正在那个组织也是混日子。

上车时，他随口问着：“高潮哥，我走哪条路？”

“大路，走高速。”郑潮道。

“啊？”余罪吓了一跳，又开了车门问，“那儿缉私的和边检都查呢，我可什么都没有，无证驾驶就能被扣起来。”

“车上有，自己看。没事，就几箱破硬盘，缉私的才看不上眼呢，随他们扣去。”郑潮道了句。回身向车的方向走着，直看着最后一辆起步，消失在雨中，他才缓缓地上了车，车发动的时候，一条短信也发出去了：我们出发了！

余罪最后启程，不过他的路途却是最近。隔了好一会儿郑潮才和司机慢悠悠地开出来，他和余罪走的是大路，不多时便汇进了车流，又过一会儿，余罪按照路程指示，驶出了岔道，又进入了另一条高速路。

在深港高速寓港入口的时候，追踪的那辆货厢又一次进入了警方的视线，从监控的屏幕上看，茫茫的雨中排队过边检的车有两公里长，对方驾驶的是一辆十吨货厢，这种天气通行山区路段不现实，追踪的警员已经紧急和缉私检查站会合，正在回路上等着。

漫长的等待，那辆车缓缓地停在检查站高耸的钢骨檐下。现在是缉私检查的繁忙时段，路边的大院已经查扣了十数辆大货车，那上面手机、电脑甚至汽车都有，抓捕队员就梭巡在边检周围，等着抓捕命令。

下车的郑潮，卑躬屈膝一脸谄笑，递着自己的证件，典型的奸商作派，和检查站的人套近乎。缉私的已经习惯了，一指后厢：开厢。

后厢一开，空的。

缉私人员向会合的警察使了个眼色，上去四个人，不死心地敲着车厢夹壁，还有人转到车底看。郑潮却是哭丧着脸和缉私队的诉着苦："大佬啊，白来一趟啊，什么活都没赶上，这鬼天气……我们是正当生意人啊，从来不拉走私货的……"

连驾驶室也查了，什么也没有发现。缉私队在请示后得到了上级的命令：放行。

这辆车，大摇大摆地通过了缉检。

画面传回了煤炭大厦的监视屏，凄迷的雨色，模糊的场景，恰如此时迷茫的形势。作为指挥员的许平秋面对着那一双双疲惫的眼睛，他知道，去的时候五个人，回来一个人，这个明面上的目标是幌子，那剩下的四个人，恐怕已经载货上路了。

"把一至四号嫌疑人的照片，发到各边检和各交通路口，一经发现，马上查扣……"

许平秋咬牙切齿地发布着这一条命令，连余罪也在嫌疑人抓捕名单上。他心里打定主意了，大不了做成一锅夹生饭，一点一点啃也把他们啃下来。赃物肯定在余下的四位送货人车里，只要抓住证据，大不了再一点点往下啃。

四张照片通过通信器材传出去了，监视的屏幕蓦然间雪花斑斑，图像闪烁，不一会儿全屏成了雪花点。

此时，午夜二十三时二十九分，受台风影响，滨海、寓港部分地区交通、通信、电力中断。

扑朔迷离

“报告，和三组通信中断。”

“边检站实时监视无法回传，我们知会了交通指挥中心，他们正在组织抢修。”

“交通道路预报，寓港二十六公里处出现塌方。七号公路，我们无法到达指定地点。”

“滨海市区多处积水，车辆无法通行。”

一条条信息被实时监视的技侦们报出来，汇总起来，会议室里，键盘的敲击声此起彼伏，交通、气候、道路、监控图像，都依赖着一条DDN专线，而现在，这条指挥中枢出现故障了。

许平秋拿着一张最新汇总情况，回头看了眼七名禁毒局外派的技侦，都熬得两眼发红了，但直到现在为止，郑潮带走的四名疑似送货人仍无消息，像是凭空消失了一般。

他放下汇总的情况表，踱步到会议室角落一台大功率的接收仪旁边，低头轻声道：“频段里有消息吗？”

技侦黯然地摇摇头，而且眼神有点忧心忡忡。经常组织这种行动的技侦有预感，在这种忙碌的时候专辟出一台机器，让自己一个人看守，肯定是接收来自内线的消息，可这机器从他接手以后就一直静默着。许平秋的忧心更甚，小声问道：“这种天气，信号会出现故障吗？”

像是老天故意捉弄一般，话音刚落便轰隆隆一阵雷声，咔嚓嚓几道闪电，技侦点点头，那意思是：会。

“故障概率有多大？”许平秋不放心地问。

“很大，一共三台这样的仪器，分别是这里、寓港和边检，如果一直是这种强雷雨天气，很可能错失信号，即便能成功接收，也有可能无法赶赴出事地点……”技侦道。有时候高科技的效力也微乎其微，特别是在这种自然力量面前。

天时、地利、人和，不一定什么时候都会站在警察的一边，哪怕他代表的是正义。

许平秋站直了身，又添了一份忧虑，刚踱到窗口时，冷不丁有位技侦在喊着：“三组……三组，能听到吗？对，这里是老家……我记下，2号嫌疑人，在新垦路口，被缉拿……请求下一步任务……请稍等。”

他放下耳麦时，许平秋已经踱步到了他身边，第一个嫌疑人，终于被网住了。

距新垦镇十四公里，缉私队临时的检查站，有一辆歪斜在路边的厢货，几名披着雨衣的缉私人员正在查车，那位连滚带爬掉进沟里、浑身泥浆的嫌疑人被铐回来了。他蹲在大商务车厢里，抓捕组闪着手电筒。此人是个胖子，像头泥浆里打了个滚的小猪，耷拉着脑袋，一声不吭。

“抬头，叫什么？”

“梁华。”

“车上拉的什么？”

“不知道。”

“你拉的东西你不知道？”

“我替别人拉的，真不知道。”

“替谁拉的？”

“老板没说。”

“老板是谁？”

“老板……就是老板呗。”

就这么几句，顶多能问着姓名籍贯，再多嫌疑人自己也说不上来，问得急了他就结巴，语气狠了，他就哆嗦，一看这样子就是个被人当炮灰使的角色，连抓捕队员们都觉得没劲了。

车窗响了响，询问的警员下车了，缉私队员知道这帮警察的来头不小，附耳小声道除了二十件笔记本电脑，没有其他发现，而像这种以电子垃圾形式进来的旧货，不值多少钱，平时就连缉私的也懒得查。一干警察们兀自不太相信，亲自到车上检查了一番，没错，就是些电子垃圾。

抓捕队员来自岳西省禁毒局和刑侦二队，这里猖獗的走私让他们可算是领教了，连带这个叫梁华的胖子。两个小时，扣了十几辆车，全是这种迎着台风开车不要命的主，你挡晚点，他们都敢闯关。

联系到家里十分钟后，命令下达了：抓捕人员以走私名义暂扣车和人，就近带回寓港公安局作进一步审查。

而在滨海市的临时指挥所，依旧在紧锣密鼓地安排着新垦、寓港、港口、万顷、高速几个设卡点的排查。凌晨零点过后不久，第二个撞网的来了，是从港口绕道回万顷的，被扮成缉私的抓捕人员逮个正着。此人姓何，名大勇，就是绰号“大臀”的那位，被抓时没什么反抗，像这里所有给老板开车的马仔一样，查就查，扣就扣，反正他是一问三不知，甚至连自己老板是郑潮也不承认。

这边的走私早已蔚然成风了，缉私和边检扣下来的车比往常多了三成，可还是有川流不断的货厢车在各条路上冒雨行进着，此时连后方的内勤也感觉到了，对手狡猾地利用这里的天气、地利、走私猖獗的形势，以及没有准确的情报，再多的警力也无法在这种绵延几公里的车流中找到目标。

时间，在一点一点流逝；战机，在一点一点消失。

许平秋不时地看着那个对整个案情来说起决定性作用的接收仪，不过它依旧保持着静默。到凌晨一时，意外的是万顷镇的监控点传来消息，有一辆货厢车穿越过了缉私的重重封锁，居然回到新华电子厂了，从监视的体型，林宇婧准确地判断出这是叫“粉仔”的那一位，姓陈，名祥瑞，有过盗窃前科。

闻讯赶回万顷镇的杜立才一组，请示着是不是马上查封新华电子厂，撞撞运气是不是那车里就是目标。

没有得到答复，这个时候，许平秋在楼道里一遍一遍来回踱着，撞网两辆车都不是目标，一个回万顷镇，一个下落不明……这时候，他开始怀疑自己的判断了。

有没有货？难道这就是一个普通的走私？

如果有，货会在哪个人的车上？

余罪又在哪里？

一连串无法解答的问题，让这个雨夜变得如此地迷茫。他迟疑着，最终不敢下查封电子厂的命令，因为那儿一查，意味着刚刚摸到的所有线索，都会被很快掐断……

而此时的余罪却走得格外轻松，高速路在他上路不久后就封了，行车颇少，雨下得虽大，可好在没有造成塌方和垮桥的事故。凌晨一时的时候，他已经远远地看到了收费站的灯光。他不在通往滨海市的高速上，而在东莞的收费站下了高速。

从启程到现在过了两层安检，他手里就放着一堆报关单、货单。在港口只查验了单据，边检查得严，车上车下翻了个遍，甚至连车上的货箱也撬开查了，结果依然是挥手放行。

上高速的时候他就轻松了，看来这家组织还是无法相信他，先让他走走流程、熟悉业务，以备下次再用。轻轻松松走了一百多公里，车行得慢，用时两个多小时，快到收费站的时候，他才想起自己的身份。

对，把这茬儿给忘了，哥是警察！哥是金牌卧底，都还没想着给家里报个信呢！

对了，手机一直就没响，他拿着手机考虑着是不是敢用这个报个信。不过他拿起手机就傻眼了，惊讶地给了句："我操，谁干的？太有才了！"

加天线的三防手机，不过根本没按键，只能接不能打，你想对外联系，没门。

他扔了手机，想着下车就近找部电话，不过这天气一路上鬼影子都难得见几个。他瞥了眼报关单，就是四件硬盘，电脑上用的那种硬盘，和以前从港口拉回来成件的货没有什么区别。快到收费站时，他多了个心眼，把车停在减速带上，下车开了后厢，爬进车里，掀开箱子，拆了两三个塑封的包装。

就着打火机的亮光看了眼，没错，就是硬盘，台式机那种硬盘，正宗的走私货，而且是带着生产厂商标识、合格证的硬盘，否则根本逃不过边检和缉私那些人的眼睛。这种天气，查得比平时要严多了，路过边检站的时候，被查扣的车都有几十辆了。

“妈的，要是货在那仨人手里，万一家里逮不住，会不会把责任扣我脑袋上？”

他重新上车启动时，有点心虚，自己被扣在闷罐车里，一点消息也传不出去，大臀、粉仔他们运的要是真的麻醉品却没被查到的话，现在恐怕已经到万顷镇或者寓港市了，只要一过边检、缉私的设卡，那些货会很快化整为零，甭指望再揪住他们。

哥虽然是卧底，可我根本不知道底细呀！他这样安慰着自己，很快得到心理平衡了，对他来说，不涉险正好，多跟组织吃喝嫖赌一段时间也不错。

缓缓地驶向收费站，递上卡，交了钱，刚驶过减速带，手机却意外地响了。

“咦？这家伙是不是跟着我？怎么刚下收费站电话就来了。”

他心里暗道着，接听了电话，大声喊了句：“谁呀？”

“不用进东莞了，直接开到滨海市。”郑潮的声音。

“怎么了，潮哥？”余罪随口问道。

“问个毛呀，货主让送到滨海，等着接货呢，接完货赶紧回来啊，其他人都回家了，就等你了。”郑潮不耐烦地道了句，扣了电话。

余罪讨了个没趣，想了想，又不放心地上后厢里翻查了一遍，把车厢也像模像样地敲了敲，甚至于趴到车底盘下面看了看。

没有。现在连他也蒙了，实在不知道今晚是哪个炮灰中奖了。

“管他呢，安生一天是一天。”

他想了想，估计自己短时间还是无法取得地下组织的信任，没信任当然别指望有重任，他还是按着郑潮的指挥往目的地开，在没有危险和没有发现的时候，也就没有暴露的必要。

而这个时间，正是几个抓捕组在万顷、新垦、港口遍地寻找失踪货厢的时间。正是许平秋踌躇着到底有没有货，和货在哪里的时间；也在这个时间，高速路收费处监控一百余个出口，有近三成受台风雷雨天气影响无法正常工作，没有准确的车型和车牌信息，就算有无处不在的天网，也无法网住在几百公里路线上猖獗的魑魅魍魉。

为人嫁衣

时间，指向了一时整。滨海北，三十七公里标示处，一个尚未建成的高速服务区，偶尔闪电袭过，能看到建筑物外两辆黑色的MPV。

房间里，被闪电的光亮拉长的人影不止一个，都在黑暗中静静地等着，一拨两人，一拨四人。四人那拨明显有点不耐烦，其中有人不时地看着表，不胜其烦，有人发话了："疤鼠，你的人有没有时间观念，这他妈几点了？"

"高兄，这天气，能通关也得用不少时间，再耐心等等，我们的信誉您又不是不知道，万一真折在路上，除了您预付的货款，加赔你两成。"另外一拨人中的一位高瘦个子发话道。

这倒也是，里外都是赚了，那拨人稍稍安生了。

时间过了零点，过了一点，等电话响起的时候，高瘦个子拍着旁边的人，一起出了路外。另一拨人紧急戒备，有人已经把家伙抄到手里了，也在联系着外面，望风的放出几公里，看样子是在联系是不是有什么意外。

没有意外，来了辆车，摇着车窗递给高瘦个子一部手机，让他指示着方位。

这种事自然是越隐秘越好，高瘦个子站在房檐下，不时地通着话，指挥着外围收拢回来的几人，埋伏在这个服务区隐蔽物后。一时二十分许，一辆货厢摇摇晃晃地来了，高瘦个子指挥着停在院中。

人下来了，是掉以轻心、蒙头蒙脑，以为就是个熟悉业务过程的余罪。他看到这个陌生而恐怖的环境时，有点警觉了。不过，已经晚了。

“别动。”有人从背后上来了。

“喂喂喂，我送货的。”余罪举手投降特别快，紧张说道，生怕腰后的硬东西是真家伙。

“走。”又有几人上来了，挟着他进了空旷的厅间，另外的人正四下看着是不是有追踪，直到几公里外的望风者报信安全，才有人把车直接开进了大厅间。几束应急灯亮起，照上了那辆货厢车。

“自己人，自己人，潮哥让我送货来的。”余罪大声嚷着。高瘦个子解除戒备了，一挥手，背后的人把余罪放了。余罪赔着笑脸，赶紧给人发烟，不过没人接，却有人指着墙角，让他站着别乱动。

“至于吗？辛辛苦苦跑了大半夜，钱还没给呢？郑潮呢，我大哥不在，你们不能拿我的货啊！”余罪站到墙角了，不过还是不知趣地嚷嚷，高瘦个子烦了，上前卡着他脖子，按在身边，低声呵斥道：“货要有问题，老子马上拧断你脖子。”

余罪瞥眼看着那汉子脸上一道从额头连到颊上的疤，整个人在这个环境里显得格外恐怖，阴森得像个鬼，吓得他哆嗦了一下。

开车厢，验货，箱子都被撬了。余罪一看生怕别人发现自己看过货，赶紧解释着：“那不是我干的，缉私的查的，今天查得特别严，把箱子都拆了。”

车上验货的没人理他。有人一伸手，下面的人递上去一个电动螺丝刀。那人拣了几块硬盘，对着内六棱的硬盘螺丝拆上了。

余罪下意识地一下子倒吸了一口凉气。

这个场景很多年以后都成了他的噩梦。设想一下，如果是他这么位金牌卧底帮犯罪分子运送了一车管制麻醉品，那他可能要成为全警最大的傻瓜了。

很遗憾，你越担心什么事，那事发生的可能性就越大。

螺丝一起，金属外层一掀，一倒扣过来，一个整齐四方形的东西赫然亮出来了，白色，晶莹剔透，看得余罪目瞪口呆。他现在明白为什么郑潮告诉他这车只值三千了，那是让他走得不要有心理负担，可偏偏他也以为犯罪组织短时期内不会起用新人，还居然一点心理负担没有，大摇大摆地闯过了两关。

“这是什么？”余罪气得快哭了，回头盯着瘦高个子，苦不堪言地问着，“怎么没人告诉我？这他妈让警察抓住，不得崩了我？哎哟，这谁呀这么损，坑死我了！”

验货的笑了，接应的也笑了，瘦高个子反而把余罪放了，笑着道：“哈哈，哭什么？你是本年度最成功的贩毒分子，有前途啊。”

接货的乐了，笑道：“前途有，不过人有点糊涂啊，这不是崩了你的问题，而是够崩你好几回了，哈哈。”

几人都哈哈大笑着，余罪龇牙咧嘴，貌似难受无比，没人知道的是，他已经使出吃奶的力气，咬陷了后槽牙。余罪蹲在墙角，防着万一自己人冲进来，别误伤可划不来了。而其他人看着这位蹲在墙角瑟瑟发抖的，还以为他吓破胆了，没人理会。

货就内嵌在硬盘里，这层伪装成功地骗过了忙得焦头烂额，只顾敲着车身夹层检查的缉私人员。

清点，出货，装卸，交易开始了……

信号发出去了，余罪就等着人赃俱获。不过轰隆隆的雷声响起时，他的忧虑又多了一层。

“信号，有信号……”

一直枯坐守着接收仪的技侦吼了句，一室人都涌了上来，许平秋焦急地喊着：“什么地方？”

“在……在……”技侦员比对着坐标，猛地脱口而出，“在滨海市！”

“嘀……”像命运故意捉弄一般，刚喊出地方，红点消失，跟着轰隆隆的雷声挟着闪电，把满屋照得透亮。

雷电天气，阻碍了信号的传输，许平秋焦虑地让属下接通地方特警，问着能不能准确定位。

技侦满头大汗地盯着仪器，手哆嗦地乱摇乱晃，可仪器静默着，像嘲笑一干警察一样，再也没有显示出信号的位置。

“收队吧，三组四组回滨海市。通知高远、杜立才一组，继续监视新华电子厂。”

折腾了十几分钟无果，许平秋黯然下了这么一个命令。抓捕的机会稍纵即逝，磨蹭了这么长时间，等有信号也误事了。

他喉咙里像噎着东西一样，咳了一声就出去了。一屋子的技侦，拿着通信已经接驳通的，里面已经传来的兄弟单位的声音：“喂，您好，这里是滨海市特警三中队，请输入密码验证身份……”

没用了，向省厅申请的特警指挥权也没用了，天网恢恢，疏漏太大了。从德亿洗浴中心的误判开始，就已经注定了要错失这次抓捕机会的结果。许平秋仿佛一下老了十几岁，蹒跚着进了自己的办公室，颓废了良久，他又狠狠地站起身来，一股不服输的怨气充斥着心胸，他又一次快步进了技侦指挥室，发布着今夜的最后一条命令：“命令所有参案警员，一个小时内务必收拢归队，不得暴露形迹！命令杜立才一组，严密监视新华电子厂，不得妄动！命令所有监视人员，放开监视距离！”

这像一个大放手的举动，让很多人不解。

更不解的是，连针对莫四海、焦涛、傅国生几个重点嫌疑人的监视居住也撤了。至于02号特勤，他接到了一项新的任务：找回“包袱”，只有他知道发生了什么，现在也只有他纵观了整个犯罪过程。

“包袱”此时正委顿在墙角，欲哭无泪。

东西搬完了，上车了，车发动了，车走了……可警察叔叔还没来。

余罪自认没有警匪片里一人灭一伙的本事，所以他只能装孙子，或者说此时他就觉得自己活脱脱地像一个孙子，真他妈郁闷，以前都是自己坑人，现在好了，被人坑了，还替人数钱呢。

人格侮辱可以忍受，智商的侮辱实在让人难受，将来这事抖出来，他估计自己脑袋上得刻俩字：傻逼！

如果加上一个形容词，应该是“最蠢的”。

“嗨，小子，过来。”瘦高个招着手，招呼着余罪。此时完成了交易，危险已经解除，顺利地干了这么大的事，现在根本不用怀疑余罪的身份了，就一个被人蒙着送货的马仔而已。

一群人都看着余罪，还有人打着应急灯，照着余罪的脸。余罪遮着眼睛，怯生生地站起来了，怯生生地走到这伙人跟前，紧张兮兮道：“老大，不给钱就算了，可别灭口啊，我啥也不知道。”

肯定没有灭口之虞，干这么大事，还用自己灭？那些人看着余罪，心里都想着拉满满一车管制药品通关，试问这天下没几个人敢干，可偏偏这么一位蒙头蒙脑的新人还给干成了。他们个个哈哈大笑，带头的瘦个子扔给余罪一摞钱，总有一万的样子，就听他说道：“拿着，使劲吃，使劲喝去。回头还有，过两三天没事了再联系郑潮，听明白了？”

“明白，谢谢老大。”余罪接着钱，点头道。

“哎呀，这么好的马仔，怎么我就没碰上……郑潮真他妈走狗屎运了。”瘦高个子感叹道，拍拍余罪的肩膀，实在欣赏不已。余罪愧不敢当了，紧张道：“老大，这、这事太危险，我以后不敢干了。”

“后悔也晚了，这一车够崩你十来回了。”有人取笑着余罪，惹得其他人又笑了。反倒是疤脸瘦高个子安慰着余罪说道：“小伙子，想开点，第一回难受，以后就都成了享受了……走了。”

众匪哈哈大笑着，一帮人呼啸而去。

人走了，余罪也跑出去了。深夜、大雨、电闪雷鸣，闪电的余光拉长了他的人影，他傻傻地站在雨中，想着那一身刚试过的警服，想着那一车晶莹的麻醉品，想着是自己亲自押送通关，那一刻的感觉是多么的复杂，让他不知道该何去何从。

人生，就像这个迷茫的夜，根本看不到方向。

是啊，这该回哪个组织里去呢？

屡败屡战

“情况汇报这样写，关于5月20日行动，由于强台风影响，通信中断，指挥受到影响，未能组织起有效的排查，致使错失良机，这一点我负主要责任。同时加上一点，我们已经基本查清了该犯罪组织的结构，大致人员构成，并对其中重要的若干嫌疑人进行了监视居住，相信很快就会有结果……就这么写。”

许平秋手指点点，杜立才记着要点，微微蹙眉，林宇婧快速琢磨着许处的话，她下意识地看了组长一眼，老杜不到四十岁，显得比许处还老，特别是这两天，憔悴得快让人不认识了，没办法，又一次行动失利，连“包袱”都丢了，憋得快起火了。

“许处，有责任得我们担，再怎么说我也是禁毒局的，怎么能……”杜立才说着，话被打断了，许平秋插了句嘴道：“不要抢着担责任，案子只要拿下，什么责任都是象征性的；可这毒源铲除不了，那责任是你我都担不起的。”

此话重重一撂，把杜立才的回应压住。事后三天，所有人话里都有火药味，两个行动组十四人，加上技侦七人，总共多了二十几个人，全部因为任务失利滞留于此了，重新开始的布局仅限于外围的排查和监视，至今一无所获。

“宇婧，万顷镇有什么动静？”

“没有，3号嫌疑人回去就再没有出来过，是严德标、高远他们的监视。”

“寓港呢？”

“没有，白领公寓没有发现莫四海的踪迹，据最新排查消息，和焦涛接头的这个莫四海，白领公寓他是董事长，曾暗地经营色情交易被查处过。”

“滨海，傅国生这儿？”

“没有，正常得不能再正常了，每天按时上下班，连门都不出。”

“越正常就越不正常，这几天他都没有出去应酬，也没有接触那个女人，应该是发生了不寻常的事……可是，他们不可能发现‘包袱’的身份吧……他去了什么地方？”

说到此处，又是痛处了，三天居然没有找到余罪在什么地方，没有归队，没有到万顷，没有找任何一个熟悉的人，02号特勤漫无目标地找了很久，每次带回来的都是失望。

“我们下一步怎么办？”杜立才小心翼翼地问。

“先找到人，不找到他，没法动。如果……算了，先作汇报吧。”许平秋想了想，没有敢把如果说出来，长叹着气。这一件事，生怕要成为自己职业生涯的滑铁卢了。

一切还在按部就班地进行着，对现有的嫌疑人身份、背景、前科进行深挖细查，从傅国生到焦涛到莫四海，每一个都是劣迹斑斑，不过可惜的是，没有任何证据。贸然行事，出丑的怕会是自己人。

这个愁云惨淡的日子到今天仿佛注定结束似的，没到午饭时间，突然有位技侦没敲门就冲了进来，把房间里专案组三位核心人员吓了一跳，看着他急切的脸色，许平秋下意识地问：“有消息了？”

“电话来了。”技侦兴奋道。

于是这三人，也像疯了似的往会议室跑去。不经意间，他已经成为这个士气低迷的团队唯一的强心针了，因为只有他才可能直观地知道那个雷雨交加的晚上究竟发生了什么事。

许平秋失态地抢过专用手机，轻声呼了句：“喂？”

“呼叫老家，报你的联络码。”电话里传来了疲惫的声音。

许平秋把手机递给林宇婧，为防错失消息，通话前都是联络对码。

林宇婧有点颤抖地接着手机，轻声呼着：“这里是老家，联络码四个2。你在哪儿？”

听到电话里的地址，挂了电话，林宇婧看了组长和处长一眼，心事重重地跟着出去了。三个人在楼道里边说边走，快步到楼下乘着辆车，驶出了煤炭大厦。

地方不远，就在春晖路一处对外出租的公寓，距离大厦不到十公里。到目的地时，许平秋和杜立才异样地对视了一眼，这个菜鸟成长得很快，选择的地方毗邻一个贸易市场，人声嘈杂，往来众多，正适合这种秘密的见面方式，不引人注意。

地址在顶层，电梯也是坏的，三个人走了好久才到。楼道里有点阴暗，敲了好久的门才见得有人开门。

三人终于见到遍寻不着的余罪。只见他满脸胡茬，一嘴酒气，回身锁门的时候，来的三人看着零乱的房间，一地烟头、一茶几酒瓶，再对比颓废成这样的小伙，如果不是知道他任务失利，一定会以为他是精神失常在想办法自虐了。

“怎么不联系家里？”许平秋生气地问。

“我这不联系了吗？”余罪不以为然地反驳道。

“20号晚上，究竟发生了什么事？”杜立才着急地问。

“我还想问你们发生了什么事？为什么信号发出，没有支援？”余罪吹胡子瞪眼。

看样子有点火大，林宇婧赶紧解释着那天的天气情况对信号追踪和定位的影响。听到这个情况，余罪颓然而坐，心知怕也是天意了，他拿着酒瓶子，一仰头，把最后几滴酒倒进了嘴里，过夜的啤酒，只剩苦味。

“那天，究竟发生了什么？”许平秋放缓了口气，靠窗站着。

“判断得没错，送货。”余罪道。

“有麻醉品吗？”杜立才问。

“有。”余罪点点头。

“怎么送出去的？当天参案的警力和缉私人员上百了，所有的路口都卡死了。”许平秋问。

“这个。”余罪抿抿嘴，叼了根烟点着，使劲抽了一口，看着三位期待的人，半晌才道，“我亲自送的，拉了一货厢，就从检查站过去的。”

平淡一句话，如平地惊雷，把许平秋、杜立才、林宇婧震在当地。这个手笔够大，全警的眼光都盯在走私小道上，要是从高速路过去，又是对警察的巨大嘲弄了。这其中的隐情肯定多了，否则不会把余罪纠结成这样。再说当天的安检把不确定的物品全部予以暂扣处理，怎么可能大摇大摆过去。

“慢慢说，把细节从头到尾说一遍。”许平秋拉上了帘子，示意众人噤声。

这三位听着余罪这趟离奇的卧底之旅，回过头审视，证明所有的判断都是正确的，确实走货了，确实是管制麻醉品，确实也趁着台风的天气，唯一的疏漏就在于，没有紧跟上德亿洗浴中心的换车，不过听余罪说都是被闷在车厢里，大家也释然了，那种情况下，谁还可能做得更好？

然后是到了沿海公路，分四辆车，把“运费”最便宜的一辆给余罪，让他放松警惕、放平心态，坦然地去过关，过了关就是财源滚滚，过不了关嘛，折损的无非也是一个无关紧要的替身。这是犯罪团伙惯用的伎俩。不但走的路线奇怪，而且藏匿的手法让许平秋和杜立才也听得惊讶了，居然是内嵌在硬盘里，一块硬盘的容量在200到300克左右，那一车四件货，想得杜立才都心里发寒。

所有的犯罪手法在罗列出来时，都觉得非常之简单。货物嵌在硬盘里用正常的海外购置通关，用正常的途径运输，就那么大摇大摆地走过去，走的还是排查最松的高速路。这么简单的办法，听得许平秋脑皮一阵发麻，要一直就是这样走的，滨海庞大的电子垃圾里藏了多少违禁物，恐怕要是一个天文数字了。

“就这些……”

余罪神色呆滞地说完，看看三位听天书一般的同仁，冷不丁发了一句感慨道：“妈的，好人坏人都是奸诈似鬼，在这边给人当枪使，到那边，也给人当枪使，一不小心就他妈上当。”

看来余罪这次被刺激得不清，话都说得不中听了，杜立才生气地呵斥道：“你怎么说话的？什么当枪使？一点组织纪律观念都没有，事后不归队，不及时向队里汇报，你看看你，还像个警察吗？”

“不是你们把我整成这样了吗？你说我不像警察像什么？”余罪反犟了句，气得杜立才直翻白眼，他不经意看到许平秋时，却发现许平秋很不悦地瞪着他，他赶紧噤声了。而许平秋这双严厉的目光，对余罪来说是免疫的，余罪也看到了，不屑地扬着脑袋，靠着沙发，就是当年犯了错误的德性。

反正就这样了，你看着办吧。

低头看到一地烟头，墙角是一片酒瓶，沙发上是零乱的衣服，恐怕他这两天也不好过，无意识地替人运送了那么多管制麻醉品，对他来说恐怕是要有压力了。

有时候压力是动力，可有时候压力就是压力，铁人也有被压垮的时候。许平秋看着余罪，没有责备的眼光，他踱了两步，在余罪面前站定了，开口道：“主要责任在我，太急功近利了，也太轻敌了，没有考虑他们会用几个疑似目标干扰视线，真正的目标却金蝉脱壳到了外围。更没想到不到几天工夫他们就敢起用新人。而且后续力量没有及时熟悉、跟进，我正在向省厅作检讨。”

这一句，让余罪脸上的怒意消失了，他叹了口气，不经意地又一次融入到这个团伙和这一次任务中了，就凭被人差点骗光裤衩的事，也足以让他怒发冲冠了。他脸上犹豫着，比以前更不甘心了。

许平秋趁热打铁道：“如果觉得压力大，就撤回来吧，现在你知道的东西足够做一个旁证了，只要我们再掌握他一点证据，就有机会把这群人钉死……迟早要钉死他们。”

余罪还没有说话，掐了烟，像在思忖着什么，林宇婧看着憔悴的余罪，心里泛着一股不知名的怜惜，不过在这个场合，她不便插嘴，就那么目不转睛地看着他，居然意外地想到与案情不相干的事，对了，万顷镇，那个让她脸红的非礼……她觉得脸上发烧时，赶紧按下这个念头。

不过她仍然用那双清澈的目光看着他，仿佛看着一位载誉归来的英雄，卧底是一个什么性质的任务她比谁都清楚，在那个人渣的世界里，压力最大的不是任务，而是心理，能咬着牙坚持下来的都不容易，哪怕未建寸功。

"你怎么想的我不知道，不过我要告诉你的是，不是所有时候天时、地利、人和都会和我们站在一起，失误和失利都是在所难免的，不管别人怎么嘲笑，可我们只要有聪明一次的机会就够了；而不管多聪明的嫌疑人，哪怕有一点失误，也足以让他们致命了……我想，你应该比我想象中聪明一点吧。就这么给人当了一回枪使？"许平秋异样道，他似乎看到余罪有什么难言之隐，便故意这样循循善诱道。

余罪长吁了一口气，此时仿佛才真正放下包袱了，弯着腰，从沙发底掏出一沓纸来，递到许平秋手里。许平秋一皱眉头，跟着眼睛一亮，惊讶道："这是买家？"

"对，卖家和买家都有，我看清了四个人，双方一共来了十一个人，四个人、五辆车，都画下来了。"余罪道。

杜立才和林宇婧都好奇地凑上来，一张张翻过，只见纸上的人像几乎如肖像素描一般，纤毫毕现，甚至于不用查杜立才就认出了其中一张是暂无下落的疤鼠王白，四个人长相、身高、体型、口音，也在画纸上标注得一清二楚。

许平秋笑了，这比协查通报还要清楚，剩下的只要比对查找一下姓名就行了，林宇婧却是惊讶地问道："你还会这个？"

"我不会，在滨海市晃了两天，找画室、街上画像的，还有做PS合成的，做到这个符合我记忆的程度了。好了，我要回去了，约定的见面就是今天。"余罪道。

"回哪儿？"林宇婧心里跳了跳。

“回那个组织里呗，在那里我可是功臣，会受到很多礼遇的……这里好像并不怎么欢迎我。”余罪不屑了句，翻了杜立才一眼，披着衣服起身了，那落拓和颓废让人看得心酸。

开门时，后面没人说再见，他回头看了眼，却怔住了。

许平秋、杜立才、林宇婧，保持着肃穆的姿势，在向他敬着警礼。

余罪鼻子一酸，扭过头，头也不回地重重摔上门，走了。

“总算有点收获。”杜立才看着一沓画纸，舒了口气。

“收获不在这个上面。”许平秋把画纸塞给杜立才，他的脸上浮现出欣慰的笑意，那笑意冲淡了这些日子来的焦虑。

这一日，因为内线的消息，案情向前推进了一大步，一直以医药代表身份蛰居在中州市的另一位嫌疑人张安如进入了警方的视线，而中州市位于岳西邻近。这个地下贩运的渠道，慢慢在专案组里衔接起来了。

匪气凛然

手机铃声响起，郑潮打了个酒嗝，一只手摸出手机，另一只手搭着同桌的一个妖冶姑娘，喷着酒气，很拽地问：“谁呀？”

“你大爷。”对方道。

“……大爷？”郑潮酒意盎然，没反应过来，同样是痞味十足地回敬道，“你他妈……”

等反应过来才省得对方是余小二，这个二愣兄弟帮他走了趟量足的货，赚翻了，这趟货可连万顷当地几家大户都不敢接。他呵呵笑着：“在哪儿？”

“你在哪儿？”

“兴国饭店。”

“等着啊。”

余小二扣了电话，郑潮总觉得哪儿不对劲，这娃口气凶得紧，他想着会不会有什么意外发生，货是余小二送的，总不能他去找死吧。思忖着那妖冶妹子又靠上来了，郑潮立刻心猿意马，在妹子身上摸了几把，却也提不起什么兴趣来，打个响指，叫着服务员买单。

“郑哥，下午陪我逛街好不？”小妹贴着身，软声软气求着。

“好啊，今天哥陪你干什么都行。”郑哥一摸小妹的下巴，不怀好意地笑了。

“呵呵，讨厌，郑哥取笑人家。”小妹扭捏着。她眼瞟着郑潮脖子上拇指粗的金链，金灿灿的，似乎在思忖该把他带到多高消费的商场。郑潮也是过来人了，他更不在乎，绝大多数男人挣的，还不都塞到女人手里了？

两人出门进了郑潮的奔驰车里，开着音乐，等了一会儿，小妹不耐烦问等谁呢，郑潮笑道：“等我兄弟呢……哎对了，小雨，要不你晚上陪陪我兄弟？我那兄弟帮我办了件大事，我实在不知道怎么犒劳他。”

“讨厌，不要跟人家说这个嘛。”小妹听说要被送人，生气了，不过也不是真的生气，长长的睫毛眨着，明显是揣度郑哥的“兄弟”是不是也是位款爷。

“哎哟，来了。”郑潮一搭车门，摁着喇叭，招着手，“余小二”开着那辆货厢，停到了他的车前。郑潮刚要慰问兄弟一句，却不料余罪红着眼冲下来，直接一拳，把喝得醉醺醺的郑潮干得“哎哟”一声，捂着腮帮子坐回车里了。

那姑娘“啊”地尖叫了一声，余罪瞪眼叱道：“大白天叫什么，滚蛋！”

那姑娘麻利地开车门就跑了。余罪捋着袖子，按着郑潮，一顿乱揍，腰上、脖子上、大腿根软处，干了十几拳，干得郑潮连人带车晃悠，哎哟哟直叫嚷。

余罪边打边骂着：“狗日的，我把你当大哥，你把我当傻逼，居然骗老子……要被检查抓住，不得毙了老子？我让你再喊……”

郑潮被揍得浑身疼痛，抱着头哎哟哟乱挪乱嚷。半晌余罪刚停手，郑潮赶紧哀求着：“兄弟，兄弟，听我说……我真的不是故意的，是老大安排的……要我，我都不敢用新人！”

“放你娘的屁，哪个老大？”余罪挥着拳头问。

“别打别打，莫、莫老大，莫四海。”郑潮捂着脑袋道，期待这个名字能把余罪镇住。他一放胳膊看着余罪，可不料余罪正等着，两手一卡卡住郑潮的脖子，恶狠狠问道：“什么莫老大，他算个鸟，等会儿老子再去收拾他。”

“哎哟哟……别这样，你到底要怎么样？”郑潮被这个愣头青打怕了，看那红眼的样子他有点恐惧，生怕这个有点二的兄弟怒极之下整出事来。

“我问你，那天拉了多少货？”余罪问。

“啊？你问这个干什么？”郑潮一听这句，警惕了。不料一警惕，余罪手又勒紧了，随后来了一记窝心拳，揍得郑潮捂着心口半天喘不过气来，就听余罪说道：“你说干什么？老子卖命，你在后面数钱，总得知道挣了多少吧？”

“没多少。”

“没多少是多少？”

“我也不知道多少，反正不少。那活儿找人好长时间了，没人敢接，就给兄弟你了。”

余罪哭笑不得，愣了下，说实话，他也就觉得傅国生城府深点看不透，从来没有把这帮人渣放在眼里，可没想到这号人渣居然骗得他晕头转向。一愣间，郑潮却是喜色外露了，身上虽痛，可相比找到一员志同道合的悍将来要轻得多，他征询地问着：“别怕，兄弟，这不好几天过去了，屁事没有。”

“有事也是我的事，你当然没事了……王八蛋，你等着，我要出事，我他妈先拖上你。”余罪吼道。

此时两人的行为惊动了酒店方的保安和来吃饭的客人，郑潮从车里爬出来，摆手斥退了保安，又嚷着赶走了围观群众。挨打的反而理亏似的，他拉着余罪到一边，从车里拿出准备好的一纸包来，厚厚的现金，拉着余罪道：“兄弟，不亏待你，三万，比你抢收费站强多了。”

余罪瞥了眼，看到了郑潮讨好的笑容，丝毫不用怀疑，这家伙挣得也不少了，否则不会这么客气加低声下气，而且有些戏过头就不好了。他随手把钱往口袋里一塞，揉揉鼻子，尚不解气地道：“这还差不多，妈的给我的肯定少了，你还没准赚了多少呢。”

“哎哟，我说兄弟，这么多钱买胳膊买腿买命都够了，差不多了。我顶多也是马仔，能挣多少？”郑潮哭笑不得地抚着腮帮子，埋怨着，“下手这么狠。”

“算了，不出事都好说，出事你也别想跑。”余罪发了个狠，看围观人群不少，扭头要走，郑潮拽着人道：“兄弟，还有个事，莫老大给了个电话，让你联系这人去……”

“哦，知道了。”余罪接了个名片，一看是嘉仕丽成人用品，他知道是谁了。接了名片正要走，哪知又被拽住了。他不悦地回头，郑潮赔着笑脸道：“还有个事麻烦兄弟。”

“你有屁一块放行不行？”

“行，那我就一块放……大臀和化肥被扣在寓港市，麻烦兄弟你去赎他们出来。”

“你怎么不去，让我去？”

“我……”

郑潮实在不想干这事，手下两个马仔被缉私给扣了，货和人被扣的处理方式都一样，都是罚款，只是他不想抛头露面，央求着余罪道：“兄弟，你不知道哥哥我，一见了警察腿就哆嗦……再说了，哥哥我名声实在不好，容易被人盯上，你新人，没人注意。”

“好吧，罚款算你的啊。”余罪拉着车门，答应了。

“哎，没问题。”郑潮点头应着恭送余罪。看着车走远了，他才觉得不对劲，喃喃地自言自语道：“咦？他是马仔还是我是马仔，怎么我都低三下四跟他说话。”

对呀，角色不知道什么时候置换了，让他稍有点不舒服，不过一想这兄弟可能是未来的摇钱树，一切都不在意了。这一行里，只要突出底线一次以后，就没什么下限了。

上车刚抽了张纸巾想擦擦脸上的伤处，可不知小妹什么时候回来了，纤纤玉手自觉拿着车上的冰镇矿泉水给潮哥擦着伤处，问着什么人居然敢打潮哥。郑潮却是不好意思再吹牛了，直指着余罪走的方向道：“没事，我兄弟，有点二。”

“我觉得挺有男人味的。”小妹赞了个，对余罪的霸气印象深刻。可不料这句话听得郑潮生气了，一拨拉小妹的纤手骂了句：“滚蛋！”

就是嘛，花老子的钱，赞别人有男人味，多伤自尊，郑哥很霸气地直接把这姑娘赶走了。

郑潮给的是张粉红色的名片，名字叫沈嘉文，公司叫嘉仕丽成人用品公司，另一面全是英文，基本没有余罪能看懂的，不过有那电话号码足够了。看到名片的第一时间，他知道是傅国生。

这里面的关系很蹊跷，郑潮居然根本不认识傅国生，而偏偏又是傅国生一手导演着把余罪送进贩毒这个圈子里，其中的关联不言而喻，余罪觉得傅国生不参与都不可能。

可难度恰恰也在这儿，所谓大盗不盗、老贼不偷就是这个理，虽然是他干的，但所有的事都是他假手于人干的。在余罪看来，傅国生这个犯罪境界已经走到了让大多数人仰望的位置，那就是不管别人干事还是犯事，他只干一件事——数钱。

车停在珠江路商贸区，余罪看到了商贸区里嘉仕丽成人用品公司的门脸，很大，三开的玻璃门，进出客户不少，不像北方巷里胡同深处的小店，露着粉红的灯挂着“成人用品”的招牌。这里是很开放的，余罪直接下了车，踱步进了店里，两百多平米的大店面，一柜子成人用品，有什么“金枪不倒”“神威一夜”“真男人”……哎哟，余罪觉得真汉子也未必好意思买这些玩意儿。

他止看得遐想无边，冷不丁直腰时，不知道何时身边站了位美女。他愣了下，然后暧昧地笑了，美女却是很大方地请着余罪道："先生，我们公司的自主产品都在二层，如果有兴趣，我可以领您观摩观摩。"

余罪看到皮肤白皙、笑容可掬的美女，没有多想，直接点头："当然有兴趣。"

"请。"美女纤手一指，余罪大咧咧上楼了。从楼口一看，凉气一吸，舌头差点掉肚子里。

美女，全是美女……不过都是硅胶的，逼真度很高。整个二楼被装扮成一个客厅和一居室的模型。沙发上、茶几边、书桌旁、床上，躺着、站着、坐着……神情各异的硅胶娃娃，肤色或白或麦，发色或黑或金，神情或庄重或俏皮，反正总有一款能勾起你心中的欲望。

比如余罪，就站到了窗前的一位硅胶娃娃面前，表情很严肃，脸蛋很小巧。余罪看着不知道想起了什么，指头小心翼翼地摸着那硅胶美女翘翘的小鼻子。

有人扑哧一声笑了，余罪赶紧收手，回头，又看到了另一位美女。这可是货真价实的美女，卷曲的长发披洒着，暗色的OL工装衬托着，如脂如玉的双臂摆着向他走来，像风摆细柳般婀娜，带着一阵微微香风袭来。那是一种大家闺秀的气质，更是一种南国佳人的婉约，看得余罪目眩神离，直抿嘴咽唾沫。

"余先生吗？"对方伸着手。对于突然的问候余罪有点慌乱，点着头伸手握了握，那小手柔若无骨，比一沓现金拿到手里还要心动。

"请，你的朋友在等你。"美女笑着，脸上浅浅的两个小酒窝，看得余罪春心萌动。

两人一前一后，余罪在后，不过眼神没离开那双修长的腿。细高的水晶鞋，衬托出完美无瑕的足踝，圆滑的小腿，形成了一条柔和的曲线。一刹那间余罪明白了，这天下为什么还有恋足癖那么恶心的爱好，因为他现在发现，自己好像也快有这种倾向了。

"你是……沈嘉文？"余罪追了一步，客气地问，他突然发现自己好像礼貌多了，在美女面前一点也不像人渣。

“对。”沈嘉文露齿一笑。

“可我……不认识你。”余罪道，他在装。这个人后方都已经通知了。

“现在不就认识了吗？”美女很自然地笑道，比他还会装。肯定通过傅国生早知道了。

那笑容传达的意味很明白，其实大家都知道彼此是干什么的，对吧？

余罪笑了笑，不再问了，他审视着这位如冰雕般的美女，心想堆积在这奢华外表下的可能都是数也数不清的麻醉品交易。他有一种深深的怜悯，他真无法想象，有多少像他这样的炮灰还在蹲着苦狱，根本不知道自己做了什么。

而他现在，也不再介意做点什么，哪怕再勒傅国生一次……

逆势上位

笑容可掬的沈嘉文轻轻地打开经理的门，亲和地笑着，纤手做了个请的手势，余罪进去了。老板台后坐着的，赫然是傅国生。他笑了，起身迎接着余罪，握着手问候着：“老二，你怎么还这么渣的打扮？走到哪儿生怕别人不知道你是土匪。”

“你就穿上皮尔卡丹也是个王八蛋，有区别吗？”余罪翻着白眼道，果真是匪气十足。

“区别在于，包装和未包装过的，是两个概念。”傅国生不以为忤，笑着打趣道。

“就你和我？”余罪一指彼此，小声道，“不管怎么包装，都是人渣。”

“哈哈……还是有区别的，我是像人的渣，你是像渣的人。”傅国生哈哈大笑着，揽起了余罪，那位美女沈嘉文知趣地一笑，轻轻地掩上了门。

其实呀，余罪对这位美女的兴趣可比对傅国生的兴趣大得多，余罪忍不住做了个吞咽口水的动作，然后回头看着傅国生，那表情在诉说着一个潜台词：这朵鲜花怎么会插到老傅你这堆牛粪上呢？

“你个死仔呀，我的女人，你也看上了？”傅国生这会真装不住了，生气地斥了余罪一句。这回轮到余罪哈哈大笑了，笑着回敬道：“我还真看上了，喂，你在监仓里答应送我妞儿，算不算数？我就要这个。”

傅国生一怔，不过没怒，他尴尬地笑了笑，坐回老板台后。

而余罪呢，像刘姥姥进大观园一般，看看这儿，看看那儿。话说老傅的办公室和外面纯粹是两种风景，外面的暧昧无边，而房间里却清雅有致，门口是一缸金鱼，靠墙一组竹木沙发，窗台边一排时新花卉，老板桌台也是钢木结构，不显奢华却处处匠心独具。这地方余罪倒觉得很有人味，一点也不像人渣住的地方。

傅国生也在细细地打量着余罪，这个见面的方式他期待很久了，余罪的表现一点也没让他意外，最起码没有气急败坏；但所有的表现都不在意料之中，比如根本无动于衷。反倒是他按捺不住了，欠着身子问余罪道：“老二，你大老远见我一次，没有什么想法？”

“有啊。”余罪回头坏坏地笑了笑。

“说说。”傅国生很期待。

“就想再勒你一次，这次老子可不留情了。”余罪表情恶狠狠的，眼神却没有那么凶。傅国生呵呵笑了，好奇地问：“那为什么不动手啊？”

“看见这么漂亮的妞儿，心情不错，改天再收拾你。”余罪随意道了句，转过身时，冷不丁凑到傅国生面前，恶狠狠地道，“老傅，你狗日的还是想整死我，是不是？”

“有吗？如果我想，应该已经做到了。”傅国生不屑道。完全不似狱中那副乞怜的样子了。

“少他妈跟我假惺惺的。”余罪火气终于上来了，也许对傅国生并没有什么仇意，但对于被骗来骗去早已火冒三丈，他揪着傅国生的领子一把拉起来训着：“老子才出来几天，就他妈成了贩毒的了……那车货要被边检查住，下辈子都出不来了。”

门“嘭”的一声开了，焦涛带着两人奔进来了，两位保镖装束的冲上来就要扭余罪。余罪一放傅国生，两手举着一摊，笑了，对着焦涛道：“哟，帅哥，好久不见啊？”

余罪这一惊一乍的，让进来的不解了，傅国生一吼：“滚出去，谁让你们进来的。”

三个人讨了个没趣，告辞出去了。傅国生看了余罪几眼，他没解释，也没寒暄，一如对待陌生人般，眼瞟着，手却端着茶杯抿着，似乎在等着余罪发飙。

“你……到底是个什么人？”余罪突然问，他觉得傅国生没那么穷凶极恶，最起码有点念及旧情，否则以他这种身份要寻仇的话，应该比贩毒还容易。

“生意人。”傅国生笑着道，放下了杯子。

“哦，算盘打得不错。老子要折了，你这一绳之仇就报了，一点也不内疚；老子要没折，你就赚翻了。”余罪捋着这件事道，瞪着傅国生，很出离愤怒地质问道，“你狗日的是里外都不赔啊！”

傅国生笑了，似乎认为余罪说得很对似的，他启唇问着：“钱拿到了？”

“拿到了，三万。”余罪道。

“那就是了，人生就是一场生意，活着就是不断地交易。用你的能力去换车换房子换女人，没什么不对吧？”傅国生慵懒道，饶有兴致地打量着余罪，他评价道，“不错，你比大多数人都强。”

确实很强，这一行的难度在于，很难走出初次作案的心理阴影，毕竟冒着杀头的罪名。看来自己的眼光不错，余小二的确是个神经强悍的，这么快就适应了，只是稍稍有点不适而已。

余罪在那双眼睛的审视下觉得很尴尬，而且角色的定位很难，自己是做一个俯首听命的马仔，还是做一个敢于质疑的新人？似乎都不太合适。他感觉到傅国生的精明不仅在于他的眼光，还在于他的口风，不管说什么，都在斟酌着言辞，用一种委婉的、和案情根本无关的话表达。

这种人，哪怕证据放在眼前，他知道自己也未必能抓住他。因为他根本和那些事不沾边。

“在想什么？”傅国生突然问。

“我正在想，你想的是什么？”余罪以问代答掩饰着自己的想法。

“我在想，我们监狱里那帮人渣兄弟。”傅国生笑了，很坦诚的样子，就听他轻声道，“都说我们是人渣，不过我觉得不是我们渣，而是被压榨成渣了。不过这个我认为可以理解，咱们身边这个环境如果不渣一点，还真不好混。比如像你渣成这样，不管是走私的把你坑了，还是警察把你收拾了，都没人在乎你，同情你。”

“所以呢……”余罪翻着白眼问，知道有下文。

“所以呢，你得向渣成我这个样子的方向混，有钱、有地位，渣到我这个程度，就没人敢叫我人渣了，都叫我有传奇色彩的成功商人，呵呵。”傅国生笑着道，双手开着桌台的抽屉，轻轻拿出了一张准备好的银行卡，放在桌上，笑着看着余罪道，“不管你怎么看我，我倒是很看好你，你现在身处的那个鱼龙混杂的环境，我想比较适合你，这张卡里有十万，我算算，加上你手里的，差不多能算淘到的第一桶金了，接下来，改变一下命运对你来说不难吧？”

余罪一下子明白了，这是要培养他，扶自己上位，要在万顷一带多扎一个地下走私的钉子，傅国生恐怕真把他当成有前途的毛贼了，还给了自己招兵买马的启动资金。余罪无言地拿着银行卡，这么大一笔钱对他来说不是个小数目。他想着该怎么处理这种情况，拿和不拿，好像都不对。

这种踌躇让傅国生有点犯疑，真要是个不贪财好色的“余小二”，恐怕就让他接受不了了，他奇怪地问着：“嫌少，还是不准备要？”

“既然我看到了门路在那儿，这点钱还真少了点。再说拿这么点钱就想让老子卖命，你想得也忒好了。”余罪两指一捻，把卡扔在桌上，拂袖而去。

傅国生不屑了，他认为余罪在故作姿态，他在等着余罪抬高价码，却不料余罪停下来，回头道：“老傅，以前是我对不起你，后来你以德报怨，我其实一直把你当朋友的，你不该这么骗我。”

傅国生一愣，“朋友”这个词，似乎离他已经很远了，他愣了，他看到了余罪布满血丝的眼睛，让他一下子有了一种不详的感觉。直到摔门声重重响起，他才惊省，皱着眉头，有点奇怪，自己还是小觑了这个毛贼的追求……但他更奇怪，余小二还可能有多高的追求？

“他走了。”门开了，沈嘉文轻盈地走进来，又掩上了门。

傅国生难为地抚着下颌，没说话，沈嘉文笑着又问道：“看来你好像没有收服他？”

“我刚才发现，我根本没琢磨透他。”傅国生严肃地道。

“你呀，就是疑心太重……他不就是个送货的小孩嘛，这样的人大把的是。那边消息传来了，平安到达，这次赚得可不少啊，早知道就把货量再加点，现在市场可紧俏得很啊。”沈嘉文软语轻声，站在傅国生的背后，替他轻揉着肩膀。

“可我总是心神不宁，总觉得会有什么事情发生。”傅国生眼前老总挥之不去的影子，是余小二。

“当然有事情要发生了，还有更大的一宗准备近期出货。富哥已经在海上了，近期就到。”沈嘉文笑道。

“绝对不行，太冒险了。”傅国生惊得起身了，吓了沈嘉文一跳。他紧张地道，“每成功一次，都是三分谋划、七分侥幸，这条路我们走得太久了，迟早要露馅儿的，我甚至怀疑警察已经嗅到了什么风声，否则这些天不会这么平静。”

“一点都不平静，北方正在严打。”沈嘉文嫣然一笑，食指挑着傅国生的脸颊，来了个情人般的吻，轻声道，“我保证，这是最后一次，以你经常化腐朽为神奇的手腕，一定能平安通关的。”

“不行，绝对不行，最起码短期之内不行。”傅国生坚持道。

“一定行的，我信得过你。”沈嘉文轻抚着傅国生脸颊，好像一种鼓励，也好像一种命令，根本不待傅国生答应，她掀起窗帘看着窗外那辆冒着黑烟飞驰出去的货厢，饶有兴致道：“国生，你猜他接下来会干什么？我猜他会变本加厉。”

“最好别那样，否则我就愧对‘朋友’这个词了。小二虽然渣了点，可为人确实仗义，我现在都有点后悔把他带进这一行了。”傅国生感慨道，他想起了牢里的一幕幕，除了那次恶战，其他的时间，相处融洽的监仓反倒成了他这些年最美好的回忆。

“朋友”，这个词同样让沈嘉文眨着美目，她不解地看了傅国生几眼，那样子像在疑问：你有朋友吗？

次日，寓港市海关缉查处，余罪以“余小二”的名义交了罚款，进滞留所领回了因为运送走私货物被拘留的化肥、大臀哥俩。这哥俩受了不少罪，从铁门里出来，本来以为没人管了，此时见了余罪比亲兄弟还亲，就差抱头痛哭了。

来交罚款、要罚没的货主不少，来不及话长短。余罪领着两人出了缉私处，一路上免不了数落两人蠢笨，那五万是好挣的？活该！

出了缉私处，到了车边，车里却已经坐了一位脸胖胖的、长相很可乐的年轻人，招着手：“嗨，二哥，这是你兄弟？”

“对，大臀、化肥……这是鼠标，以后就一家人了。”余罪上车坐定，那两位上了后座。鼠标给两人一人递了一只烧鸡，把化肥和大臀感动得，抱着就啃，边啃边谢着鼠标兄弟。

“甭客气，我们以前一块儿玩的，都自家兄弟。”鼠标笑着道，回头时却瞥了余罪一眼，妈的，不知道余罪怎么鼓捣的，专案组把他派到犯罪团伙里了。

“跟你们说个事。”临行前余罪回头道，“郑潮真他妈不够意思，兄弟们都进去了，他都不来赎。咱们喝西北风，他挣了几十万……这次老子决定自己干，怎么样，大臀、化肥，你们要不敢干，我给你一笔钱，回家。”

“没挣上钱，不回家。”大臀摇头道。

“干。”化肥恶狠狠地啃着烧鸡，点着头。

就这一天，一个新的团伙横空出世了，而且是强势上位，当天便在寓港追砍原团伙老大潮哥，把潮哥人砍得不知下落，据说是吓跑了。又过数日，马仔余二开始收拢郑潮的部下，团伙迅速壮大，已经有十数人之多，在万顷、新垦、港口一带屡次抢同行生意，这一行从来都是谁横谁就吃得开，一时间此团伙风头日盛，为走私猖獗的万顷、新垦一带，又添一支新军。

声响名亮

“就那辆，拦住它……”

新垦至港口十七公里路段，缉私检查站发现一辆冒着黑烟的货厢时，有人条件反射地喊着，一下子，四五位缉私队员的队伍乱套了，发动车的、封锁路卡的、举着检查牌的，还有大吼站住的。不少在接受检查的车主也回头看着那辆车，即便不认识，也被吓了一跳。

车身怒吼，排气管里冒着黑烟，明明是个汽车，改装得和个拖拉机一样，可别小瞧这拖拉机，偏偏跑得又飞快。这个国产小货厢质量实在不咋样，上八十车身就抖，可飞驰而来的车，目测至少都有一百码，待再近一点才看清了，轮胎改装过，宽幅的，显得车身高了一截，就像给辆畜力车装了个汽车轮子一样，怎么看怎么别扭。

不过别扭虽别扭，跑得可叫真牛，唰唰穿行在排队检查的车流里，一点不见减速，偶尔有车主伸出头看，一股风夹着尾烟味道，呛得赶紧摇玻璃。

闯关！不少手脚不干净的运货人以一种极度崇拜的眼光看着那辆车，对方简直视缉私于无物，太牛了，太跩了。

“就那车，缉私的根本追不上。”

“我见第二回了。”

“谁家的。”

“万顷镇那边的。”

“你们不知道吧，原来潮哥的马仔，现在是老大。”

“我知道，叫余二。”

“………”

对于逆势而袭的同行，有些消息总是传得飞快，有关那位叫余二的马仔如何火拼老大、如何一夜暴富，已经快成这一带的神话了，可看人家这本事，也不是空说出来的，最起码敢闯关的走私客就找不出几个。

缉私也没闲着，闯关的车不是没碰到过，不过你闯得狠，打击得会更狠，已经没人敢尝试了。只见缉私队员拉开了不倒钉，那车已经卷着尘土而来，两侧人员飞快地躲避，“呜”的一声，那车直辗着不倒钉过去了，丝毫不见停顿，不倒钉被车轮卷起数米高，然后砸在一辆缉私车上，惹得后面一干车主哄笑一片。

“抓住他，今儿他妈谁都不抓了，就抓他。”缉私队带头的，狠狠地甩着帽子，上车发动，三辆车首尾相接，鸣着警报飞驰追击。

后面的车主乐了，纷纷发动，只见呜呜呜尾烟四起，哄散着过关，特别是车上有违禁货物的，乐得嘴快合不拢了。

山区，弯道，那辆仿佛从天而降的飞车似乎没有被扎破轮胎，还在飚着。直到五公里后的一个弯道口，缉私车急得猛踩刹车，那辆飞车却像疯也似的加着油门，一个急速漂移，冒着黑烟，甩开了缉私车老大一截，等缉私车减速转过弯道，又见几辆货厢从对面驶来，赶紧又踩刹车，而那辆飞车，早像觅食的草蛇，扭着曲线跑得只剩尾烟了，而远处看到了的车主都举着手机在拍着缉私吃瘪的镜头。

缉私车里，准备协调队友拦截这辆车时，通信器里却意外地接到了收队的命令，没有原因，就一句话：立即收队。可收队的缉私车辆掉头回来时，怎么看怎么也像灰溜溜夹着尾巴回家的。

101省道，又一辆改装车闯关成功。

货车未到，这个消息像长了翅膀已经飞回了这一带沿海的犄角旮旯，不少长年吃这碗饭的大佬倒吸一口凉气，惊住了。这已经是本周第四次改装车闯关，不用说，肯定是崛起的新势力在强势入围，这种嚣张的做法在他们看来，已经严重威胁到地下世界的生存了。

稍后一点时间，有人拿到了一段完整的视频，并把视频给了当地改装高手，那高手看辗过不倒钉照样飞驰的镜头，目瞪口呆。看完后此人一言不发收拾行李走人，据说被严重刺激了，要去继续拜师进修……

拐弯、加速、闯关、漂移……浓浓的尾烟中，像只地老鼠来回蹿的车，看得杜立才几次心提到了嗓子眼，直到那个漂移拐弯结束，他心咯噔一下子，放下了。

就录了这么多，居然还有好事者发网上去了，标题是“看民间改装高手调戏追逐警车”，帖子被删前已经有上万点击了。林宇婧惊讶地关闭了视频，瞥眼看许平秋时，他却是一副得意洋洋的表情，杜立才本待提点意见，可却只能嘴唇翕动着：“这……这……”

就没说出来这是什么。

那不是别人，是从二队调过来的自己人孙羿，掩护身份是“余小二”招募的车手，几次闯关都是他开的，接的是走私活，再这么往下干，专案组快成犯罪团伙了。

“你想说什么？”许平秋突然出声问。

十天了，杜立才终于憋不住了：“许处，您这究竟是要干什么呢？”

“现在差不多能告诉你了，既然有人打走私渠道的主意，那这个渠道由咱们来控制不是更好。对方的高明之处在于，他们从来不直接参与，不到现场，可如果大部分渠道都被咱们卡死，你说会不会把他们逼出来？”许平秋道，一副征询的口吻。

主意已定，肯定行，何况已经有成功走过一次的先例，只不过这个办法实在让中规中矩的杜组长难以接受。许平秋回头看林宇婧时，出声问了句：“你觉得呢？”

“可是这样的话，把地下世界的潜规则打乱了，他会成为众矢之的的。”林宇婧道了句自己的担忧，毕竟见多识广，知道其中不少内幕。要都这么胡来，理论上很可能遭到同行警察的双重打击。

“对，没错，如果规则由我们来定，那主动权和节奏就要易手了，我反省了一下此次滨海之行的得失，觉得我们最大的失误在于，一直没有掌握本案的主动权和节奏，一直在被别人牵着鼻子走……这一次，咱们要把这个幕后牵出来。”许平秋挥手掷地有声道。

详细的计划和思路，即便是杜立才暂时也没法跟上领导的思路，只觉得在走私线上胡搅，似乎和要查的毒品案南辕北辙了，其实这些天就是联合海关缉私部门，两方高层在一种高度默契中坐视下面胡来，也坐视一个新的团伙迅速发展壮大。

“可这样的话……”杜立才思忖着，狐疑地提了个问题，“和咱们运送‘包袱’的初衷岂不是背离了，为什么不设法接触傅国生、莫四海这两名重点嫌疑人，反而要在走私上做文章？”

“这样做貌似走弯路，却是一条捷径。这样说吧，如果接近，只能当马仔；可现在，他是自立门户。原来是被人指挥着干，而现在，如果有人想找他干，就得拉拢着干了。被人指挥和被人拉拢，你觉得哪一种更容易控制？”许平秋这样问。

“哦，明白了，这样的话，节奏和主动权就完全控制在我们手里了。”杜立才明白了，以合作者的身份，肯定要比被人关闷罐子里强。

“能把对方诱出来吗？要走货选择也不光‘包袱’一人。”林宇婧道，稍稍有点疑问。

“会。”许平秋笑了，这一次很肯定地道，“因为对方比任何时候都相信，我们的‘包袱’是在他的教导下，已经开始成为一个犯罪升级的人才，这样的人才他不拉拢，还能相信谁呀？”

这句话听得林宇婧笑了笑。她在想，一位好好的警校毕业生，此役之后，真不知道会变成什么样子……

傍晚时分，一辆大型货车从深港高速下了收费站。交过过路费，摇起车窗的余罪，看了眼边开车边嘚瑟的孙羿，不入眼地给了他一巴掌训着：“开慢点，老子坐你开的车，得少活二十年。”

“靠，那我岂不是为民除害了。”孙羿不屑道。

这可不是省道二级路上飙车，孙羿开得不快，快到市区的时候，他好奇地问：“余儿，车上拉的什么？”

“秘密任务，不能多问。”余罪摆谱了。

“少扯淡，什么秘密任务？天下公安是一家，咱们怎么和缉私作对呢？”孙羿不解地问。自己的任务是飙车，飙得爽了，可想不通这个世界规则怎么颠倒了，自己这个即将当警察的，怎么干的全是黑事。

“不要多问，知道太多了对你不好，对不对？”余罪劝着兄弟道。

“不说不给你开车了，凭什么老子伺候你呀？”孙羿火大了，要撂挑子了。

“停车。”余罪一吼，孙羿一停，就见余罪侧过头，霸气地训着，“告诉你多少次了，老子可是混了多久才当上走私团伙的老大，你搞清楚，你是马仔，有马仔吓唬老大的吗？再说一遍，一会儿送货，你就坐车上，一句话也不能说，一个屁也不能放……听明白了吗？”

不可否认，经过这半年人渣堆里的修炼，余罪的匪气更浓了。从来没见过余罪这样的孙羿被吓了一跳，赶紧点点头道：“是，听你的。你是老大。”

“走。”余罪一摆头，车继续前驶，没废话了。

接货的地方在寓港市北郊清塘，快到目的地时，就有一辆现代轿车前行领路，直开进一家貌似小工厂的大院，余罪跳下车和上前的莫四海握了握手。莫四海竖着大拇指直夸厉害，看来闯关的事，已经听说了。

“别客气，莫哥，我入行还是您领路的。”余罪客套着。这位莫哥看上去三十多岁的年纪，消瘦的个子显得格外精神，两眼炯炯有神，带着南方人特有的精明，拉着余罪，没问自己的货，反而奇怪地问：“你那辆改装车，那儿来的？”

“从寓港到港口到滨海，那么多改装车行，找堆零件就干了。莫哥你要的话，我给你整一辆，我一兄弟以前在改装车行干活，现在跟我干了。”余罪道。

莫四海看了眼车上的司机，二十多岁的小伙儿，也在翻着眼瞅他，给人感觉很不好，贼头贼脑的。他问着货，余罪却是一指后厢，莫四海带的几人打开一看，不禁惊讶地“哇”了一声。

车中有车，那辆改装车就在车里。又开一后厢，上下人手递着一件一件的货，这肯定是先用改装车闯关，再把改装车开进货厢运输，这个办法闻所未闻了。莫四海心里又是赞叹不已，趁着卸货的工夫，给余罪递了支烟问着：“郑潮……就是你潮哥，他去哪儿了？”

“我真不知道。”余罪笑了。那笑里坏坏的样子由不得让莫四海浮想联翩，这家伙鸠占鹊巢了，就收了郑潮的生意，偏偏把郑潮整得不知道下落了，行里传闻，是马仔里几个人狠的把人砍了，是不是毁尸灭迹还真不好说。余罪看莫四海疑惑的样子，故意问道：“莫哥，你不会想替郑潮报仇吧？”

“我只和挡我财路的有仇，和别人没有，只是郑潮可给我们干过不少事，啧……”莫四海不确定道，有些话不能说太明了。余罪笑道：“我保证，他回不来了，你说刮台风那几天，要是有人掉海里，会不会是个意外呢？”

莫四海噎了下，两眼盯着余罪，现在他知道为什么傅老大这么看重余小二，敢情也是个心狠手辣的人。

两人闲聊几句，卸货，收钱，一点也不拖泥带水，莫四海打了个电话让外面去了辆车跟着，自己却细细查着货物的封口，知道没有动过，他这才放心安排人拉走货。上车后慢慢行驶着，不时打电话问着跟踪者的发现。

没错，对于余小二短时间干这么大的事，实在让他心跳，但又免不了神往，几次运送干得真漂亮，要是命足够长的话，丝毫不用怀疑，这家伙有望成为沿海最有成就的走私犯。

跟踪的车辆一直追到出了高速，离万顷镇尚有二十公里的地方，冷不丁前面的车停下了。跟踪的车远远地看着动静，却看到一幅让他难忘的场景——一人打开后货厢，钻进车厢里，稍顷，两车分离。车厢里倒开出来了那辆改装车，冒着黑烟，极速蹿进了镇乡公路，不细看，还以为是农村柴油机械。而那辆母车，大摇大摆向万顷的大本营驶去。

有这么个神兵利器，足够让所有走私者眼馋了，现实情况被跟踪者添油加醋给莫哥汇报回去了，至于跟，根本不可能，追不上那辆妖孽。

为匪必强

莫四海接到了前方的彩信，两车分离看得他皱了皱眉头，在走私这个行当里他混了也不止一天两天了，而像余小二兄弟这么有心计，不断推陈出新的速度，还是挺让他惊讶的。

惊讶归惊讶，明显这位莫兄弟心里有事，他收回了前方的人手，从唐都公寓启程，驶了一百多公里到了滨海市，在市区游逛了好远，最后才和要接头的人到了一起，是焦涛。两人貌似闲适地就在地摊的大排档边坐了不多会儿，一杯啤酒的工夫，各自上路了。

莫四海很意外地独自驾车出省了，而焦涛却是直驶嘉仕丽公司，接上了傅国生、沈嘉文两人。滨海市这个大都市注重夜生活，从晚饭开始，连吃带喝，有时候要玩到凌晨。三人一行，在一个风味地道的酒楼前停下了车，优哉游哉地吃上了。

这一切，都落在监视外勤的眼中，每天生活的轨迹，去哪儿了，干什么了，见什么人了，在什么地方待了多长时间，甚至于吃的什么都会详细记录或者录像。

这几个嫌疑人已经被重视到前所未有的高度，不在公司的时间里，很多汇报都是实时进行的，前方值勤的王武为把这个地点的摄像发回去时，正端着盒饭吃着的林宇婧检索着录像。许平秋进来了，她放下盒饭，赶紧起立，可不料后进来的杜立才也端着盒饭，多了一份烧鹅，要在一块吃。

坐下来吃的时候，话题又到案情上了，林宇婧随手把今天的记录递给许平秋，许平秋边吃边看着，慢慢地脸上浮起了笑意。放下记录时，他笑着问两位属下："你们发现没有，他们快跟上我们的节奏了。"

"有吗？"杜立才拿着看了看，没看出来。林宇婧也摇摇头，和平时没什么两样，发回来的照片是吃饭，人家就天天在一块，根本看不出什么异样来。

"你们今天的轨迹，走私闯关，货交到莫四海手上，然后咱们的外勤发现，莫四海派人跟踪了，之后两车分离，'包袱'回了万顷，莫四海就驱车到滨海，见了焦涛，然后焦涛又和傅国生、沈嘉文一块吃晚饭……你们觉得这个很正常？"许平秋说的是再正常不过的发现，可这里面又有什么不正常？

猛然间，林宇婧聪明了一下，脱口而出道："他们在试探？"

"对，试探。"许平秋嘉许地一笑，补充道，"也就是说，郑潮之后，他们不敢马上把运输任务交给这个强势上位的新人，因为这个人给他的不确定因素太多。"

"许处，这我就不懂了。"杜立才提着异议道，"既然强势上位会引起这么多顾虑，那为什么还让'包袱'做掉郑潮取而代之？"

"你这样考虑，郑潮倒了，如果万顷、新垦一带和莫四海有联系的走私运货商，多多少少出点故障，你说他们的首选目标会是谁？"许平秋笑着问，"再说，这个样子把郑潮控制起来，绝对是个最好的掩饰。"

"哦，逼着莫四海和咱们合作。"杜立才不确定道。

“让他主动把证据交到咱们手里？”林宇婧也不确定地问。

“就是这个思路，别质疑，这个计划不是我做的。”许平秋笑着道，看两人实在怀疑这个计划的可行性，他又笑着补充道，“不过，我同意。”

杜立才和林宇婧都知道计划出自于谁，肯定是余罪，许平秋这么支持让两人有点想不通了。许平秋见补充的不起效，继续笑着补充道：“现在凡和莫四海有关联的运输户，多多少少都出了点问题，你们说在一个优秀的新人和频繁出事的老人之间，他们会选择谁？”

二选一，前者可能性很大，可这其中的不确定因素还是太大，但许平秋却是非常乐观地说道：“这个计划胃口很大，比我的胃口大……吃啊，吃啊，今天的菜不错，你们一定会有胃口的。”

这一边在吃，另一边也在吃，不过胃口就没那么好了，沈嘉文在浅斟，明显心不在焉。傅国生虽然吃着，但也是点缀似的尝尝。两人都被焦涛的话说得出神。

言罢，傅国生惊讶道：“这还没几天，雪球都滚这么大了？”

“比您想象的大，这家伙又损又黑，抢了老毛、岔嘴、渔仔几家的生意，谁不服他就带一拨打砸抢的找人家干架，那不像咱们这儿仗着人多壮声势，真打呀，几架过来，马仔都吓跑了。”焦涛凛然道。看来培养的这个人，快驾驭不住了。

傅国生眼睛好迷茫，他不自然地想起了监仓里的那个余小二，在发怒的时候把一仓人吓得噤若寒蝉，这倒很像他的风格。监仓里那一次，是他最恐惧和离死亡最近的一次，直到现在想起来仍然是心有余悸。他不确定地看了沈嘉文一眼，沈嘉文笑了笑道：“好像是你的功劳。”

“我是想让他自立门户，多开枝散叶，谁知道他把郑潮给吞了一家独大了。”傅国生哭笑不得道。对于郑潮被砍他深表遗憾，毕竟少了个能用的人，念及此处，他又小声问，“对了，郑潮可有消息？”

“没有。”焦涛摇摇头道，“我查了几个看守所、派出所，还让认识的帮过忙，根本没有进过这个人，应该不是被警察抓走了。今天莫四海问他，他说，保证我以后见不到郑潮了。”

“哦，这个死仔，不会是谋财害命，把郑潮做了吧？”傅国生心跳加速了，想想郑潮刚到手的那笔巨额运费，很有可能，余小二招兵买马肯定需要钱。

他又一次看向沈嘉文，沈嘉文抿了口香槟笑着道：“我倒觉得这是位能成大事的人，小涛你说呢？”

“就怕回头把咱们也做了。”焦涛心有余悸道。

这个似乎不是担心的事，傅国生和沈嘉文都笑了，能把货源、销路、客户联系到一起，可不是一个土鳖能完成的事。但问题是，这个土鳖，敢不敢用，能不能用，怕不怕出事是关键。

当然，现在不怕这土鳖出身有问题了，就怕人家见财起意，连货私吞了。

“货有问题吗？”傅国生出声问。

“没问题，还算老实，没动过咱们的货。”焦涛道。试了两回，信誉还算勉强。

但这试水的货量可就少多了，傅国生现在觉得自己倒是过虑了，要是这两次闯关都是自己的实在货，利润足够他数着钱笑了。就在这种摇摆不定中思忖时，不经意间，沈嘉文放下了杯子，对焦涛道了句：“下次走货你觉得谁合适？”

“我是不敢定呀，老毛这两天被缉私的盯上了，丢了几件手机，赔了好几万，他准备歇一段时间……还有渔仔，被余二打伤了。疤鼠现在是不敢明着露面，我没人可定了呀。莫四海也发愁这个事，这不今天专程来找我来了。”焦涛发愁道。这也是，那一位太能干了，显得其他人不入眼了。

沈嘉文看着傅国生，傅国生也看着她，不过两人不是含情脉脉，而是疑窦重重，似乎这个消息，对他们来说不是一个好的兆头。

“你以我的名义给他打个电话，告诉他，给他一份五十万的活儿，干不干？两天后，从港口运到株洲。”傅国生不动声色道。他看了沈嘉文一眼，两人心意相通，仍然是一个试探。

几家下家都出问题，不得不让人怀疑这是一个危险的信号。焦涛直接拿着手机拨上余小二的号码了，脸色变得笑容可掬了，口气也变得缓和了，就听他压低声音道：

“余老板啊……我焦涛，咱们见过面的，我替傅老板传个话，有份五十万的活儿，从港口送到株洲，想请你手下兄弟出马怎么样？什么？忙，忙不过来……什么，老傅的活不接？那为什么呀？还是傅老大提携你的，要不你能有今天呀……什么？老傅是贩……你不干？”

焦涛脸色怪异地拿着被人家扣了的电话，傻眼了。傅国生问时，他压得声音更低了，小声道：“表哥，他说你是贩毒的，老子不伺候。”

傅国生笑了，刚刚泛起的一点疑心，又烟消云散了。他把这句话告诉沈嘉文，这位美女也掩嘴轻笑了。

对嘛，有时候，最让人相信的，就是实话；最让人不相信的，也是实话。看来这位余二兄弟，还是那么实打实的，一点都不掺假。

三人吃着，此时好像多少有了点胃口，再一次商量走货的事时，沈嘉文开口了，她笑着评价道：“你这位兄弟看来是性急，不但急于上位，而且急于发财……不光性急，而且怕死，这样的人，问题不算大。”

“你觉得可以完全相信？”傅国生道。其实他心里已经没有什么怀疑了。

“相信不相信都可以用，他现在声势大，目标大，这本身就是个很好的机会。”沈嘉文笑着道，似乎已经有所决定。但这个决定却让傅国生觉得不妥了，小声道：“这个咱们再商量商量，好歹我和他有过点交情。”

“是吗？不觉得傅哥你什么时候开始和男人有过感情了？”沈嘉文笑着说道。

这句话酸酸的，傅国生一脸尴尬，焦涛暗笑着沈嘉文在暗指男友寻花问柳的事。而沈嘉文偏偏不像小女子那么幽怨，仅是一句点醒而已。

难道，傅老大还有点惧内？！

此时此刻，万顷镇，新华电子厂，一帮子人也吃上了。

似乎是有什么高兴的事情了，把刚入伙不久的鼠标哥兴奋得举杯邀约，和大瞥、化肥、粉仔碰着杯，喝得兴起，鼠标嚷着兄弟敬酒。于是，曾经在警校宿舍广为传诵的兄弟歌成功地嫁接到这里。

就听大瞥破锣嗓子唱着："兄弟啊，我们兄弟，最亲的就是你。"

唱罢指着化肥，化肥一杯下肚，摇着浑身肥肉唱着："兄弟哪，我的兄弟，最爱的就是你。"

手指点点，定格在鼠标身上，定谁谁就得喝，否则不是兄弟。鼠标一饮而尽，拍着桌子，打着节奏吼着："兄弟啊，我的兄弟，吃喝嫖赌，带头的就是你。"

敬向余罪，余罪兴之所至，哈哈大笑着，与众人干杯，一饮而尽。

火拼了郑潮，在大家看来日子确实好过了不少，最起码不用冒着被缉私队扣车扣人的风险了，只需要在指定路口打打掩护就成，那辆改装车屡次闯关，已经成为行中的传奇了，跟上这样的老大还有什么说的，大碗喝酒，大把分钱，没说的。

吃完饭，余罪可不像前老大管得那么严，房间里有了电视，就有了娱乐项目。鼠标可是赌性难改，叫着刚发钱的几位玩两把，那几位死活不愿意，都逃也似的回房间了。鼠标回头时，余罪看着他笑道："你第一天来就把他们洗干净了，谁还敢跟你玩。"

"好歹也是道上的兄弟嘛，这么小气，一点都不豪爽。"鼠标咧嘴道。余罪叫着厂里帮忙的工人来收拾碗筷，一把揽起鼠标，大声嚷着谁也别出厂门，自己却拉着鼠标，饭后溜达去了。

这就是当老大和当马仔的区别。出了厂门，鼠标有心事一般，拽着余罪，亮亮自己怀里老厚的一摞钱，问道："余儿，这钱得上交吗？"

那是走私成功从货主手里收回的运费，余罪看这家伙的财迷样子，乐了，小声道："估计得交，没有和缉私上通气，咱们能这么顺利？"

“那我得想办法先花点，这么多钱，全交了有点可惜。可这鬼地方，没地方花呀。”鼠标四处看看。这个镇说小不小，可说大也不大，主要的消费一个是饭店，早吃得满嘴流油了；另一个就是小歌厅、洗头房，那种消费却是不敢干，监视点还在，报回去可就惨了。

“走，带你开开荤去，想不想？”余罪察觉到了鼠标的心思，小声说道。

“监视点还在，看着呢，你敢？”鼠标不相信地反问着。

“这你就不懂了，为了完成上级交给的任务，不管献身、失身，都应该义无反顾。”余罪严肃道。

“哎哟，余儿你的思想境界咋已经这么高了？我太同意了，走啊。”鼠标等不及了，拽着余罪。

这俩哥们儿步行进了镇里，找了家叫“忘不了”的小歌城，进门的长椅上坐了一堆花枝招展的妞儿，看得憋了好久的鼠标哥直流口水，要不是余罪脑后给了一巴掌，他早扑上去了。

两张钱塞给了妈妈桑，妈妈桑把两人直带进二层拐角一个阴暗的房间，这个走私泛滥的地方，有时候提供秘密地点也是一种来钱门路，而且这里应该就是。进门后妈妈桑知趣地退走了，当看到站起来的人是许平秋时，鼠标刚刚上头的欲望全被吓跑了。许平秋一指窗户，鼠标赶紧躲帘子后望风去了。

“来，这是今天所有的情况汇总，我总觉得这些人身上哪儿还有遗漏的地方，你看看。”许平秋道，将随身的小笔记本递给余罪。

这些天一直这样交流，实在是情非得已。鼠标老觉得在这种下三滥地方这么严肃，显得很可笑，不过那两人偏偏一点也不可笑。余罪坐在沙发上，出神地看着，就是几个靠得很近的嫌疑人的活动轨迹，莫四海对他防着一手，在情理之中；焦涛吧，除了第一手接触后，全是电话联系。至于傅国生、沈嘉文，仍无法接触到那个层面。

他翻看着莫四海和焦涛，焦涛和傅国生、沈嘉文，两拨人都是在饭桌上会面，可这很简单的场景，实在看不出什么异样来。每每看到这些人，还是有一种狐疑的感觉，说不清，道不明。

“他们贩运频率应该很高，这种低毒高效、价格实惠的麻醉品市场需求量很大，从上一次走货到现在，已经是第十一天了，我想是不是他们该动手了，或者，他们还有其他渠道？”许平秋问。

“有，肯定有，他们不会把鸡蛋放进同一个篮子里。”余罪道，“今天焦涛打电话了，以老傅的名义让我帮他走一趟货，运费五十万，从港口到株洲。”

许平秋倒吸凉气，一下子狂喜了，不过他马上又省得了，脱口而出道：“圈套？！”

“肯定是圈套，如果是老傅走货，绝对不会和老傅自己扯上关系。”余罪笑道，“我直接回绝。”

“做得对。”许平秋道。两个人像认识多年的老友一般，现在反倒很有默契了。

许平秋也不再追问渠道，还是心揪走货的事，问着他们是不是还在试探，是不是公安和缉私对这个新团伙的保护有点过了。余罪笑了，直说哪家都有保护伞，无所谓，越不知道来头，对于小走私户显得越神秘，反正没人敢惹。

“那依你看，让他们完全放松戒备，还需要多长时间？”许平秋起身要结束这个短暂会面时，又将话题引回了原处。余罪摇摇头道：“永远不会完全放松戒备，这一行，除了利益，谁也不会完全相信谁。”

“呵呵，那倒是，不过他们总会权衡一下信任度和能力吧？”许平秋道，审视着余罪，不得不承认这小子走黑道很有天赋，这才几天工夫，那种草莽气质已经尽显无疑了，言谈举止，显得有股势压观者的大气。比如此时，他笑了，笑里都有点慑人的味道，只听余罪缓缓道：“这个不用担心，肯定会用我，但用什么方式就说不准了……传说这些人之所以能平安这么多年，是因为他们每次的走货手法都不一样，有时候甚至连送货的都不知道，我现在很好奇，在我的印象中，傅国生好像没有这么深的心机。”

“那你觉得还有人在操纵着贩运？”许平秋问。

“说不清，只能等了。”余罪道，踌躇间电话来了，他一看号码，向许平秋亮了亮道，“看，生意来了，还是有警察当保护伞好混，我把价格提高了三成，生意还是不断。”

说罢无伤大雅的笑话，余罪接住电话了。

没意外的又是焦涛跳出来了，很意外的是焦涛拐弯抹角，要给余罪介绍一位货主，这里面可能藏着的猫腻让余罪和许平秋相视一笑，都知道这场警匪勾结的戏，终于唱到压轴的部分了。

出头椽烂

急促的电话铃声响起时，余罪迷糊着眼摸着床头柜上的手机，糊里糊涂看着电话号码就一下子惊醒了，是监视点的紧急通信号码。他拿着电话一骨碌爬起来，说了声“喂”，听了一句话，赤着脚就往外跑。

坏事了，有人要来砸场，最先发现的是监视点，余罪奔到楼道时，已经远远地看到了驶来的车辆。他情急之下，扯着嗓子大吼着：“起床，操家伙！起床！”

昨晚喝了不少，这干人渣素质实在离警校生差太远，要在警校的话，一嗓子吼能起来一群。情急之下，余罪急着找盆接冷水，踹开隔壁门，“哗”地一泼，化肥、大臀、粉仔，还有抱着被子的鼠标，一骨碌全起来了。余罪紧张道：“快……快……有人打上门来了！”

啊？这一句话奏效，几人慌乱地穿着衣服，粉仔腿快，套着裤子就往楼下跑，奔着去叫帮忙的工人，余罪回屋已经收拾利索了，操了一根臂粗的钢管，奔出来站在楼道叫着人布防，可防无可防，只能关紧大门。鼠标提好裤子，把一沓钱往胸前兜里一揣，奔出来时，吓得一个趔趄，差点栽倒。

只见得路外开进来两辆大斗车，斗车上坐满了人，前后有跟着骑摩托车的，车上的人，个个扛着棍棒钢管，乍一数，足有百十来人了，而自己这边除了他和余罪，剩下的就是郑潮原来的部下了，不过十一二人，那哥几个明显被场面吓住了，关大门的手都哆嗦。

越来越近，车声、摩托声、嚷骂声，还有挥着棍棒农械的叫喊着，嗡嗡地向新华电子厂这边涌来。这边一旦有生意争执都是靠这种械斗解决，把人打跑，把场子车子砸完，生意就易手了。而且这一次声势相当大，对于这个外来户屡屡抢走生意，积怨终于井喷出来了。

已经能看清缓缓而来的队伍了，鼠标吓坏了，拽着余罪问着："余儿，咋办咋办？好日子才过了几天，咋成这样了？"

"我怎么知道怎么办？"余罪不耐烦道。

"要不报警？"鼠标慌乱道。

"你就是警察，报什么警。"余罪怵然道，"再说，这地方，警察他妈的说了根本不算。"

"那怎么办？总不能哥还没转正就跟你光荣了吧？早知道我还不如窝在家里啃方便面呢。"鼠标欲哭无泪了。余罪怕这家伙太掉链子，使劲把他按住，咚咚咚捶了几拳。低头时，却发现下面那一干人渣兄弟都眼巴巴地看着他，虽然握着家伙，可那手，实在抖得厉害。

没办法，械斗打的就是人多，咱现在实在势单力薄呀。

救援肯定不会来，就算来也不管用，监视点一共才两人。孙羿虽然调来了，可仅限于出货飙车才出现，和二队的几位同事秘密驻在寓港市里，远水解不了近渴。余罪情急之下，又奔回屋子，出来时手里拿了好厚的一沓钱，全是走私收的运费。鼠标欲哭无泪道："没用，人家不要钱，要命了！"

"再说丧气话我他妈先把你做了啊！"余罪恶狠狠道，踹了鼠标两脚，对着下面的兄弟喊着，"家伙都扔了！不许抵抗，人冲进来你们就投降。"

啊？下面的人愣了，怎么老大和咱们想的一样呢，好歹化肥还有点义气，嚷着道："余哥，跟他们拼了。"

“拼个毛啊，就你那一身肉能挨几棍？”余罪吼着，人已经奔下来了，指挥着众人弃械。此时对方人已经冲到门口，还有人在嚷着里面的人滚出来。余罪来不及考虑了，掂掂手里的钱，“唰”一声把一摞钱扔过墙外。他凑着门缝看看，在里头大声吼着：“捡钱喽！”

这句管用，敲门的往头顶看，一下子扔了手里的家伙。骂人的不骂了，高举着手跳起来抓飘扬的纸币，带头的在车上敲着前盖嚷着，但已经控制不住散乱的军心了。余罪唰唰又扔两摞，下面已经开始哄抢了。

“快走，快走……”余罪趁此间隙，把鼠标推上大臀搬来的绳梯，回头道，“你们千万别抵抗啊，跟谁也是当马仔，他们不会为难你的。”

“那你怎么办，大哥。”化肥动情地喊着，好不悲催。

“熬过今天，等着哥杀回来。”话音刚落，余罪已经爬过墙头，落荒而逃。

外面的哄抢完了，个个乐得快合不拢嘴，还有两三人在抢几张钱，你拽一个角，他撕了半张，嚷着就拳脚相向直接干上了。带头的是刚在余二手底吃过亏的裴渔，剃着阴阳头，二十多的小伙子，气得跳下车，左踹一个，右蹬一个，怒火中烧地骂道：“妈的，让你们打架来了，谁他妈让你们抢钱了。”

再凶也刹不住场面，那些镇民早没了汹汹的气势。他直接分开人群，一指大门道：“车开上来，撞！”

人群一分，那辆微卡倒着驶过来，“咚”一声，直撞上去了，厂门吱吱呀呀地，一声巨响，摔地上了。人如潮水般“哗”的一声涌进来了，然后走在前面，都张着大嘴哈哈笑着。

没遇到抵抗，里面的人清一色齐刷刷高举双臂挨墙站着，寻衅的一方操着家伙是干不下去了。带头的分开人群，站到粉仔面前，一边指挥人爬过墙去追，一边端着粉仔的下巴：“知道我是谁吗？”

“渔老大。”粉仔凛然点头道，前天余二哥刚带一拨人抢了人家的生意，这现世报来得实在太快了。

“丢你老母，本地人还他妈这么吃里爬外，揍他。”渔老大甩手一个耳光。粉仔惨了，被人按着，不知道谁的拳头谁的脚，嘭嘭叭叭往他身上招呼。化肥脸上刚显得不自然了，又被渔老大盯上了，直接两个耳光，又是一拨人按着没头没脑发泄了一番。好在没遇到抵抗，对方打得也不是很狠，但厂里的财产就遭殃了，厨房的锅灶砸了，玻璃没留下完整的，三台车据说是要赔偿渔老大的损失，直接给拖走了，捎带着把粉仔、大臀、化肥仨哥们儿也给拖上车拉走了。三个人好不后悔，早知道这样，真该跟上余哥一起跑的。

辛辛苦苦许多天，稀里哗啦一眨眼，余罪在新华的这个新秀组织，转眼间成了废墟一堆，被打的、被裴渔抓走的，看着现场，好不痛心。

奔出去的余罪和鼠标也没讨到好去，余罪现在真后悔要这么个帮手，这家伙吃得比猪多，跑得也不比猪快，后面翻过墙的叫嚣着就追上来了。眼看着越追越近，鼠标又惊又怕，关键的时候腿又抽筋跑不动了，余罪拽着他，连自己也放慢速度了。

余罪看没法子，只好故伎重施了，一摸口袋，发现自己没有钱了，看到鼠标肚子鼓了一块，他立时明白这家伙藏私了，手一伸进去，一把抓出来两摞钱。他拿着钱，左扔几张，右扔几张，边跑边扔，这可把鼠标兄弟心疼得呀，边跑边喊着：“别扔别扔啊……都是我的钱啊，好容易攒了这么多……”

心疼加心急，鼠标追着余罪，抽筋的腿倒好了，跟着余罪往前跑。两人就这么一个扔、一个不让扔，跑得飞快，扔了一路，鼠标再心疼也不敢回头了。

后面的追兵来了，看到满地钱，一下子散了，你捡这边，我捡那边，捡着捡着，分赃不均了，小后生们自己就打起来了，等渔老大带人过来，余罪早跑得没影了。

嘈杂的人群淹没了平时少有人迹的新华电子厂，直到肇事者撤离也没有见到警察的露面。不过把监视点的两位外勤吓坏了，一个劲地向家里汇报这里的情况，人乱成这样，也不知道两人跑出去了没有，直到接到电话才舒了一口气。

“旁观者清”这说得没假，镇边这一带的居民已经习惯见到几个小团伙打打砍砍的，都评价着这个新人还是太横了点，连就靠走私过活的地头蛇渔仔都惹，人家土生土长的，一个镇上光亲戚朋友能叫出几十号人来，言外之意，惹人家简直是活得不耐烦了。

事发得很快，结束得也很快，以渔哥大获全胜告终。在远处目睹全程的焦涛驾车从曾经属于郑潮的这家新华电子厂驶过的时候，只见到了坍塌的大门和一地的狼藉。胜负没有悬念，唯一意外是，在那种情况下，余小二兄弟居然跑了。

“沈姐，咱们去哪儿？”焦涛问，瞥眼看着副驾上的沈嘉文。美女似乎很好奇地看着这电子厂，闻声半晌才回过神来，随意回了句：“回滨海吧。”

难道就为了看这个场面？焦涛不解了，他知道这是沈嘉文私下的嘱咐，是她让莫四海教唆渔仔出来寻衅，可这样在他看来，有点同室操戈的意思。不过他不敢问，反倒是沈嘉文感叹着：“裴渔还是差了点，来了上百人，都是一群乌合之众。”

确实是乌合之众，否则就不会因为抢钱自乱阵脚了。焦涛看到沈嘉文脸上有点失望，更是不解，小心翼翼地问了句：“沈姐，您是看好裴渔了？”

“不，我看好这个逃走的，反应很快。”沈嘉文意外地笑了笑，给了焦涛一个意外的答案。那更不解了，驾车的焦涛奇怪地问道：“那为什么还让裴渔拔掉这棵新树。”

“本来呀，我是想让裴渔挫挫他的锐气，他折到裴渔手里，咱们卖个人情救他，他得听咱们的。”沈嘉文若有所思道，“不过裴渔这个草包连人也拦不住……这样也好，他回到解放前了，又得从头开始了，不出意外的话，他应该找四海或者国生帮忙吧？”

明白了，这是把刚露头的打回原形，让他老老实实听话，规规矩矩干活，焦涛笑了笑道：“那肯定了，他车没了，人没了，不找咱们，谁还帮他去呀。”

“那就好，回滨海等着吧，要说这个人还真是个异数，郑潮手下几个心腹居然被他收得服服帖帖。对了，让裴渔好好审审那几个，郑潮到底怎么样了，活不见人，死不见尸，什么时候想起来也是一块心病。”

沈嘉文款款说着，焦涛应和着。这辆车驶出了新华厂，在镇上未作停留，甚至连监视的也很奇怪，换车到此的两位，根本足未沾地就已经返程了……

从新华电子厂被砸开始，地处滨海市的煤炭大厦就乱了。要是普通械斗还好处理，可恰恰这个地方是个烫手的山芋，派人也不是，不派也不是，真要让警方介入，谁都担心事情败露。许平秋在屋子里等消息，把寓港市留守的队员都调出去了，以防万一自己人落在走私者手里。

可具体该怎么做，还是让他一时无法决断。

“跑出来了……监视点汇报跑出去了。”林宇婧兴奋道。比自己逃出生天还高兴，刚刚汇报去了一百多号人，吓得她出了一身汗。

“好小子，就知道他行。”许平秋乐了，说道，“马上联系，让他和接应的会合。”

林宇婧手指飞快地敲击着，向指定的手机发了一组特征码，这一组加密通讯信号无法追踪也无法窃听。半晌听到手机响声，一接听时，听到了里面气喘吁吁的声音，断断续续道：“刚跑出来……没事，我和鼠标都没事……我们现在想办法赶到寓港……是地方上的渔仔找事，渔仔叫裴渔……莫四海也是他的客户，这家伙干得他有点轻了，得他妈来回狠的，才能让他记着疼……哎呀，鼠标，你他妈快点……”

余罪呵斥着，鼠标回骂着。林宇婧尴尬地拿着手机，说了句家里人要和你谈，把手机递给许平秋。许平秋拿着话机，详细地询问了几句，果然还是以前担心的事成了事实，抢人家财路，就别怪人家断你活路，这是地下世界通行的规则。只是听到许平秋把焦涛出现在现场的情况一讲时，电话里余罪突然火冒三丈道："要是他们干的，那就是想把我捏在手里，妈的，这口气不能忍啊……我告诉你啊，许处，这种事千万别客气，道上混，你一次服软，一辈子得当软蛋！你给我人，我保证今天之内把他拍翻，这个渔仔裴渔和莫四海关系不错，身上绝对不干净，干脆趁这一回，干翻得了……"

余罪的声音很大，一旁的林宇婧能听到，一旁的杜立才也能听到。这哪像下级向上级的汇报，简直是黑社会团伙互相通话。许平秋也觉得这小子越来越没规矩了，不过他不敢打断，捂着听筒站到了窗边，不知道听到了什么，许平秋脸上阴晴不定地闪烁了良久，好一会儿才说了句让杜立才、林宇婧不敢相信的话："干吧，注意安全，家里策应你的行动。"

行动？！杜立才脑子一蒙，难道让调出来的队员跟他去打架？许平秋挂了电话，不容分说地下着命令："不要问为什么！马上知会海关缉私处，有重大走私案情向他们通报……通令三组、四组，接受新人指挥，行动不得带任何警用武器、器械，不统一着装。马上传达！"

这么严肃的胡闹，两人却也不敢抗命，转换着频道，一室技侦，开始围绕着前方转了……

第五章
正邪博弈

以乱止乱

武警干休所的大院，专案组外调人员临时的驻扎地。在接到新的命令时，二队指导员李杰群发了集合短信，不到三分钟的时间里，队员们从各楼层、偏楼赶到主楼后单幢的疗养楼集合，那里是临时的指挥部。

没有废话，交武器，换服装，连裤腰后常备的铐子也解了，两组十四人悄无声息地集合完毕，指导员说了句“稍息”，背着手就出去了，队员们个个面面相觑。

有任务了？这是第一个念头。

可偏偏把装备全交了，似乎第一个念头是错误的。

孙羿作为飙车手这一趟任务风头出尽，有位二队的同行小声问着：“孙羿，你执行的都是什么任务？是不是得我们一起出？”

“那个保密任务，不能告诉你们。”孙羿嘚瑟了，卖了个关子。这一干精壮小伙自打“5·20”行动失利，搁这地方憋好多天了，要出任务偏偏又把装备全卸了，此时人心惶惶，不知道究竟出了什么事情。

答案立见分晓，不一会儿快步进门的指导又喊了句“立正”，霎时间两排警员站得笔直，都看到了指导员身后头发零乱、一裤脚泥的严德标，像被人揍了一顿一样，惹得认识他的不少人都偷笑了。另一位大家不认识，是位脸色严肃，不过相貌却很普通的人。孙羿却是惊讶，不知道发生了什么，余罪和鼠标成这德性回来，就像逃难的民工。

“现在发布专案组的临时决定，你们将由这位同志指挥。我强调一句，任务高度保密，谁也不能泄露半个字，而且行动中要隐藏自己的真正身份……2号同志，来。”指导员邀上余罪。孙羿眼瞪得老大，一千个一万个不相信，怎么也想不通好歹是二队指导员，咋就对余罪这贱人这么客气，就像对上级的样子。

这十四名久经历练的刑警、特警出身的爷们儿可把余罪看得眼热不已了，但见哪个拉出来，都是一个能打四五个的主。有这等悍兵，什么匪徒在他们眼里都成渣了。

他一捋袖子，惯常的口吻出来了：“兄弟们，今天有人砸了老子的场子……”

下面哄笑一声，余罪一吸凉气，发现自己的角色定位错误了，他笑了笑道：“对不起，说惯了，改不了口……大家分成两组，我来总指挥……鼠标，副总指挥；孙子，你跟我。详细任务路上安排你们。”

一干队员又愣了下，鼠标火大了，推了余罪一把道：“我叫严德标，谁再叫鼠标跟谁急啊……孙羿是孙羿同志，不是孙子，谁家能有这么大孙子？”

孙羿面红耳赤地，听得急火，张口就骂着：“去你妈的，说谁呢？”

下面早已笑得东倒西歪了，指导员哭笑不得，拍手示意着安静，还是他帮忙分列了两组，这两组队员也是又好奇又好笑地跟着余罪和严德标上路了。

上车后副总指挥严德标牛了，里头有二队几个平时老摸他脑袋逗他的队员，这回标哥可全还回去了。只见鼠标摸摸他们脑袋训着：“……看什么看？你们也有今天啊？刚进队，就是你老捏我腮帮子是不是？还有你，就练个格斗吧，天天欺负老子打不过你……”

鼠标训得那干老刑警倒也不恼，就是笑得厉害，有人提醒鼠标道：“严副指挥，什么任务，别耽误了任务啊，咱们私仇随后解决成不？”

“噢对，现在布置任务——很简单，一会儿车将开到新垦到万顷一带的镇级公路上，哥指哪辆车，你们就把那辆车拦下来，把货抢了，人也给老子揍一顿……基本就是这个任务。”鼠标道。

这可把一干刑警听郁闷了，还以为鼠标又是满嘴跑火车，老队员赵昂川慎重起见，步话里呼叫总指挥确认这个任务，可不料总指挥不耐烦回了一句：“听鼠标的……不对，副总指挥的。”

这下没异议了，车驶到两镇相接的镇级公路用时一小时零二十分钟。鼠标比对着车号，一指驶来的一辆货厢，这毫无标识的大闷罐车当路一别，把对方的货厢逼停。此时副总指挥牛了，跳下车，带着一帮穿着五颜六色服装的队员奔上去，从车里揪出来人，逼着问道：“你们老板是谁？”

对方不说，噼里啪啦就是一顿胖揍。

司机赶紧说：“我大哥是渔仔！”完了，又是一顿胖揍。鼠标哥边打边嚷着：“打的就是你们，敢砸我们的场子？”标哥一想自己私攒的钱全喂狗了，那揍得自然更凶了几分。

那些刑警虽然也是此中好手，可不至于平白无故乱打人，何况车主一瞧就是个老实巴交的生意人，有人甚至看不过眼，拦着鼠标。鼠标可比别人见得多，到了车后一拉车厢，成件成件的货，掀开了个瓦楞板包装箱，赫然是成件的手机，拿出一个道：“看，港版的手机，这一车几百台，值多少钱？”

“哇，看不出来呀，走私的。”

“你们以为呢？”

“货没收，让你们老大来要。”

“还不走，再不走揍你个狗日的。”

那干刑警小声一商量，对违法犯罪的嫌疑人倒不用客气了，于是扣了车，拔了钥匙，赶着车主，不走，追着打着，吓得货主落荒而逃。可这地方前不着村后不挨店，跑也得十公里啊！

天杀的，连身上的零钱和手机都被没收了，货主欲哭无泪，跑着回去报信了。

第二辆，狠揍……

第三辆，痛扁……

第四辆，哎呀，鼠标哥手打疼了，不揍了，直接拽了货主的裤腰带，看着人家提着裤子跑在后面哈哈大笑。男人都爱这等恶作剧，都受了鼠标的感染，一群人越演越像，活脱脱的走私同行报复性扣车。

一个小时后，还在家里审讯着化肥、大臀几人的裴渔听到手下司机的哭诉，气得暴跳如雷，还以为打跑了，谁想到那烂人居然到路上拦他的货车去了，那要让他拦上几车，损失可就大了。他叫嚣着收罗了二三十人，乘了一辆大货，带了十几辆摩托车，风驰电掣奔援来了。

同时间，接到监视点讯息的鼠标喊着收队，一共拦了六辆车，在副总指挥的英明领导下，每个车扒了一个轮子，就那么斜垮垮歪着，货被扔得乱七八糟，然后同样呼啸一声，从港口方向绕着回家了。

车上副总指挥拿着一沓钱在讲话："兄弟们，任务完成得相当不错……我代表总指挥给你发奖金啊，每人一条烟，自个买去。"

就剩这么点了，听余罪说反正要上交，还不如送个人情呢。鼠标副指挥今天所有的讲话，还就这句中听，一群队员纷纷鼓掌。把头回当领导的标哥吹鼓得那叫一个有成就感。

"妈的，余二……我要砍死你！"

渔仔发飙了，甩着只剩一半的阴阳头，大片刀砍在路边的栏杆上，只见缺了一个轮的货厢上，尽是一片狼藉的货物。欲哭无泪的渔仔知道运货的资本也就是辆破车和一点信誉，损了那些老板的货，以后甭指望还挣这钱。他刚要指挥手下把货收拢起来，可不料这时候却听到了最让他心惊肉跳的声音——缉私车的警报声响了。

远远地，几辆缉私车首尾相接着从港口方向奔驰而来，不用说，肯定被人捅了一黑枪，缉私绝不会让你明目张胆这么干，可偏偏分散的车辆在这里被人截着全部挑出馅儿来了。

“渔哥，还收不收。”

“来不及了。”

“要不，给高队长打个电话。”

手下建议着，大家都脸色凛然地停手了，正是因为和缉私队的有来往，他们更清楚，这些货要落在他们手里，能留个三两成就不错了。

“走。”渔仔关键时候壮士断腕了，一挥手，上车先走了。摩托车追着大车，给缉私队留了一屁股黑烟。那缉私人员可不管他们是谁，看着满地的手机、电脑，把出勤的小队长乐坏了，对着电话汇报着：

“报告李副局长，查获六辆嫌疑走私车辆，主要货物是手机、平板电脑，噢，还有一车奶粉……货主弃车逃跑……是！全部予以查扣处理。”

清点，拖车，等待这些昂贵货物的只有一个结果：罚没！

余罪鬼头鬼脑站在人梯上，看到了裴渔家的小院，院子不大，可楼足足修了六层，后面才是大院子，是他的厂房，也是个电子厂，专门供走私中转的。

余罪这是个调虎离山之计，路上出事让裴渔奔援，自己带另一组伙计抄他老窝来了。

冷不丁汪汪一吼，余罪吓得一缩脖子，差点栽下来，紧张地指着里面道：“有狗。”

露馅了，干脆一不做二不休，对付流氓得用流氓办法。余罪上前咚咚咚一阵踢门，捡了块石头往家里一扔，操着土话骂着：“渔仔，操你全家……给老子滚出来！”

院子里“哗”的一声玻璃破了，还真有俩留守的冲出来，不过正中下怀，被左右伺候地按住拖进了院子，一顿拳脚，问出了化肥、大臂就关在家里。这倒好，哗啦啦冲进一堆人，把看守地下室小黑屋的两人揍了一顿反锁进去，那哥仨蒙头蒙脑出来，还不知道是哪路英雄扶危助困，就差纳头便拜了。刑警队员们看几个人被揍得灰头土脸，扮着脸色一指嚣张的余罪道："那是我大哥。"

"大哥……"化肥深情一呼。

"大哥……"大臀张臂扑上来了。

就连不易动情的粉仔也感动得无以复加，奔上来围着余罪，劫后余生，那叫一个感慨万千。大臀愕然地看着余罪周遭围着的一干凶悍男子，出声问道："大哥，这些兄弟是谁呀？"

"花钱雇的打砸抢的。"余罪指着一干刑警道，现在摆谱了，"你们都出去吧。"

刑警压抑着笑意退出了院子。化肥恶狠狠道："大哥，渔仔存的好货不少，都在后面仓库里，给他抢了。"

粉仔极力赞同，谁让人家挨了好几顿拳脚呢。大臀更狠，摸着脑袋上被打的几处肿包道："二哥，渔仔相好就在楼上，妈的，兄弟几个把她睡了，二哥你先上。"

余罪听得直肚疼，门口的刑警们则哭笑不得，到现在为止，都搞不清自己究竟干的是什么任务，冷不丁听到了轰隆隆的声音。大臀听得声音熟悉，侧头看时，余罪已经收拢众人，直说道："兄弟们，你们说的都不够狠，知道玩成什么样最狠吗？"

"什么样？"那兄弟仨看着余罪，崇拜地道。

"把他玩死，以后咱们说了算。"余罪话锋一转，淡淡道。

那哥仨更崇拜了，瞧这举重若轻的姿势，可比郑潮像大哥多了。

院子里这帮溜了，听着打架早把邻里吓得紧闭院门了。余罪的车拐了个弯，在电子厂门口又接上了孙羿等几个人，一溜烟往镇外开去。

此时，监视点的观察哨，刚刚看到去而复返的裴渔，正带着人手赶回来。两头失火，他已经疲于奔命。

也在此时，驻扎在镇外六公里处的一个缉私大队，随着信号一发，鸣着警报，冲到镇上，这次是协同地方公安共同办案，据说是一桩恶性的走私闯关案，有人举报，幕后人的名字是：裴渔！

“呜呜，渔哥……”躲在家里的妹子奔出来了，哭诉着差点遭了凌辱。

关在地下室的看门兄弟被放出来了，张口就说：“渔哥，那小子有硬手，我们打不过。”

“操家伙……把厂里的东西都拿出来。”裴渔怒发冲冠了，扔了片刀，领着一干长毛秃顶的歪瓜裂枣，直奔咫尺相隔的厂区。一到厂区傻眼了，看场兄弟俩被打昏了，有人奔上去扶，赶紧地招呼人手，打开了存货的仓库。渔哥一看老本还在，这下放心了，可就在这时候，他听到了隐约的警报声。

渔哥心里一阵不安，吼了句：“谁报的警？”

“我报的。”相好妹子哭哭啼啼道。

“真你他妈是个傻逼，老子干什么的你不知道，报警？”裴渔吼着，一耳光扇了上去，小妹嘤咛一声，号啕大哭起来。

迟疑间，最先的一辆警车已经冲到了门口。全副武装的警察伏在车门后，接着几辆警车包围着厂院，有喇叭在大喊着：“里面的人听着，你们已经被包围了，马上举手出来，接受检查……”

裴渔心冷到了冰点，这一仓库，恐怕全部要喂狗了。他刚踌躇是不是举手投降时，猛地看到院子角落边上，不知道什么时候停了一辆改装车，那辆传说中闯关过N次的幽灵车。他一下子明白了，什么东西都没丢，可多了一样要命的改装车，这口黑锅得扣死他了。

第三声喊话结束时，里面的人出来了。不过两人没举手，却抬着一个人，据说这位是叱咤一方的走私大哥，叫裴渔，刚才气得吐了口血，昏厥了。

路上的运输车被打得七零八落，缉私和公安又迅雷不及掩耳地查封了裴渔的仓库，拉走的疑似走私货物整整三大卡车，居然在仓库的地下室还私藏有数支霰弹枪。

这个消息在业界人士中已经传开了。事闹这么大，按地下世界的规则可以作出简单判断：渔仔完了。

当夜，寓港地方台播出了一则新闻。

我市警方与海关缉私部门联合出击，查封了盘踞万顷镇多年的一个走私窝点，查获包括手机、家电、汽车配件、奶粉在内的走私商品案值近三百万元，以嫌疑人裴渔为首的走私团伙业已全部落网。此案是今年以来我市查获的单桩最大走私案例，目前，相关部门正在对该团伙的犯罪事实进一步查实……

余罪正在寓港的一家饭店吆五喝六，请落难的兄弟们喝酒，闻讯而来的原班人马都说从明儿起，在万顷可以横着走了。这一次逆袭的效果相当明显，万顷尚有几名走私小鳄，当天就派人联系余二了。

许平秋看着新闻，已经习惯任何事都有幕后的暗箱操纵。不过对于这次操纵他很满意，歧路总归回到了正途上，好歹没违背他的做人原则。看到裴渔被警方带走，他在思考着，这一次底层的争端，对上层的决策会有什么样的影响，他期待的目标，会不会再一次出现？

在新闻播出的时候，傅国生、沈嘉文、焦涛同样正在一家餐厅吃晚饭。这则新闻让三人目瞪口呆，没有了任何胃口，面面相觑着，看来是实在不相信咸鱼这么快翻了身，他们还等着落难的余小二上门求援呢。

事情变得微妙，又让他们嗅到了危险的味道，几个人动用下面的、上面的关系，四处打探。焦涛打探到了余二的手下带人截了渔仔的货，然后被缉私的查扣了，这种窝里斗的事常见，不稀罕。傅国生打探到这次纯粹是因为数次暴力闯关激怒了海关缉私，这才引得缉私和公关严厉打击，最后裴渔遭了殃，这消息听得傅国生老大不解了，问焦涛道："暴力闯关的，不是余二吗？怎么成裴渔了？"

"这个我刚打听到，"沈嘉文缓缓放下了手机，哭笑不得道，"在裴渔厂院里发现了那辆数次闯关的改装车，又有大宗库存商品，所以就逮了个正着……这口黑锅扣得好啊，渔仔算是跳进珠江也洗不清了。”

傅国生听愣了，三个人面面相觑，半晌傅国生怪异地笑了起来，连他也不知道为什么在这个最不该笑的时候，自己却笑出声来了。

峥嵘再显

你发达了，别人羡慕嫉妒；你倒霉了，别人鄙视耻笑。裴渔被捕后，一夜之间手下的马仔四零五散，不知去向，损失的货主怨声载道，欠钱的债主欲哭无泪，万顷一带的整个地下行业也严重受损，开始重新洗牌。

地下地上，此消彼长，杜立才在煤炭大厦正眉飞色舞介绍着“包袱”逐渐摸清的走私组织脉络。在他看来，离那个目标已经越来越近了，就听他介绍着：“据我们的外线侦查，万顷、新垦一带，以走私为生的团伙成规模的大致有四个：一是毛艺龙，在新垦镇，诨号老毛，他是行业的前辈，有过数次走私普通货物的前科；二是姜海，诨号岔嘴，后起之秀，也是电子垃圾主要进口商；三是韩富虎，此人很低调，前方没有打探到他的更多消息，怀疑此人走的是上层路线，正常通关；最后这一位，大家认识了，裴渔，刚刚被海关缉私和地方公安联合抓捕的……裴渔倒台，以目前掌握的证据，走私普通货物和非法经营是坐实了，但对这个地下行业究竟有什么影响，我们暂时还不清楚。今天主要的议题是据我们前方消息，莫四海和这些团伙都有过联系，那么问题就出来了，难道是这几个团伙都参与了麻醉品贩运？是有意还是无意？如果参与，对于这些人如何防控？机会对我们来说不多了，我相信，对方也应该感觉到威胁了……有可能对我们外线造成的影响要未雨绸缪，多做几个预案，新华电子厂发生的事就很突然，以后要杜绝类似情况的出现……”

许平秋在办公室，把地下走私领域的几个人物排了出来，和杜立才、林宇婧以及禁毒局技侦的带头人商讨着对策。

行业重新洗牌，对于隐藏很深的麻醉品贩运会造成什么影响？他们会作哪一种选择？是自运，还是重新选择合伙人，如何选？会选哪一位？分别要针对不同的人作不同的计划，而且要细到每一个步骤，严格地讲，机会确实不多了，被刻意扶植起来的涉黑分子“余小二”团伙，许平秋都怀疑他们在那个规则完全不同的世界还能伪装多久。

——肯定久不了，对手对他的疑虑要无限放大。可这枚棋子现在已经动不得了，他成了走私路线上的前哨，发挥的作用已经越来越大，最起码提供给海关的走私名单就足够分量了。

又一次讨论，商量依然无果，这里是不是麻醉品走私渠道？谁是真正的幕后？下一次走货将要启用谁？一连串的问题，尚无正解。不过还多了一个问题，是走私犯“余小二”的问题，家里讨论这家伙都快失控了，已经和万顷一带的走私大小鳄分庭抗礼了，再发展下去，恐怕只黑不白。

后方在忙，前方也在忙。这一日午后，鼠标哥从车上跳下来，系了系裤带，看着怀里几摞成扎的人民币，乐得合不拢嘴了。缉私的忙着查裴渔，其他走私户只好收敛形迹生怕被端，可不就剩下新华厂这一伙人的生意蒸蒸日上了。

“哎呀，他妈的，道上还是比社会上好混，不紧不慢，一天几万……大臀，给二哥交了。”鼠标拿着钱，递给了大臀。大臀瞅见他抽了几张，翻白眼了，标哥人倒不错，就是手脚不干净。鼠标嬉笑着又给大臀兜里塞了两张小声道：“别吭声啊，据我观察，二哥拿钱从来不数。”

“哎。”大臀道，不过补充上了一句，“要是发现了，我就说你拿了啊。”

“靠，是不是兄弟？这点小事都得我担着。”鼠标呵斥着，大臀一扭一扭跑了。

恢复建厂一周了，一切又蒸蒸日上欣欣向荣了。鼠标除了跟车外无所事事，嚷着厂里的大师傅，问着晚上吃什么，标哥嘴馋，吃不太惯海鲜，大师傅讨好似的说着要做拉面，听得鼠标连连叫好，又专门叮嘱着，想办法整两瓶好醋来。

出事第二天，新垦镇的老毛就上门拜访了，鼠标也没想到，对方居然是个五六十岁的糟老头子，这人居然是传说中的走私之王，沿海走私货的、蛇头有不少是他的朋友。他和余罪相谈甚欢，等送出来时就以大叔相称了。

隔了一天岔嘴来了，是个兔唇，搬了一箱礼物。这次座谈是鼠标作陪的，主要谈的是局势问题，搞成这样打打杀杀的，断了谁的财路也不好。余罪装模作样谈了一番，双方口头达成了互不侵犯、互相帮助、互通有无的约定，这个其实等于变相地承认余罪的地位了。没办法，和谐稳定大局中，谁也怕出来搅屎棍，而余罪在万顷搅的这一下子，裴渔惨了倒罢，主要是大家都怕了，真是轮到自己头上，那可是倾家荡产啊！

送走了人回来看礼物，哟，尽是名贵的手表，把鼠标这土鳖乐得，一个胳膊上套了好几只。

这他妈叫什么？这就叫声名鹊起、四方来贺啊！

鼠标想想这些日子都觉得志得意满，不白活这一回。上楼时碰到了下来的大臀，问着余二哥在哪儿，大臀一指道："午休呢，我把钱给他了。"

"靠，还真把自己当大哥了。"鼠标想想，有几分不忿之意，踌躇着是上去找余罪，还是就在下面跟工人扯一会儿，想了想还是不敢打扰余罪。余罪脾气越来越大，特别是瞅他不顺眼，他可不敢触那霉头去。

鼠标被派来的任务很简单，就是一个帮衬，万一主角抽不开身，他得负责两头的应急联络，可从派来就没发挥过作用，倒是拖了几次后腿。余罪每次威胁都是要把他赶回去吃盒饭啃方便面，每逢这个威胁，鼠标只能忍气吞声，为了这里的大鱼大肉，自己甘当小弟了。

没敢上去打扰大哥，他找了个凉快的地方，拉着椅子躺下，刚翻开手机玩了两把游戏，就听到了门口有车声。一骨碌起来，伸出脑袋时，恰恰视线看到了一条修长、圆滑的美腿从车门后伸出来。

“哇！”鼠标惊得一骨碌爬起，差点滚地下。

接着一双美腿俏立到车边，像修裁到极致的艺术品，能让任何看过一眼的人产生一种犯罪感。

美啊，美得鼠标哥舔着下嘴唇，落了滴口水。对面扑哧一笑，他惊讶地抬头，又像被电击一般，来了个夸张的后仰动作，惊呼着：“哇，靓女哦……”

“余二在不在？”司机焦涛出声问了，以为鼠标是看门的。不过就这么个歪瓜裂枣，最多也就看门的材料。鼠标点点头：“在。”

“麻烦通知一声，我是他朋友。”焦涛道。

“那这位是？”鼠标手一指美女，觍着脸问。

“这位和后面的都是。”焦涛笑道。车后座又下来一位老帅哥，四十左右的年纪，悬胆鼻，阔海嘴，国字脸，鼠标心里马上给这人一个“相貌堂堂”的评语。

“你们来这儿干什么？”鼠标郁闷道。

“我们不能来吗？”那美女奇怪地问道。

“可不，女的这么靓，男的这么帅，简直不给兄弟活路嘛。”鼠标牢骚一句，惹得那三位不禁莞尔。焦涛笑着接道：“给你们找财路来了。”闻听此言，鼠标知道是运输户，屁颠屁颠奔上去敲着余罪的门。

余罪出来就不像话了，横披着衣服，穿着大裤衩，套着人字拖，懒懒散散地下楼来了。鼠标在背后看着直笑，和别人比差了点，和余罪比，他自觉还是蛮帅的。

不过下一刻，他的眼睛直了，那焦涛，居然给了他一个拥抱，那美女，好像很倾慕似的握着余罪的手，好半天舍不得放，就连后面那位相貌堂堂的老帅哥，看样子对余罪也是分外客气。

“鼠标，看好家，我请客人到茶楼坐坐……大臀，系好裤子，看你什么样，也不怕客人笑话。”

余罪嚷着，鼠标笑着，大臀赶紧提着裤子跑了，那几位客人却也不在意，说笑着把余罪请上车了。

这个时候，标哥的任务就开始了，他拿着手机，把拍下的人和车号图片发了回去，详细地描述着来人的身高、体重、口音等特征。这方面标哥是长项，以他那双贼眼，你问他胸围他都能毫无误差地讲出来。

这个人很快被煤炭大厦的技侦确认了：女的是沈嘉文，男的是韩富虎，这位数年杳无音信的走私大鳄居然出现在小小的万顷，一下子让专案组的兴趣大增了。

“请。”

沈嘉文做个礼貌手势，她的面前摆着两个玲珑剔透的杯子，淡淡的水汽带着微微的茶香，就连没什么品位的余罪也觉得这感觉很好。

他端着小茶碗，轻啜着茶水，尔后一饮而尽。这是地方流行的功夫茶，前味有点苦，不过后味回甘的时候很香，本来这种感觉很想叼支烟的，可环境太雅致了，余罪反而不好意思了。

“这地方的景色不错啊，我很多年前来过，那时候这儿还是个小渔村。”韩富虎笑着道，语气和善，说话的时候都瞥着余罪，似乎很在乎他的感受。

不过他多虑了，余二哥眼里根本没有景色，倒是有美色。韩富虎发觉余罪没有回音，只见对方的眼睛在斜瞟着沈嘉文，那视线究竟在白腻如脂的脸蛋上，还是在胜人一筹的胸部上，还真不好判断。韩富虎咳嗽了声，余罪才反应过来，慌乱地端着茶水，想起来了：“韩老板，您刚才说什么？办什么事吭声就行，别的我也不会干……反正价钱好商量，涛哥的朋友就是我朋友，我出狱落难都是涛哥给我找的落脚地。”

闻得此言，韩富虎笑了，这倒不用拐弯抹角了，倒也是，找这号人，干什么事不明摆着的吗？

他眼睛动动，沈嘉文像是窥到一般，不无恭维地温文软语道：“余老板现在的声名很大啊，韩老板是慕名而来，既然找你，肯定有点生意要谈了，还望余老板看在老傅面子上，多帮帮韩老板。”

言辞极恳切，余罪把视线移到她这边时，冷不丁被电了一下。那恰如一泓秋水的双眸，脉脉含情地看着自己，像企求，像渴望……哎哟喂，余罪只觉得面对这样一双眼睛，什么要求自己都不会拒绝。

“没问题，嫂子发话，我没说的。”余罪豪爽道。他色眯眯地盯着沈嘉文看，冷不丁又听到韩富虎咳嗽了一声，对方似乎不喜欢他盯着沈嘉文看的样子。余罪贱贱一笑，也不觉得不好意思。

“那我先谢谢了。”韩富虎抱拳言谢，江湖味道十足。余罪似乎猛地反应过来了，叫了句“等等”，两人异样时，他像丑话往前头说似的道：“那韩老板，有些话得说清楚，找我顶多就是送送货……不过，那个，那个……太违法的，我是不是就……给你找其他人干。”

沈嘉文扑哧笑了，韩富虎却是没当回事，笑着道：“余兄弟，据我所知，从你到万顷镇，好像就没有干过什么合法的事，不是吗？”

嗯？！余罪被噎了下，这倒是，黑社会角色太入戏了，有时候他都觉得这就是他的本色。他笑了笑，直言道：“您说的也对，不过有些事太出格了，那个……反正太出格了，总是不好，其实就正常帮人走走货，也能挣个万儿八千的，没必要搞那些太玄的事……”

故意说得很难为，就像一个小奸不断、大错不敢的小贼。韩富虎笑了，他摆摆手，沈嘉文也起身轻声告辞，是要给两人留下谈生意的私密空间。掩上门时，韩富虎接起了紫砂壶，给余罪倾着茶水，等放下壶身时，手轻轻地从口袋里掏出来了一样东西，像感冒胶囊。他就在余罪的眼前，变戏法似的拆开胶囊，把里面的结晶体往茶杯里一倒，那晶莹剔透的、不可名状的东西，以眼可见的速度溶化在水中，韩富虎做完了这一切，笑着对余罪道：“我不瞒你，就是这玩意儿，西药名称叫GHB，麻醉药物……管制类处方药。”

余罪虽然忝列专案组成员，但从来没有见过实物，他异样地看了半天，蒙头蒙脑问道：“这算贩毒吗？”

“如果非要算进去，也算……但它和冰毒、海洛因之类比，就差远了。”韩富虎道。

“这个，大哥，这事不敢干吧，你要整点家电、奢侈品什么的没问题，这毒品……不敢干。”余罪摇摇头，回绝了。

有些事你不干，由不得你，既然找上你了，怕是没那么容易拒绝了。韩富虎劝也没劝，又掏出来一张照片，排到了余罪面前，轻声问道：“你一定忘不了他吧？”

啊？！余罪吓得倒吸凉气，照片上的人正是那晚上看到的接货人。左眼上的疤触目惊心，这家伙叫王白，早在通缉令上了，他周围这些黑社会的周边混子多多少少都能讲出点这疤鼠的事迹。

“看来是记得喽……你已经帮别人运送一车了，还怕再多运点？运一次，运十次，其实没什么区别，甚至和你不运也没区别，有一天这位仁兄要是出了事，你说他会不会拿你出来立功赎罪？”韩富虎笑着问。

这一句句话如重锤捶心般，让余罪心胆俱裂，想拍案而起，却瞬间颓然而坐。

他气坏了，妈的，侮辱大爷智商的，原来是你狗日的。

不过韩富虎却是更笃定了，余罪的表情极度类似一个陷得还不够深的外围分子，那种似乎是一种担心和恐惧，带着又不敢不从的无奈，他笑了。

余罪想了半天，口气软了，说道：“韩大哥，您这是要命的事，何苦逼人太甚呢？再说了，就算我干，你出事也保不准他不咬我啊。我横竖都是个死路，干吗还要顺着你指的道走？”

“因为我指的道上有钱啊。你这么折腾为什么，难道是为人民服务呀？”韩富虎嘲讽了句，又放缓了口气道，“其实不一定都是死路，如果你干得足够成功，或者挣够足够多的钱，可以有很多路走的，比如移民，比如换个身份……这些都需要钱，就你现在这种挣法，去掉养车养人的费用，一年有个几十万不错了……而我这一次，直接给你一百万怎么样？定金三十万……对于你，一天就能挣够这么多。”

韩富虎又掏出一张银行卡来，带着开户的票据，往余罪面前推着，极尽蛊惑之能事。余罪目光闪烁不定，像动心了，又像怕烫手不敢拿，看得韩富虎暗笑了。他相信钱能使鬼推磨，打动这个人应该没什么问题。

“你这是就一回，还是常干？”余罪突然问，很白痴的问题。

“你的意思是……”韩富虎没明白，这怎么可能告诉他。

“我是说……你要碰一回运气，我还能考虑考虑……要是、要是常干，我那个……绝对不干。”余罪摆摆手，手想去拿那卡，像怕烫手似的，又不好意思地缩回去了。

韩富虎笑了，把卡放到了余罪手里，笑着起身道：“听你的，就一回。明天把车开到港口，等我消息，接货的时间和地点我随后通知你。那……合作愉快，尾款等货运到现付，没问题吧。”

余罪与之握了握手，仍然是一副不怎么情愿的样子。告辞下楼时，连车里等着的沈嘉文也发现了余罪老大不乐意的表情，就像受了点委屈似的。她以为合作又没谈成，等上车驶出几公里，韩富虎微微地笑着，评价了句：“搞定了，索仔一个，呵呵。”

索仔，生瓜、傻瓜的意思。沈嘉文听到了这个没有意外的谈判结果，她笑了。

对于这位索仔韩富虎并不看好，他问道：“嘉文，我觉得这个人有点可疑啊，郑潮刚运完货就做了郑潮，咱们刚想让渔仔探探底，结果渔仔也折了……再说了，总不能有人运气能好到这个程度，接手运输，一点差错也没出过吧？”

问题出来了，连表现优秀也成了疑问，焦涛心里咯噔了一下，生怕自己受到怀疑，插了句嘴道：“对，那天我们明明看到他落荒而逃的，可不知道又从哪儿找来的人……有这么大能量，还真是很可疑。”

“不会是……”韩富虎狐疑地看着沈嘉文，轻声问着，“老傅做的手脚吧？他一直不同意走货，不会是想另立山头吧？要有这个想法，狱友可是铁杆。”

“你考虑得太多了。”沈嘉文笑了笑，纤手抚过他宽阔的肩膀，笑着道，“不管他是谁，也不管他的背后是谁，都不重要，重要的是他参与进来，我们就多一道屏障，呵呵。”

这么微笑着的解释，似乎更有说服力一般，韩富虎和她相视而笑，不再谈论了。

车越来越远，离去的方向则有一道身影，余罪的脸上也在笑，还真是一副傻瓜似的笑容。他溜达着回到了新华厂区，另一位脸上也是傻瓜似的笑容，神秘道：“余儿，那妞胸器吓人，看样子很深啊。”

一下子被打断思路，余罪像是恍然大悟道：“对呀，如果藏，她说不定就是藏得最深的，不过没凶器呀？”

“我是说胸……乳沟很深啊，绝对极品。”鼠标解释着，在自己的胸前以及下身比划着。余罪愣了，两人说岔了，他还以为鼠标有消息了呢，愣了下，他一抚鼠标脸蛋，兴奋地道：“标哥真是人才啊，隔着手能看牌，隔着衣服能看胸……我怎么就没看出来呢？”

两人所想的事不同，可所说的话却是很契合，而且表情如出一辙，都像傻瓜一般，呵呵相对而笑……

本性非奸

车把杜立才和许平秋送至东江省公安厅大门口时，杜立才反倒紧张了，以他一个小小行动组长的身份要见一个厅长级别的人物，明显是大姑娘上轿头一回，十分慌张。

车停的时候，他不确定地回头道：“许处，要不，我别去了，我没给这么大领导汇报过工作。”

“你代表省禁毒局，不去可说不过去。”许平秋笑着道，出了个好办法，“你这样，就当面前领导是个白痴，你跟他讲情况就成。”

“啊？这哪成？”杜立才吓了一跳，把当司机的林宇婧逗笑了。许平秋却是笑着道：“我告诉你，我蒙咱们崔厅长的时候，都不确定侦查方向对不对。没关系，有大案领导都高兴，前提是，战果得有人家一半，毕竟是人家的地盘。这一半，还是要给的，控制这么大盘面，咱们靠自己可不行。”

好不容易让杜立才找回点信心了，两人下了车，岗哨验过身份，门房已经有厅里的秘书在等了，带着两位外省同行直进了东江省最高公安机关，此番是寻求援助来了，而且是极度保密的状态下。

时间，十九日晚七时一刻。

机要秘书打开日志，听着杜立才的汇报，飞快地记录着摘要，会议室仅有四人，一头银发显得很有气质的李厅长不时地打断汇报，问着更进一步的细节，在听到东江省居然还隐藏着这么大一个完备的贩毒网络时，他眉头皱起来了，似乎很不相信。

不过无法否认的是已经出现越来越多的证言、证人、证据。长达半年的侦查时间，心力交瘁的杜立才对于每个环节已经是了然于胸，对答如流，这个情况不得不引起重视了，以往类似的犯罪都是外省向本省贩运，甚至通过本省向海外贩运，东江离金三角本来就近，植物类毒品是个重灾区，而数年前又发生一起世界最大的冰毒案，那时候起，警方才认识到这里同样是化学类毒品的重灾区，可没想到通过这个侦查又升级了，还存在境外走私毒品的问题。

“很好，你们辛苦了，我代表东江警方和滨海市民，向你们的辛勤工作表示感谢。”李厅长拿着草案，翻看着拟定的计划，奇怪问道，“许处长、杜组长，贩毒嫌疑人通过普通商品这个走私渠道出货，我姑且相信，可这种内幕你们怎么可能知道？地下走私这个渠道我们打击了可不止一年了，到现在我们都没有掌握更确切的消息，不过我知道这个货量是触目惊心的，要是真藏在不起眼的电子垃圾或者其他商品里，还真不好查。”

“我们……”许平秋看了杜立才一眼，用不无得意的口吻说道，“有一个内线打进这里的走私渠道了。”

“呵呵，好，里应外合，犯罪分子不也喜欢用这一招嘛。”李厅长听罢，放声大笑了，在拟定的计划上签上了大名。

这个计划的详细商定还需要时间，包括警力的配置、行动的方式、指挥权属以及各警种的协调，可谓细节繁琐。大门外等待着的林宇婧不时地看着楼上，高耸的玻璃墙看不出在哪儿商议，不过她知道，最后一战的序幕已经悄无声息地拉开了。

这一天，距上一次失误整整一个月，距第一次线人被杀，已经过了整整五个月，每一次从艰难反复的过程走向终点都会给她带来一种紧张的情绪，但这一次，却多了一点别的感悟。她靠着椅背，微闭着眼，在回忆着初见那拨菜鸟的时光。谁能想象，这么短的时间，他们都已经独立执行任务了，谁又能想到，他们居然走到了所有人的前列……

她不再想这些，她在想那个阳光炙热的天气，在想那个坏坏的小子附在她耳边说：你忍着，就当我们为了任务献身。

她笑了，那是一次无法拒绝的非礼，却也是这次枯燥任务中最让她回味的点缀。

为什么呢？那小子一点也不帅，有点坏，却坏得反倒让人挂怀……

“焊条……鼠标，快点。”

孙羿在吼着，鼠标抓了把递过来，孙羿换下了焊头，戴上了眼罩，又继续焊保险杠。

快成形了，外形是一辆老掉牙的城市猎人，不过加上狰狞的保险框显得就像怪兽了，如果懂行看看发动机恐怕会被惊得跳起来，那是国产勇士越野上拆下来的，光传动衔接就搞了一下午，就这还是在经费极度缺乏的情况下完成的。以孙羿的想法，应该开个天窗，加个射击口才叫过瘾。

车间是一个神秘人物帮忙联系的货真价实的地下改装场，你要什么走私配件他们都拿得出来。接到后方安排余罪才发现，许平秋布的眼线恐怕不止自己一个人，现在不知道有多少双眼睛盯着他，不止对手，还有队友的。

对了，他也发现自己的经验还是不足了点，口头协议达成后，对于运输方几乎要失去自由了，吃饭、溜达甚至上厕所都有人跟着，人他不认识，不过是韩富虎派来的，要和他敲定详细的细节。

“大佬啊，这车太招摇了。”来人发着感慨，好是好，只是招摇得生怕别人不认识这车一样。

“要想万全，只能用这种车，否则万一碰上缉私拦截，你冲不过去怎么办？”余罪道。极力维护着自己的创意。鼠标凑上来说道：“三点六的排量，时速能飙到二百，不管他们拉不倒钉，用车截，还是想别的办法，只要有路，就能闯过来。”

“当然，没有碰到缉查更好。尽量拣一条好走的路。”余罪道。

“只要过了关卡，这辆车就会消失。孙子，这个换乘的时间有多少？”鼠标问道。

正焊接的孙羿回头道：“三到五分钟……你们把接应点想好就行了。”

老办法，车里套车，避开缉私追查，这个办法不可谓不行，估计对方也闻听过这拨“走私”分子的手段。那位观摩的没有什么异议了，看看时间，已经是晚上二十一时了，他邀着余罪出去宵夜，余罪安排了下改装的活儿，跟着出去了。

看得是够紧，光车身的扫描就进行了两次，而且这位也是多少懂行的，对孙羿的改装技术直竖大拇指。

人一走，鼠标弯下腰问着孙羿道：“明天怎么干？车上有追踪么？”

“没有，家里怕万一被发现，前功尽弃，所以，电子设备全部不用。”孙羿小声道，他看了眼鼠标，声音更低了，“这可是屎到屁眼上，还不知道茅坑在哪呢，我也不知道怎么办。”

“那要没追踪，又不让你开车，怎么办？”鼠标轻声道，不经意间，开始被任务的成败牵动了。

“我改装的车，别人想开走可没那么容易。”孙羿笑了笑，继续干活了。他对自己唯一的这一点长处，还是蛮有信心的。

只要有货，只要同意让这辆车载运，那就没跑了，鼠标想想自己也仍然是个打酱油的身份，索性不去想了。一会儿孙羿也歇下来了，四周无人，两人是被关在工作间里，哥俩无聊地对着抽烟，本来都没烟瘾，却被无聊的环境憋得都会抽了，孙羿吐着烟圈道："真想不到啊，这就当上警察了。"

"哟，啥感慨，讲讲。"鼠标笑道。

"感慨就是啊，要早知道这么窝囊，被人像个工地小工吆来喝去，老子就不干了。"孙羿道，自己被撵出车管处，在二队也并非如意，调来滨海也是小卒，到哪儿都是俯首听命的角色。鼠标笑着斥道："怎么？总不能你学员服还穿着，就赏你个队长当当吧？"

"队长也没意思，二队你还不知道？我看楼下法医室那死人，都比看活的顺眼。"孙羿道。鼠标深有同感，不过估计是没有融入到那个集体的缘故，他劝着孙羿道："其实他们也不错，就是说话冲了点，态度恶劣了点，都那样，职业病，咱们过不了几年，八成也得那样子。"

"我纠结呀，现在改装车，接一单好活儿顶得上一年工资，拼这命有啥意思……我想跟我爸干，可我爸说当警察有出息……哎对了，这拨人干什么的？"孙羿异样地问道。鼠标瞅了瞅四下无人，附耳一句，吓了孙羿一跳，紧张道："操，这小子胆肥了啊！"

对于鼠标而言，规则在他心里的约束力不限于这些兄弟。他瞅瞅四下无人，附耳和孙羿大致讲着余罪的事，保密的内容没多讲，不过这若干天每天收多少钱得讲讲，听得孙羿世界观开始倾斜了，半晌评价着："依你说，这小子是当二五仔了？好歹也是狱友，至于把人家出卖了回来挣两三千工资嘛……再说了，还没披上警服，至于去干这卖命活呀？"

鼠标愣了下，回想着数日来大鱼大肉、大把分钱的日子，可这样的日子马上就画上句号了，他好不懊丧地说道："可不叫你说呢，走私这行，多有前途的职业啊……我从来就没见过这么多的钱啊。"

这哥俩迷茫地憧憬着，一点也没有已经成为警察的自觉……

在外面宵夜的余罪无从知道改装车间的兄弟，正在经历他已经经历过的挣扎和迷茫，人总是活在一种欲望中，有时候欲望是女人，有时候是权力，有时候是金钱，还有时候是一种你无可名状的控制欲望。比如余罪，杯来盏往时，他似乎看到韩富虎派来的人那一脸假笑，里面肯定包藏着什么祸心，比如他更看出专程赶来的傅国生欲言又止，似乎有什么话要说，却又很不方便说。

男人的改变有时候只需要一刹那的时间。比如曾经胆小，打过一次架头破血流之后，恐惧感就没有了；比如曾经在女人面前害羞，你扒光一个或几个，也就没羞没臊了。他越来越沉迷这个黑白角逐的原因，也许仅仅那一次失利让他感觉到了智商被侮辱，在这上面他向来很好强。他不止一次想，不管用正的、邪的还是歪的办法，绞尽脑汁也要把这个王八蛋踩在脚下。

可现在，他看到了傅老大红红的眼睛里布满了血丝，蜷曲的长发很有派，也很有艺术气质，尽管他是个人渣，但不得不否认，确实是一个很像人的渣。而且，越来越有人的成分。

难道我看错了？

余罪暗自忖着，接着来人的敬酒，那人姓甚名谁他也无从知道，只是看着年纪大叫大哥而已，对于江湖萍水相逢的同道中人，有时候忌讳比警中的保密条例还要严格。又一杯酒敬来时，他谦让着：“大哥，真不行了，明天还得干活，我得回去了。”

“别别……这个你别操心，晚上我们陪着你，好好乐乐，那点小活儿对你来说，太容易了。”来人拦着余罪。余罪笑了笑，干脆一饮而尽，说道：“乐乐可以，不过我这酒性不好，你再让我喝，我明天都敢醒不来。”

“那好，不喝了。傅哥，要不咱们找个地方招待一下余兄弟？”来人征询着傅国生，傅国生若有所思，停顿了一下下才反应过来：“要得，

K歌有点吵，要不，直接到唐都吧……早点休息，明天上路。”

“也好，明天我带路，余兄弟，这次很重要，千万不能有闪失……”那人说着，余罪注意到的却是，傅国生的大佬派头没有了，居然打了个响指，在背后买的单。三人同车，到了唐都这个公寓，余罪没有想到的是，公寓的顶层居然还有个超大型的豪华套间，装修得像总统套房，光浴室就有一间屋子那么大。进了房间，来人却是安排着两人就到这儿住，他在隔壁，闲聊几句，那人笑吟吟地掩门而去。

他妈的，够奸的，把老子看起来了，余罪如是想。不过他已经习惯滚刀肉的角色了，知道货没走时绝对是安全的，干脆往浴缸放着水，三下五除二脱了个精光，边脱边叫着傅国生道：“傅老大，头回来这儿的时候，莫哥送了个妞让我睡，这回不是把你送来让我睡吧，哈哈……磨蹭什么，快洗洗呀。”

说笑间，余罪自己倒先躺进石质的大浴盆里了，里面照样是躺三四个人不显挤。等着放水的时间，余罪掬了把热水，一捂头脸，好爽的感觉。不一会儿，傅国生也脱衣进来，试着水。曾经在监仓里的时候，每天冲凉就是这么赤条条的一大群老爷们儿，余罪再次看到傅国生这样时，突然有点怀念那个环境，都赤条条没有什么秘密，不像现在，尔虞我诈，你琢磨着坑我，我琢磨着害你。

对此余罪已经习惯了，直到现在为止他觉得自己的生活都不是自己选择的，小时候是被老爹的拳脚揍着往前走，大一点被老师的耳光扇着往前走，即便上警校也是实在没有出路的无奈，只能选择这个分数低、能特招的学校。没毕业就进了这一行，严格地讲，一半是被骗的，一半是被逼的。

既然逼到这份上了，总免不了要兵戎相见的。余罪笑眯眯地看着傅国生，那笑容仍然和监仓里的狱友一样，真诚而无辜。其实余罪这个表情，是从小到大被揍出来的，要想不挨揍，那你得装出个乖样子来，所以在脸部的伪装上，余罪有天生的优势。

可他恰恰又发现了，傅国生的脸上没有一点伪装，奸商对于谎言，人渣对于阴暗，都有天生的直觉，余罪毫无例外具备这种特质。于是他更纳闷了，因为傅国生很落寞，很不开心，至少脸上的表情完全不像即将完成一桩大生意应该具有的心态。

激动，紧张，还是狂喜？要不就是装得平静。可傅国生脸上就只有忧心重重。

“老傅，你怎么了？”

“不怎么。”

“不怎么是怎么了？”

“不怎么就是不怎么。你呀，真烦。”

老傅有种连话也不想多说的慵懒，软软地靠着池壁，洗着一身白花花的赘肉。冷不丁，他划一片水洒向余罪，余罪咧着嘴呵呵笑了。傅国生发现余罪正不怀好意地盯着他的下身，赶紧夹着腿，用毛巾遮住了。

余罪靠近了点问着：“傅哥，你这样子……怎么像……”

余罪卖了个关子，等傅国生注意时，他脱口道：“像嫂子给你戴绿帽了，哈哈哈哈……沈美女一看就是个斩千夫的主，哥哥你是不是满足不了人家？”

这贱人，挑最恶心人的说，可最恶心的也没有刺激到傅国生，余罪只好闭嘴了。只听傅国生淡淡道：“我没结婚，你哪儿来的嫂子，再说现在这年头，那男人脑袋绿光冒，不很正常吗？”

“哇，太有哲理了！”余罪愕然道，看话匣开了，他凑上来小声道，“不过说实话啊，傅哥，你马子，哎哟，真馋人啊。”

“吃不尽的美食，看不尽的美女……呵呵，那样的美人，对你来说只能想喽。”傅国生像是有几分得意，刺激了余罪一句，翻了个身，毛巾抹了把脸，看余罪色迷迷的德性，他突然转话题了，像自言自语道：“余二，我其实有点后悔把你带进这个行当了。”

“你说的不是屁话？像咱们这样的，还后悔爹妈不该生下来呢。”余罪道，完全是在监仓里的口吻。傅国生笑了，似乎有点苦笑的味道，一对人渣相视一笑，傅国生又好奇地问着：“你个死仔，进仓时候啊，要不是那段时间调仓，一仓人合不来，就你这莽撞性子，非被人打死。”

“什么意思？”余罪很二地问道，有点不服气。

“意思是，低调点。你太嚣张，只会加速你被人砍死的速度。”傅国生语重心长道。这话听得余罪愣了，真关心啊，比家里还关心他的安全，难道这其中还有什么言外之意？

这倒有意思了，临行之前，怎么会是这种叮嘱，余罪一下子摸不着头脑了。他发愣似的看着傅国生，而在傅国生看来，这孩子还是有点年轻气盛，不知道深浅了。傅国生突然间又来一句没头没脑的话：“余二，对不起啊，我没想到，你一直把我当朋友看……现在想想，其实你的活法挺好，有钱时胡花，没钱了抢几把，挺自在的。”

“哎，不对呀，傅老大，你有什么话明说啊，这搞得没头没脑的。”余罪干脆直说了，想起了那日说的话，不过那时的心境和此时已经截然不同了。

难道……老傅把我当朋友了？余罪怪怪地想着，觉得有点愧意了。

傅国生没有察觉到余小二的变化，他笑了笑，像自言自语般说道：“我是说啊，这条道可是一条道走到黑了，将来别后悔……咱们这个世界是个弱肉强食的世界，比如你灭了郑潮，没人觉得你不对，只觉得他太差了。可坏也坏在这儿，有一天有更强的如果灭了你，无论同行还是条子，你除了认命，什么也做不了。”

“这个……”余罪现在觉得老傅不是渣了，而是人了，而且很有人味了，比普通人看得更清，他说道，“咱们干一回就不干了，还不行？”

只能这样搪塞了，他看着敌对阵营里的这位，心里升起了无限的同情，也许他预感到了自己迟早走上末路。余罪甚至不敢再直视老傅那忧郁的目光，只觉得自己从头骗到尾，比这个人渣也高尚不到什么地方。

“犯罪本身就是毒品，如果你从中尝到了自由的味道、尊重的味道、权势的味道，就很难戒掉了。老天是公平的，给你多大的享受，将来同样会给你多大的难受。”傅国生道，氤氲的蒸汽后，是一双迷茫的眼睛。

余罪心有所感，在极力掩藏着此话带给他的震撼。虽然他是个警中的菜鸟，可对方无疑是犯罪阵营里的老炮，他生怕哪里有一点破绽被看出来，嬉笑道：“傅老大，你真有文化，不过刚才你漏了一样。”

“什么？”傅国生笑着问，此时舒出胸臆，似乎释然了。

“自由、尊重、权势……除此之外，还有女人的味道，很多的美女的味道，对不对？”余罪色迷迷道。傅国生笑着，点点头补充着：“没错，男人的死法有两种，用咱们监仓的粗口简单讲就是，一种死在钱上，一种死在床上。”

“哈哈……”余罪张嘴奸笑，之后脸色一整道，“这两样我现在都极缺，还没享受过，所以我觉得我会活得长一点……您说呢，傅老大？”

不知不觉间，余罪用了个“您”字。傅国生没有发现这个细微的变化，他笑着点点头，拍拍余罪的肩膀，淡淡地道了句：“但愿如此。”

话似乎很伤感，可偏偏知音难觅，“余二”却很兴奋，就像那种理想即将实现，大把的钞票即将入袋、大把的美女即将入怀的那种兴奋。傅国生看得摇了摇头，显得兴味索然。这一夜即便同床而眠，也再无赘言，次日余罪被来人叫起上路，傅国生却不知道什么时候已经走了。

他走得无声无息，在即将上路时余罪接到了一条短信：一路小心。

他知道这不是来自同行的问候，而是敌对阵营里的关怀，这份丝毫没有伪装的关怀让他怔了良久，似乎比那身三级警司的服装还让他受之有愧……

天网恢恢

数辆全封闭大巴车从高速出口通过专用通道下路，各高速站已经收到了全线放行的通知，这些车停也未停，直驶向一个距离滨海市区不到三十公里的集镇。

一辆车、两辆车、三辆车……不知道有多少辆车，从高速、从国道、从省道，陆续通过步话里的指挥，驶向指定地点，每一辆车都满载着不知情的警察。这是一次突发行动，不得向外联系，都是在上下班的时间接到紧急通知集合的，从集合、领武器到出发，用时不到十分钟。

这个职业的神秘就在于此，你身处其中，却不知道发生了什么事。

只有站在省厅多功能会议室刚刚架起各路指挥通信面前的人才知道，这一次异地用警，共动用了接近一千人的队伍，分别从周边宁远、清州、同化等地调拨。从警力的部署上看，似乎是对滨海市形成了一个包围的态势，可恰恰滨海市及下属寓港的所有警力，未发动一兵一卒。

准备的时间是相当漫长的，这个禁烟的环境许平秋有点憋不住，第N次悄悄出了指挥厅，猛吸几口烟。再回来时，却发现李厅长已经带着东江省厅、禁毒局几位到场了，厅长以下，都虎视眈眈看着许平秋。老许的老脸有点挂不住了，他知道这一次异地办案，颇有越俎代庖之嫌。

再怎么说也是东江的事，跨区办案一个协查通报就行了，这倒好，侦查完结开始抓捕了才通知我们。

“同志们，天下警察是一家，不要有门户之分，这一次，是两省省厅协同办案，主旨不光在于打击犯罪，而且在于为我们同行提供双方通力协作的成功案例，我相信，在我们双方的精诚合作下，今天这个大网捞住的，能为我们禁毒工作再竖一块里程碑！”

李厅长发着言，起身和东江禁毒局属下的技侦人员，以及刚刚搬到此地统一指挥的岳西省禁毒局同行一一握手。这个指挥部已经设到全省最高层了，不过以防万一，还是进行了封楼的命令，整幢楼层被内层封住了，所有的手机号码都经过信号过滤，自厅长以下全部被禁足于此。

一切准备妥当，这一拨代表全省最高指挥层的领导却是就地开会，李厅长对这个案子相当感兴趣，等着各地警力调拨到位的信息中间，他提议着让许平秋把整个案情给大家捋一下。

到了这个层次，许处这位大将就成小兵了，他警礼礼毕，示意林宇婧准备，自己图文并茂地开始解说了。

“……本案起源于去年我们省城第一医院接收到的数例病人，经查是因为过量服食含GHB的神经性麻醉药物所致，这个新型毒品在不久前的全国禁毒会议上刚刚提出。经过数月侦查，我们于去年‘12·7’抓获了一位叫吉向军的贩毒分子，经政策攻心，他愿意立功赎罪，我们试图用他钓出贩毒的上一层。我们秘密赶赴滨海市，设计了一场贩毒交易。没料到不但用于交易的五十万毒资去向不明，连内线吉向军也被人虐杀，尸体被扔在珠江，一周后才发现。整个案子，就从这里开始了……”

艰难繁复的案情在放幻灯的林宇婧眼前掠过。此时，她看到如此多的同行在紧张而有序地忙碌着，听着指挥频道里传来的各组到位的声音，她的心里涌起着一股异样的冲动，每次走到了尾声，都有一种恍然隔世的感觉，不知不觉中，自己居然在南国也熬了长达半年的时间。

繁复的案情，匪夷所思的藏毒方式，触目心惊的地下走私，把东江的一干同行都听得入迷了。特别是听到许平秋讲，他们居然通过司法系统的渠道把内部侦查人员送进监狱，成功打入这个贩毒集团，这件事更让一干同行面面相觑了。

这种兵行险招的方式等闲没有人敢尝试，成功概率太低，危险系数又太高，会场中不断传来唏嘘声。

林宇婧笑了。她在想，如果会场的高层见到那位“卧底”，肯定不会觉得这人和那些犯罪分子厮混到一起是什么很难的事……

“怎么是他？”

高远比对着监视器里的人头像，放大，然后惊讶地问王武为。两人都吓了一跳。

寓港唐都公寓监视点，居然是王白出来了。这位绰号疤鼠的人是东江警方的网上通缉逃犯，省厅网上开的悬赏价格是五万，据说这家伙和砍手党颇有渊源，是个恶名在外的老犯。而此时，他正和莫四海进了唐都公寓，这个地方，却也是余罪和另一位接洽人刚刚离开不久的地方。

“0号呼叫……发现新情况，重复一遍，发现新情况……我们把现场画面发回去，请示下一步命令。”

王武为轻声叫着，把莫四海和王白的照片通过警务通发了回去。

等待的时间不久，命令没来，莫四海和王白出来了，身后还带着几人，以外勤的眼光，几个人或高或矮，行迹可疑，都不是什么好货色。一行人站在公寓边上的楼梯口上，像在等什么。

“他们在等什么，等车？”高远异样道。

“应该是去什么地方吧，不会和今天的送货有关联吧？”王武为也猜测道。

莫四海和焦涛有直接联系，焦涛又是重点嫌疑人傅国生的司机，现在莫四海招了这么一帮人，很难不让人怀疑他们的目的。

“你可能猜着了。”高远又轻声道，两人愣了，路边开来两辆车，一辆面包、一辆货厢，都是空车，而这个地方的空车出发，除了到港口运输都不会有其他的事。

“0号呼叫，有新情况，重复一遍……”王武为把新情况又报告了回去。

接到的命令是和后面的七组、九组轮换追踪。一个多小时后，没有任何意外，追踪的车辆跟到了港口，就停在码头上排队运输的车队里。

“他看起来很安静啊。”

杜立才从监视镜里看到了傅国生，对方早晨九时从寓港市回到了滨海市太阳岛的别墅，一直没有出门。一会儿在房间里踱步，一会儿又在铁墙围着的小院子里散步。此时杜立才有心情欣赏自己的猎物了。不得不说，傅国生是位很有艺术气质的人，半长的头发卷曲着，雪白的休闲衫，行走在花草绿树围着的院子里，远观都有了几分飘飘出尘的味道，谁可能相信这居然是一位贩毒分子。

“杜组，这不是安静，是不安生呀。”

李方远笑着道，他从帘子后看到了现场。监视的地方是租下来的一幢别墅，李方远在这里已经窝了一个月了。

“要能安生才见了鬼呢，货不到，交易完不成，他不会安生下来。”杜立才道。

“那他会不会跑路呢？”李方远道，担心这里的警力不足。

“不会，幕后怎么会和前台扯上关系，就即便送货的栽了，他们损失的也就是货而已……许处分析啊，这一次的交易量这么大，很可能是他们收山之作，抓不住以后就不好抓了。”杜立才道。闲来无聊，和下属有心情聊聊案情了。

“那他要和贩运的扯不上关系，怎么抓？”李方远道。

“办法多了，简单来说这里和东江省厅一样，是这次贩运的指挥部，货物到港、走货、交易、万一出现意外怎么应对，命令都要从这里传达，而且最关键的是，毒资的流向肯定掌握在老大手里，只要有这些通话时间点，加上毒资的流向，加上其他嫌疑人的指认，这一次，钉死他了。”杜立才恶狠狠道，信心十足。

警匪之间的对决，只有更狠、更恶的才是赢家，谁也不会用温和的方式来对待对方。

从清晨开始，时间一分一秒地流逝着，一个庞大的天网撒在滨海四郊，只会从指挥中心的监控里才能看到在高速路口、路政处，以及不知名的三岔路口的封闭车辆，那里面隐蔽着此次参战的决胜力量。

时间，指向午后一时。

第二期调运计划完成，一张由30多个行动组组成的天网已经铺开。从电子地图上看，涵盖了从港口到寓港、滨海一共四条省道、三条镇公路、一条国道、五条高速路，加上海关的缉私检查站，密密麻麻形成了三层设卡。对于走私和贩毒，作为重灾地的东江省很有这方面的经验，异地调拨和整个布控在四个小时内几乎全部到位了。

通缉嫌疑人疤鼠王白出现，而且又领了一拨人赶到了港口。

这个消息让许平秋蹙眉了，很直观地判断出此次出货又像往常一样，要启用数个疑似目标，这是对手的惯用伎俩。不多久，前方的监视又传来了一个新的消息，是对莫四海、王白一行的监视人员拍下的一组图片，其中有一位后腰鼓鼓囊囊，放大图像后，疑似持有武器。

“提醒各组，二号嫌疑目标可能持有武器，让各组往后收拢，在货未上岸前不要打草惊蛇。”

他报着这个命令，由本省的技侦发出去了。此时，东江警方的指挥系统根本还未启用，只能提供几帧交通监控的画面。

“另一个接货组在什么地方？”许平秋问。

“在……海滩，刚到一个小时。六组在海面上远程监视，九组在港口可以拍摄到。”林宇婧道。

“把画面放出来，他们好像启用了两个运输队，一真一假，或者分开运输。”许平秋道，他回头看着东江一干同行，有些判断的话，自己不敢说满了。

屏幕切换，只听“哦”的一声，全场皆惊。另一个运输组一点紧张情绪也无，一男一女坐在海滨路下，铺着张毯子，毯子上放着水果红酒，两个人正碰着酒杯，直让人怀疑对方只是一对观海的情侣。

“这个……许处长，你确定没搞错？”李厅长笑着问，外勤出问题是经常有的事，倒也不稀罕。

“没错，就是他，身后的车。”许平秋指着老远处那辆车，两人坐在距车很远的地方。

“那这个女人是谁？”有同行笑着问。

“是重点嫌疑人傅国生的姘头，应该是替傅国生安排走货的。”许平秋道。

许平秋暗自骂了句，心道真长本事了，混了几天连这号本事也有了。正尴尬着，会议室又有人笑了，许平秋忙看屏幕，得，又出洋相了，男的正拿着一朵小花，给女人递上去，那女人笑得娇羞无限的样子，却不料男的又把花儿插在女人头上。

啊呀，这品位，像把乡村爱情嫁接到韩剧里了，要多土就多土，可那女人却笑得花枝乱颤。

监视到这一画面的人也笑了，老许这脸呀，一阵红一阵白，本来想介绍一下这是自己人的，这会儿只能把话生生地全咽回去了，赶紧叫着林宇婧道："切换一下，这与本案无关。"

对决，可能以任何一种形式出现，或许也应该包括四目相对。

此时余罪就好像陶醉在这种与美女邀约的四目相接中，那种感觉让他觉得很异样。话说余兄弟的确是个粗线条的人，对于男女之间的情爱更多是来自于岛国的教育片，但他此时突然发现，若隐若现、欲言又止，比直接接触更撩人心思。

简单地讲，穿着衣服，比没穿衣服给人更多的遐想。

余罪早晨被叫出来，等车安装好，午饭后才出发，来时沈嘉文居然在港口等着他，反正时间尚早，沈嘉文邀余罪到海边坐坐。从午后开始坐到现在，期间两个人天南海北地聊，余罪更是从没有和一位美女能聊得这么投机，投机到他把拿手的本事都亮出来了，在监仓里学的，啪啪一拍手，把毯子上装饰用的小花变手里了，沈嘉文一不小心，就遭遇献花的场景了，又一不小心，被余罪很郑重地插到了自己头上。

她哈哈地笑着，似乎从来没有这么开心过，一笑露出两排整齐的贝齿，二笑胸前汹涌的双峰，三笑婀娜的身姿，就这么在余罪眼前晃悠着，看得余罪心里忽上忽下，像七八级海浪在来回乱撞。

头上插了朵花，沈嘉文笑着像给余罪摆了pose一样，问他道："没发现啊，余二，老傅说你打架挺凶的，可没想到还会讨女人欢心啊。"

"嘿嘿，那当然，你要不是傅哥的女人，我一定追你。"余罪很直白地说道，连大哥的女人也打上主意了。他知道这一切都是假的，恐怕是美女心系要运送的价值昂贵的货物，对他不放心了。

可他还是忍不住心猿意马，面前侧坐着的沈嘉文穿着一身薄薄风衣遮着海风，秀出的长腿与红毯子相得益彰。只见沈嘉文又是一笑，像春水绽绿，让余罪心旷神怡，不知不觉口水就流出来了。

哎哟，真馋人啊……余罪强压着自己的邪恶念头，连呼罪过。

对于唐突，佳人似乎不介意，又是一笑道："好啊，那……我可以考虑一下，离开他，给你创造机会？"

"真的？"余罪眼一直，口水这下真流下来了。

这直白的，脸都不要了，偏偏人家还说得一本正经，生怕你反悔似的。沈嘉文一眯眼，掩嘴笑了，不知趣到这种程度的男人也少见。而余罪呢，像是被人拒绝了一般，抿着嘴，看着沈嘉文伸在毯子上的长腿，猛咽口水，懊丧道："就知道你看不上我……逗我玩呢。"

"呵呵，也不是，我觉得你挺有意思的。"沈嘉文安抚道，看余罪不高兴了，又哄小孩似的，捻了只红彤彤的樱桃，逗着余罪，放在他嘴里。余罪贼眼碌碌转着，说道："真好吃，再来一个？"

"再吃一个可以，不过货一定得运到啊，我下半生的幸福可全靠你了。"沈嘉文又捻一个，脸带笑意，不过却很慎重地说道。

"没问题，来。你下半身的幸福包在我身上。"余罪大张着嘴，沈嘉文却是促狭似的拔了头上的花，扔进余罪嘴里，然后哈哈大笑起来。余罪拿着那朵花，羞赧地嗅嗅，舍不得了。

哦哟，这余儿真不要脸，车里等着的司机孙羿看不去了，突然道："哥，能找个东西把车窗遮上吗？"

"怎么了？有人发现了？"对方问，是那位一直随行的同行。

"不是，我看着那位，我恶心。"孙羿指着余罪。

"噢，忍忍吧，其实我也很恶心。"对方很有同感地说道。

忍啊忍啊，忍无可忍为了任务还得忍，终于忍到更让人不堪入目的事出现了，余罪殷勤地给沈嘉文提着鞋，就差帮人穿上了，临别时还张着双臂，两人来了个情人式的拥抱，直气得孙羿有想揍人的冲动。

不就个妞吗，至于低三下四地这么不堪入目吗？

两人步行着从沙滩上来到路面，这时候余罪表现的机会来了，主动请缨道："沈姐，你先回去吧，剩下的事我来办，告诉我接货点就成。"

走私都这样，沿海大船无法泊下的海岸线，可难不住小舢板，很多小舢板本就是从海上接货直接运过来的。听得此言不料沈嘉文却笑了，说道："这儿就是接货点啊，我们得看着你上车才放心啊。"

"啊？"余罪吓了一跳，不过马上笑着直竖大拇指道，"厉害。"

“是吗？那接下来得看你厉害不厉害了。”沈嘉文点点头示意着车上的同行，那人摸着电话，不多久，在沈嘉文投向海面的视线中，余罪看到了一叶扁舟，越来越近，是一个带发动机的小舢板，迎着海浪向岸边靠来了。

哎哟，余罪差点扇自己一耳光，两人刚才坐的地方是一处缓坡，分明就是个走私的靠岸点。自己坐了一下午，光顾看美女，愣是没发现。

“下车。”余罪上车后坐到孙羿的位置，孙羿奔到车后，开着大货厢，接下来该沈嘉文惊讶了，只听轰隆隆的重型发动机声一响，三四米高的车后厢，一辆怪形车几乎是蹦出来了，原地打了个旋，车屁股对着路沿下，后厢一开，装卸开始。

余罪和同行都加入了这个行列，一人一箱扛肩上，从靠岸的船上往车上搬。让余罪奇怪的是，小箱没有什么标识，死沉死沉的，足足有二十多箱，一箱三四十公斤，难道走私了一吨的GHB？

他没敢问，吭哧吭哧搬完，沈嘉文犒赏他似的，掏着纸巾给他拭着汗，关切地问道：“余二，载一吨四，你这样的车跑得动吗？”

“放心吧，这是三点六排量的发动机，拖大货车都拖得走。”余罪拍着胸脯道。

“你们从新垦走，到了寓港有人通知你接货点，手机……拜托了，我们在滨海等着你的消息，货到，尾款马上转给你。”沈嘉文说道，怜爱似的抚了把余罪的脸，也许是无意，不过透着亲切的勉励。

“好，这么点小事，您不给钱都行。”余罪一挥手，很爷们地道。刚一转身，又回身一张臂，沈嘉文像是知道这货的爱好，笑着拥抱勉励了下，终于把这个精虫上脑的货送上车了。

车走了，这个走私手法是沈嘉文生平仅见，车里套车，闯过关后只要有接应的车，又可以马上让闯关车消失，这个办法，似乎运这么点货几乎是万无一失了。

“沈姐，咱们什么时候走？”一直贴身跟着余罪的那人问。

“另一辆什么时候开始走？”沈嘉文问，脸上严肃了，丝毫不像适才和余罪虚与委蛇的那个白痴女。

“七点四十左右，现在已经上货了。”对方道。

“再等等……疤鼠干活可没新人利索。”沈嘉文道。她看着海平面的方向，在视线不远处，夕阳渐渐落下了海平面，漫长的一天过去了，夜色慢慢降临了，灯光掩映中，是码头的方向，高高的塔吊彻夜不息地忙碌着，偶尔能听到一两声汽笛的声音。

手机的短信声响了，她看了眼，笑了，飞快地按着键盘，接通了一个电话，语速飞快地说道：“陶警官吧，我嘉文呀，听不出来了？我跟你提过的事你上心了吗？当然准确，我的消息能有错呀，车号是A×××和B×××……领头的叫余小二，绝对有货，那货呀，足够你立一次大功了。现在，我看看时间，应该已经快走到新垦了，呵呵，自己人，别客气。”

她挂了电话，掂了掂手机，向远处一扔。黑夜里看不到那条弧线，却听得到落水的声音。天色晚了，似乎连溅起的水花，也是黑色的。

捉龟成鳖

“余儿，你真不要脸，能跟人家叨叨一下午。”孙羿骂着。

“那是组织交给我的任务。你妒忌我是不是？”余罪有点得意了。

“妒忌什么？摸都都没摸一下。”孙羿又道，还真有点不爽。

“我摸，能让你看见呀？”余罪反问着，奸笑了。

“你那德性，我看见你流口水了。”孙羿道。

余罪一直心不在焉，不争论这个问题了。他心里总是觉得不怎么安生，那似乎是一种很奇怪的直觉，他找不出原因所在，就是心里疑神疑鬼。

走了二十余公里，看不到港口方向的时候，余罪放下心来了，干脆又爬到车后面，鼓捣着那箱子。很重，做过防水处理，越看越让余罪觉得不对劲，他灵光一闪发现问题的来源，根本不像上次走货的手法。这样的密封严实的做工，好像生怕别人不怀疑有问题一样。

“关键时候，你别胡来。万一人家发现有人动过货，交货时候给咱们一家伙找谁说理去……过了关你开车啊，我他妈不敢去了。”孙羿心慌得厉害，回头斥着余罪。

“傻子，这是捞功的最好机会，车到地方你抱着头装孙子别吭声，出来就是三级警司。”余罪道。

“真……的？！”孙羿不相信地问，一下子兴奋得又忘了危险。

“当然是真的，这趟下来，说不定哥都混一级警司了。”余罪吹嘘着，搬着箱子，找着趁手的家伙，想不清楚敢不敢撬。孙羿却是戛然刹车，回头看着余罪，被他说得心动了，看余罪不按计划来，他劝着：“余儿，这才离开多大一会儿？计划没说让咱们先验货呀，没请示你别胡来啊。”

“我咋就觉得哪儿不对？”余罪趴在座位上愣了。

“哪儿不对？”孙羿问。

“说不上来，反正不对，你看刚才那美女，老傅的马子，按理说，不该撩拨我这号苦逼呀？”余罪道。

“那是让你卖命。”孙羿道，很直观的判断。

“钱都给了，还用贴人呀？”余罪不相信道。

“那是让你往死里去卖命，还卖得无怨无悔。”孙羿又道。

“有道理，她肯定不知道我有问题，之所以这样做，就是一直把我拴在海边，亲眼看着我上路，难道……”余罪心思飞快地转着，连他自己也不相信地脱口而出道，“不会又玩金蝉脱壳吧？上次老子就被摆了一道。”

“看看不就得了。”孙羿直接道，瞬间忘了原则。

两个菜鸟预见不到危险，也没有守规矩的自觉，跳下车，开了后厢，撬了几个箱子。刚一掀盖，冷不丁听到了远处而来的一阵警报声，两队警车前堵后追，后面堵的那警车居然藏在路边林子里，最近的不到一公里。余罪吓得全身汗毛直立，肯定是设伏了。

孙羿傻傻说道：“计划有变，现在怎么办？”

“快跑，跟咱们不是一路的。”余罪连掀几个箱子，一看箱子里的都是铁件零部件。他一摸认出是什么东西来了，枪械零件，在警校的时候和徐老头不止一次拆装过。大慌之下，一看警车里跳下来不少警装和便衣的男子，余罪拉着孙羿，跳下路沿，沿着稻田狂奔。

远远的两头总共十一二辆警车，车一停，四散着从路上沿下追着，边追边有人鸣枪示警了：“站住，再跑打死你。”

好在见机得快，领先了几十米，孙羿又惊又怕，气喘吁吁道：“咋回事，咋回事吗？”

“又被人卖了。”余罪边狂奔边道，不时回头拽孙羿一把。饶是两人体力过人，仍在这个黑灯瞎火的地方不辨方向，被后面的越追越近。

“那跑什么？再说也是警察。”孙羿道。

“妈的，车里根本没货，真正的货早在路上了，等你澄清误会，黄花菜都凉了。”余罪喘息道，拉着孙羿，缩头钻进了灌木丛中，对着吓蒙的孙羿啪啪啪连拍几个耳光，教训着，“清醒点，别紧张，这儿能听到涛声，离海还不远……往西跑，一会儿跳进海里，游走。”

“你不是不会游泳吗？”孙羿很清楚，直问道。

“啊，对呀，是让你跳进去，我不敢跳。”余罪道。气得孙羿要发飙，却被余罪按住了。

两人在灌木丛里嘀咕了一阵子，不多会儿有个人影从灌木丛中飞奔出去，朝着海岸线的方向跑。黑暗中动静颇大，两队警察打着探照灯，嚷叫着追上去了。

人影、枪声、探照灯、警笛大作，不一会儿便挤了几十辆车，乱糟糟的让警察不得不分出一部分警力维护秩序。看着大队人马追向孙羿逃走的方向，余罪窝在草丛边上、稻田边上、土坡边上，四肢着地，慢慢地爬着，躲过了路边的几处警戒，悄无声息地消失在黑暗中。不一会儿，他若无其事地回到了路面上，与趁黑运货的走私散户混到了一起。

过不久，没来得及跳海的孙羿被抓了回来，听到后面开枪实在腿发软，摔一跤把脚扭了，被不知道什么来路的警察反铐着，一路拎过来。警察们追得辛苦，有几人气得狠狠地踹了他几脚。

“别打别打……自己人，自己人。”孙羿畏缩着，求告着。

“自己人？你和警察是自己人？”对方带头的一位问，收起手枪。

“啊，不警匪一家吗。哎哟。”孙羿没敢泄露，不过自以为幽默，却多挨了几脚。

清点物品，那成箱的东西把孙羿看得头上冒汗，根本不是什么麻醉，而是枪械零件。警方如获至宝，一一清点，有人把孙羿拖上车，黑洞洞的车里，几名大汉开始了“突审”。

“哎呀呀，别打别打，我说我说，我就一送货的，老板叫余小二……刚接上货就被你们抓住了，你们赶快去抓他，他还没跑远呢。”

车厢里，传来了孙羿急促的叫声，“突审”还没开始，他就全盘交代了。

“报告，七号位报告，出现大量警车，把路封住了……”有一位技侦喊着。

“实时图像，哪个部分的？”李厅长火了。

“暂不清楚，那儿是镇级公路，交通监控覆盖不到。”技侦说道。

“让观察点把车号记下，联系寓港公安局，今天谁出勤。”李厅长道。他眉头皱起来了，从接货到现在不到一个小时，大行动没开始，小动作倒已经出来了，而且在镇级公路，情况不明。他回头看许平秋岳西那帮同行，他们反倒很安静，像在等什么。

嘀嘀几声，那边林宇婧飞快地拿起了麦，一边听一边记，回头和许平秋小声道：“2号报告，车在清远路段被截住了，是地方警察。”

“有没有货？”许平秋问，这是一直跟着“包袱”的内线，主要负责他的安全。

“他无法靠近，现在那个路段聚集的车辆已经延长了一公里，都被封着，似乎还在搜捕。送货人下落不明。”林宇婧道，语速急促。

这下子可把许平秋难住了，他一遍一遍踱着步子，甚至忘记了这是个什么环境，下意识地点着烟，大口大口地抽着，一口燃一大截。半晌抬头时，才发现一室人都看着自己。

要这么就流产了，实在让人心不甘啊。

“‘包袱’来电！”林宇婧突然一喊，神经质地拿起了闪着红灯的通信器。许平秋也急了，直接道：“放开频道声音。”

“喂喂，身份码四个2，发生了什么情况。”林宇婧呼叫着。

“妈的，被耍了，车上根本没有麻醉品，是枪械部件。”余罪的声音传出来了，听得一干人直噎脖子。此时无法顾及其他了，许平秋抢过通信器问着：“货在什么地方？”

“你问我，我问谁去？全车都是枪械部件。”电话里余罪怨声道。

一室人哭笑不得了，还有这种内线，许平秋马上意识到自己培养的是个什么货色了，放缓了声音问着：“到底出了什么事？你慢点说。”

“是咱们这边出事了，我们走这条路，就下午两边的四个人知道，还有一个坐在车上……应该是那娘们儿报的警，把我们卖了。不对，货肯定已经上路了……又被人放鸽子了。”电话里余罪急促地说道。

许平秋一下子恍然大悟，指着仪器道：“追王白那辆车。”

这边的技侦忙上了，他又对着余罪的通信说道：“你现在在什么方位？”

“黑灯瞎火的，我哪知道，手机还是偷的。”余罪道。

“你在原地别动，二号去接应你。”许平秋道。

“先别管我……我有个新发现，我觉得老傅不是贩毒的主谋。”余罪道。

“你觉得？有证据吗？”许平秋问。

“没有，不过……哎你听我说了没有，你不要觉得你个老警察，你就什么都行啊，这警察最不靠谱了，刚才看见我们就开枪，真没素质……这他妈就不是花钱雇我运送，根本就是内应外合灭我口呢。”余罪杂七杂八在电话里嚷着，火气大了。现在他明白了，地下组织也不傻，怎么可能用他这种疑点大大的人，顶多是当个炮灰再用一次。

一室的同行面面相觑着，有的在冷笑，有点在耻笑。许平秋关闭了扩音，轻声在话筒里说道："有什么话慢慢说，火气别那么大……说说，你到底有什么发现？"

他已经深谙和这号人打交道的方式了，没办法，监狱一趟，培养出人才来了，连他也得悠着点说话。他听着余罪汇报的新情况，等一会儿放下通信器时，脸上多了一层忧虑。

此时，另一辆几乎同时启程的大货厢已经接近检查站，厅里的机要秘书站在他身边，那是等着这位外省的同行作决定呢。

"抓！不知道在哪儿，就把所有涉案的，全抓起来！宇婧，查一查今天所有嫌疑人的行踪，还有谁没有冒出来。"许平秋眉毛挑着，看着屏幕上的大货厢，咬牙切齿下了一个这样的命令。

千小心万小心，饭还是夹生了，可咬着牙也得啃下去。

"莫哥，快过边检了。"司机道。

"过呗，沉住气，别慌乱。边检上有咱们的人。"莫四海道。

这一车走得很安稳，前面大货，后面小轿，以策万全，缓缓驶近边检站。莫四海开门跳下车，每天数以万吨的货物从路上通行，这里从来都是一个鱼龙混杂的地方，传说有人花五十万进检查站当临时工，只要干够三个月就赚了，这个传言别人不信，可莫四海亲自干过，他像往常一样，到检查站里找相熟的朋友。

人情社会有些事很简单，看看货单，开了车厢扫一眼，一挥手，什么事都完了。走私没那么神秘，真是滴水不漏，你想走私都难。

可是不对呀？他没有见到熟悉的那张脸时，心里泛起了一丝疑惑，出来了一位检查人员，那眼睛似乎带刺一般，让他很不舒服，他突然间心跳加速了，难道走漏消息了？

"同志，这是工作区，闲人免进。"检查人员出声道。

“对不起。”莫四海歉意了句，又放松警惕，刚转身，不料背后有人大喊一声：“莫四海！”

“啊？”他下意识地一回头，可不料只见得黑影扑来，跟着被大力一撞，刚才那个检查人员，结结实实地把他按在地上了。门里又冲出来几位，有人按着莫四海，有人搜他身，莫四海杀猪般地大嚎大叫，早警示了车上。车上的司机一看情况不对，放离合就跑，撞开了检查站的围拦，冲到了高速路上。

几处蛰伏的警车鸣着警笛，拦成两道，可不料这货厢横了心拼命，一踩油门，冲开了阻拦的警车。后面的警车翻滚着，轰声撞向边栏。

一时间这个检查站警笛大作，沿路设伏的警灯同时闪烁起来，后面跟着的一辆轿车里，疤鼠几人刚开门准备开溜，可不料前前后后已经围着一圈黑衣特警，十几支枪管顶着，这几位，只能乖乖地举手投降了。

只顾着控制这位恶名昭著的疤鼠，可不料货车司机居然拼上老命了，在高速上飙着。司机满头大汗，捶着方向盘，嘴里不忘骂骂咧咧，一会儿猛踩油门，一会儿狂按喇叭，前面越来越近的是辆清障车，长长的吊臂横在路上，远远躲着的设卡警察恶狠狠骂着：你撞吧，撞死你！

两头都急红眼了，司机冒着虚汗，猛踩着油门，车怒吼着，冒着长长的尾烟。那边的警察也疯了似的，把警车、清障车全部横在路上，堆了四层，后面飞奔而上的警员一个个拉着保险，急红眼地在朝天鸣枪。

撞上就粉身碎骨，生死一刹那间，司机选择了放弃，猛踏下了刹车。“嘎……”长长的一声，货车冒着黑烟拉了长长一道刹车迹。司机跳下车，往路外跑了，背后蜂拥而来的警车纷纷打开车门，涌出来一队追逐的警察。疯狂地追出两公里，十几个警察把人按在地上了。

车厢被打开了，贩运的是仿雷明顿制式猎枪。十大件货，一百杆，看得在场警察猛吸凉气。怪不得司机这么拼命，这要是武装起来，能和警察对着干了。

同一时间，太阳岛别墅区的杜立才接到了抓捕命令，他带着人赶到A16幢别墅门前的时候，居然发现门是开着的，而那位重点嫌疑犯傅国生，此时正悠然地坐在厅堂中央，泡着功夫茶。

“你们是警察？好像不是本地品种。”傅国生瞥了眼闯进来的几位汉子，带着几分不屑地说道。

“你有种啊，我就不信这次你还逃得过去。”高远掏着铐子，傅国生安然未动，被高远拎起来，反铐着，他很不舒服地耸耸肩膀道：“你们素质太低了，就知道抓人抓人，也不看看抓对了没有。”

“傅老板。”杜立才伸手拦住了，看了眼面带不屑的傅国生，他隐隐觉得这一次恐怕又要夹生饭了，此时他抱着万一之想，轻声道：“操纵交易的是不是另有其人？我传达一下我们上级的意思，如果你愿意合作的话，可以对你从轻处罚。”

傅国生严肃地看着杜立才，就在杜立才觉得他似有松动的时候，不料傅国生却笑了，笑着道：“我从来不做违法犯罪的事，为什么你们总是不信呢？要处罚我，总得有证据吧？哈哈，不过，介于你诚恳的态度，我可以告诉你，你们确实抓错人了，仍然会一无所获。哈哈……”

他笑着，笑得不可自制，笑得眼泪都快出来了，他大笑着走出了别墅，几乎有一种从容做楚囚的慷慨，连杜立才也开始怀疑，也许真的错了，从一开始全盘就错了……

风劲血烈

东江省厅由督察组成的调查组人未上路，命令已经下达，距新垦二十七公里的事发地联系上了，那里的汇报是抓到一个走私枪械的嫌疑人，人赃俱获，是寓港市公安局刑侦支队出的警。督察的命令很明确，出警的警员，全部隔离审查。

距这个事发地不到二十公里，是另一处烟雾刚刚散尽的案发地，大货厢被警车前后夹着回到了被冲得七零八落的检查站。省厅的指挥中心能看到检查站的场景，赃物起获了长短枪一百余支，嫌疑人五个，另有网上通缉的一个。虽然抓错了，可这收获也大了，省厅紧急派出去一个督导组，全程监督抓捕的审讯。

画面上，封锁的检查站内院成了枪械展览场所，用于拍照留证的占了半个院子，嫌疑人蹲了一排，车上查了几遍，除了四十件零散汽车配件，其余全是枪械。初审没有选择疤鼠王白，而是在莫四海身上打了缺口，据他交代，这是接了一个订单帮别人运输，而对方是谁他也不知道。反正这行是认钱不认人，有订金到账就干活。

那老板是谁呢？莫四海指指蹲在外面的，居然是疤鼠王白。

这倒也像这位通缉犯的风格，他不敢干的事还真不多。

审审他，还是算了？那家伙对自己的姓名、籍贯也都极力否认，用专业术语来讲，这是坚决与人民为敌的货色，你甭指望他能服软。

大案惊动了寓港警方和滨海市局，陆续有物证上的、反黑上的向案发地进行管制，影响到检查站正常过关了，不得已协调海关方面，向深港四号路检查站增派人手，即便从画面上看也看得出现场忙乱。那辆大货厢四周被无数警车和警戒的警察包围着，去向被阻的车辆现在已经有数百辆了，这是个连环的影响，高速交警的压力骤然加大，也在往这里增派警力维持秩序。

有没有货？

现在现场的这些警察不在乎什么耸人听闻的麻醉品了，就这些枪械都足够忙乎的了，而且也不用担心省厅组织大行动的说辞了，毕竟“摧毁”了这么大的贩卖枪械的团伙。

那到底有没有货？

许平秋此时都有点动摇了，同行们围着检查站那里的视频指指点点，他一个人还在一支接一支地抽烟，这个习惯很不好，东江方面的几位女技侦不时地投来厌恶的一瞥。林宇婧倒是发现了，不过她可不敢提醒，生怕打断许平秋的思路。

“老许……你来……”

李厅长唤着，许平秋惊省了，快步上来，李厅长拉着他，在众人显得有点疑惑的眼中出了门。楼道里，厅长质问上了：“我说老许，这到底怎么回事？到底是枪械走私，还是毒品走私？”

“我也纳闷呀，这帮人就都是我们调查运毒案子发现的，全是贩毒一线牵出来的嫌疑人。”许平秋苦笑道。捉王八吧，谁想逮了只绿毛龟上岸了，实在让他哭笑不得。

“也罢，好歹我们没白忙活一场……你是不知道，我心有多悬，真是那辆大货厢什么也没有，你让我厅长的脸往哪儿搁？对了，还没问你，你们放出去的外勤发现什么新情况了？”李厅长问。

没想到厅长还注意到了这一层，许平秋疑惑道：“他说，肯定有麻醉品，已经在运送的路上了。”

“又来了，我怕了你们了。”李厅长一扬头，难以置信了。

“看看，不是我不告诉你，你不相信而已。”许平秋道。

“你让我相信容易呀，拿出证据来，还有十几组的警力窝着呢，快一天了，铁打的也扛不住……”李厅长道。估计就是为这事，许平秋赶紧拦着：“别，李厅长，您再等等，我向您保证，绝对不会让他们空等。”

许平秋又在开空头支票，他很容易就能抓到上级的软肋，都期待在某个大案中一战成名，这个办法他屡试不爽。果不其然，一看许平秋这么笃定，李厅长脸上的表情消失了，他严肃地看着许平秋，审视着，能到他这个位置，就即便不是警务出身人士，可也属于那种高人一筹的人精了，片刻后他说道：“你虽然不是我的属下，可你的大名我也听说过，如果不是崔厅力荐，我还不敢让你挑这个大梁。你可想好了，现在我可以给下属们一个‘保密’的托词，再往下等，万一等空了，这儿可就是你的滑铁卢了。”

“谢谢李厅长……不过，我还想等等，我觉得这仅仅是一个开场，大戏还没开始。”许平秋道，强自镇定着，怎么看也像胸有成竹。

李厅长盯了片刻，点点头道：“好，我可以等，不过对于你的计划我持保留意见。”

说罢李厅长回身进会议室了。许平秋怔了下，这一趟子，算是把东江的同行惹干净了。他在楼道里踱着步，看看时间，已经二十一时整了，这个时候，他在计算着离交易的时间还剩不到半个小时了，交易一切正常，根本没有受到影响。

他重新开始整理着思路，内线的信息和外线的侦察都显示交易就在今天，计划的确定不仅仅是参照了“包袱”发回来的信息。他觉得没有错，一定有交易，只是被刻意地掩盖住了。此时他最奇怪的是，那些货，会怎样在天罗地网的包围中通关过去……

“富佬，我们已经到了……钱嘛，你放心，现金，这次对不住了啊，款项太大，我实在不敢全部打给你们……你们还得多长时间？哦，好，我到地方等着……”

电波从一辆黑色的MPV上发出去，这辆车行驶在广株高速上，保持着匀速前进。打电话的刚刚挂掉，手机就被身旁的人拿走了，然后他唉声叹气地垂下了头。

“表现不错……张安如，抬起头来。”邵万戈冷冰冰地说道。对面抬起头的人，四十多岁，浓眉大眼，一派成功人士的表象，被秘密拘捕已有数日。这个棋子到今天终于用上了，邵万戈教着注意事项道：“一会儿下车你和他们交易，平静点，别让对方看出破绽。你指挥他去验货，对方也会来验钞，一有危险，你就躲到我的身后，防弹衣，穿上。”

邵万戈递了个马甲，嫌疑人此时哀叹了几声，换上了防弹马甲。他听到了有人在汇报着接货的地点：G45路段。

“注意一下，我宣布一件事。”

李厅长敲着桌子，示意着围观检查站缴获的众人。他清清嗓子道：“关了，把检查站一带的视频关掉，接下来的行动，由岳西省公安厅刑侦处长许平秋同志全程指挥，交通、信号、追踪、通信，你们协调一下，换到一个频段上。”

不少人怪异地看了许平秋一眼，不过立刻转身忙碌上了，岳西禁毒局的几位技侦把特征码交换一下，在刚刚还嘈杂的检查站视频上，显示出来了GPRS的定位，这是警务通全国天网的联线追踪，从一个红点，扩大、扩大，再扩大，公路、机场、楼宇，慢慢地缩到了一辆高速上行进的车辆上。

还有嫌疑人车辆?

大家在奇怪时，许平秋发言道："这是刚刚联系上的贩毒分子，他们刚刚和我们精心安排的诱饵通过话……我现在丝毫不怀疑，贩毒和贩枪械的有某种联系，今天夜里共同出货，这次是一个庞大的手笔。"

"宇婧，预定在什么地方？"

"G45高速路段。"

"把这一段高速路况放出来。"

东江省方面的技侦快速地调着交通资料，路面宽度、隧道、高架桥、河流，整个刑侦路况的立体图呈现在屏幕上，此时追踪到的车辆意外地在诱饵车辆的后方。不过这不奇怪，对于有点常识的人都看得出来，这是对方跟在背后看有没有危险。

许平秋凛然回头，看着李厅长，这一刻，他等了足足半年了。他兴奋着，却以一种平稳的口吻说道："李厅，可以开始了吗？"

"好，由你全程指挥。"李厅长重重一捶桌子，同样兴奋了。

"协调高速交警，五分钟内全程封锁G45高速路。"

"16组、9组、3队、8组……向花桥、北兴、高平三镇集合，目标是外围的镇公路，以防有人漏网。"

"7组、4组，保持时速70公里行进，随时准备机动支援。"

"空乘组现在可以起飞了，很快就会有目标出现。"

键盘在响着，连续发布的若干条命令，几乎调动了滨海以北布置的所有警力。听到"空乘组"的名字，看到地勤直升飞机的启动，不少在场的高衔警官吃了一惊，能动用东江警方直升机出警的案子，怕不是小案子了，心生凛然之时，都看着李厅长，而此时李厅长却是一副作壁上观的态度。

时间，在一点一点流逝，这种时候，时间总是过得特别慢。嘀嘀作响的红色信号发亮时，那是说明目标开始通话了，大家都看着林宇婧面前的通信仪器，有声音发出来了：

“老如……你前面就要路过一个宽阔地，那儿有人行步梯，我们的人在下面等着，你下来接货吧。”

“在哪儿，我看不到？”

“再往前走……能看到确认车距的标示。”

“哦，看到了……兄弟，高速路你让我怎么停车？”

“我管你怎么停……我们就在路下面。”

声音刚落，技侦的信号追踪就开始了，诱饵车和目标车几乎已经并行了。前方不到三公里，高速路横穿过一片平地，原来设想的隧道、高速路桥交易计划全部作废，卫星的追踪开始往事发点移动，一移就是漫长的等待。

谁可能想到嫌疑人让你在高速路违章停车呢？

“交易开始了。”林宇婧道，接到了信号。而此时，卫星监视以及后续增援还没有到位。这个网撒得太多，还没有来得及扎紧口子。

“灵活处置，不许放跑一个。”许平秋淡淡地说道。最终的抉择开始了，他却平静了。

尽管这个时候，网还没有收拢。

“怎么是你们送货，疤鼠呢？你们谁呀？”张安如强忍着慌张，问了句。黑乎乎的环境，就见路标灯光显得有点诡异，对方停在高速路下的一处空地，相隔几十米，说话得大声喊。

“你是来买货，还是买人呢？是疤哥让我们来的。”对方口气不怎么友善。

“好好……管你谁来，有货就行。”张安如道。往下是一道步梯，直通路下，不确定敢不敢下，还是邵万戈扶着人，恭敬道：“老大，慢点。”

几乎是挟着人下车，对方四人，车上一位，车后两位，迎接的一位，拦着问：“钱！”

“下来。”张安如招招手，上面的人提着两个大箱子下来了，张安如按定好的程序问：“货呢？”

对方让开了，张安如挥手让手下去验，大货厢一开，跟着这里的钱箱也开了。没错，实打实的人民币，捻了捻真假，数了数墩数。邵万戈却是心揪车上的验证，冷不丁听到传来约定好的声音：“大哥，货真价实，可以开始了。”

邵万戈一拉张安如藏在身后，另一只手拔出了枪，怒叱道：“别动，警察！”

来交易的人一蒙，下意识地举手，提钱的飞奔而上，枪托一砸车窗玻璃，枪顶到司机的脑袋上。车后的见势不妙刚要拔武器，邵万戈随手一枪，砰声撂倒一位，那一位吓得钻到车底下了，车后厢验货的刑警砰砰连开几枪，那人吓得扔出枪来，大喊道：“别开枪，投降！”

四个人，瞬时解决。刚刚解决战斗，却不料从路面上反冲回来一辆车，邵万戈没想到这个放给前方堵截的嫌疑车辆折回来，他大吼着：“小心……”

跟着是砰砰连开数枪，车上的匪徒手伸出来砰砰回应。车距缩至百米以内时，那辆车突然斜斜地直刹着，车窗里又伸出来一支枪开火。路上留守的刑警急了，以车为掩护，侧身还击，二队的李航本就是退伍出身，他一拉后厢，拔着微冲，一踩高速护栏，飞身上车，冷不丁从车顶上飞身而落，来了一串速射，霎时把两支手枪的火力压制下来了。

或许也没有想到警察对战的火力如此之猛，匪徒也急了，那车打着旋，后倒着，蛇行速退。李航刚刚落地，第二个弹夹换上，不料车窗里呼呼呼扔出几个家伙来，然后车急速地后退着，一打旋，跑了。

“趴下！手雷！”李航吓了一跳，把刚露头的队友赵昂川一脚踹了回去。

说时迟，那时快，路面上两个，路底一个，轰轰轰几声爆炸声起。响声刚过，邵万戈一看起火的货厢车，大喊着救火，没人应声，他顾不上压在身下的张安如了，奔上路面，扶着蒙头蒙脑的赵昂川，赵昂川一惊省，大喊着李航的名字，连滚带爬，在硝烟未尽的路面上，摸索到了队友软软的身体。他抱着队友的身体大喊着："李航、李航……醒醒……队长，队长！"

他手里一片都是血，邵万戈顾不上难过了，对着通信器大吼着："呼叫家里，有队员受伤！重伤，快点！我们没有救护能力……"

"队长，怎么办，怎么办？他还在流血……"赵昂川悲恸之下，染血的手哆嗦着。他看着气息渐微的战友，号啕大哭了。

"李航，你坚持住……直升机马上就来了……"邵万戈安慰着，不过看着队友，他一下子无法控制了。带着哭腔地在通信器里吼叫着："快点呀……许处，让救援再快点，人快不行了……"

场面肃杀而恐怖，站在车上的刑警咬牙切齿，照地上就是一枪，吓得趴着的被俘人员不敢动了。听到枪声的邵万戈回声疯狂地嘶吼着："谁要再敢动，当场击毙！"

被俘的嫌疑人脸贴地趴着，浑身一阵哆嗦。作为"污点诱饵"的嫌疑人张安如蹲着，双腿发抖，不敢看那位躺在地上被击中颌部的贩毒分子。此时他才感觉到，自己的裤子湿了一片。

突突的直升机声音响起来了，大型探照灯照在路面刚刚爆炸后的现场，两位北方汉子在挥手，在声嘶力竭地呼喊着，他们的怀里，抱着一位满身是血的人……

这个画面出现在刚刚回传的屏幕上，不少人的眼睛湿润了，轻轻的啜泣声起，是一位女警在抹泪，没有人觉得她失态了，只有更多的人轻拭着眼睛，心里默默为这位不认识的警察祝福。

许平秋抹了把脸，无声无息消灭了眼部的酸楚，一直以来，他是以一个铁面无情的形象著称的，今天依然如此，他在平静地发布着最后的命令："七组、四组，有一辆逃窜的红色现代车，拦住！不惜一切代价，拦住它！

"各组注意，匪徒持有枪械、手雷，极度危险，我们一位警员刚刚受伤，如果无法生擒，可以予以当场击毙……重复一遍……"

命令发布出去了，满屏渐多的警车和警笛，像潮水般地涌向出事地，那里成了红蓝警灯的海洋。而在远程指挥的这些人却欢呼不起来，李厅长起身上前，拍拍许平秋的肩膀道："走吧，我们去接受伤的同志。"

"罪魁祸首还没有落网。"许平秋眼睛空洞道。

"他跑不了，有上千警力在追他。"李厅长道。这一战，已无悬念，而这位同行，让他震惊。不过一个小组的警力，却正面对决了武装贩毒分子，这才是最值得同行尊敬的地方。

不过，许平秋又给了他一句更震惊的话："不，不在车里，可能已经跑了。"

一室皆静，匪夷所思的缴获之后，谁也知道应该是一个匪夷所思的大枭，可这个大枭，能追上吗？

这个时候，一直被林宇婧拿在手上的通信器突然响起来了……

全城追猎

大海有时候像一位温柔的少女，风光旖旎，惹人遐思；可有时又像一个暴躁的悍妇，波翻浪涌，让人恐惧。

很不幸，余罪在她脾气不好的时候光临了，坐在冲锋舟的仓里，他紧张地握着船舷，船在水面上如箭矢一样飞驶着。余罪直觉得真他妈恐惧，浪花像石渣子，打在人身上生疼生疼的，跑得比拖拉机还颠簸，颠得人全身器官似乎都要错位了。

开船的是位神秘人物，他知道是许平秋麾下的人，可这人野起来真他妈不像人，从新垦出事地，人家是骑了摩托车来的，那车像生死时速一般飙到海边，然后又借了艘冲锋舟在水上继续生死时速了。

“喂……你慢点，赶着投胎去啊，吓死人了。”

余罪大吼着，压过了发动机的声音，四周一片黑暗，恐惧得像某个可怕的梦境。

“你忍着点啊，第一次坐船都不怎么舒服。”对方回头喊道。

“我认识你。”余罪突然听出了这个声音，他努力地向前挪了十几公分，捅捅那人的腰大喊着，“我认识你，你是把我送监狱里的那个王八蛋！”

“哈哈……怎么了？小子，想找我报仇？”对方哈哈大笑道。

“等下了船老子再找你算账。”余罪凶恶道。不过气场太差了，有东西涌上喉头，他强咽下去了。

“别说话，海风灌进去更难受。你得感谢我，当时许处给了十个人让我选，我一眼就相中你了，进过一次监狱，你的人生就比大多数人都要完整了。比我都完整，我想去都没让我去。”前面的汉子，笑着断断续续说道。

“你大……爷……哦……”余罪骂了句，呛了口海风，再也忍不住，俯身狂吐着，前面那汉子哈哈大笑着，一拧油门，速度更快了。

一叶飞舟，向深海处飚去，接近午夜的时候，和这里的海上缉私船接上头了。

红色的现代，此时也像暴风雨中的一叶扁舟，在高速路上飙到了一百四、一百六……再高，驾车的焦涛手都要软了。

身后数不清的警灯在闪烁着，左右数不清的警车在呼啸着。副驾上的韩富虎在不时地向外射击，试图阻挡追来的车；后座的雷洋射击的间隙，偶尔扔一颗手雷出去，不过那玩意儿在空旷的高速路上，对厚厚的钢筋水泥铸件起不了多大的破坏作用。后面的警车保持着一个安全的距离，不开枪也不靠近，像在玩一个猫捉老鼠的追逐游戏。

飙了十几公里，韩富虎突然省悟了，来向去向都没有车，全部是警车，这不是随机的，而是早布下网了。他心胆俱裂地回身用枪顶着焦涛吼着：“王八蛋，是不是你告的密？我们被包围了。”

“富哥富哥……不是我，怎么可能是我，我一直跟着你。”焦涛吓坏了。这个时候，人都快成野兽，一个不小心，他真怕自己下一秒钟就被报销了。

“是不是傅国生？”韩富虎凶巴巴地吼着。

“不可能，交货地点是咱们临时定的，我都不知道。”焦涛慌道。

“那、是、谁？！”

韩富虎快成疯虎了，他用枪托敲着车窗，嘭嘭作响。突然一声急刹车，他回头要砸焦涛，却不料眼神一下子被冰冻住了一样。

车子斜斜刹在路边上，几乎冲出路面撞上护栏，而车的前方，满满地排了足有半公里长的警车，静默着，只有红蓝相间的警灯在闪烁着。身后的警车在同一时间停下了，保持着安全的距离，同样在闪着警灯，红蓝相间，仿佛一片预兆末日来临的符号，把这里染成了肃杀的绝地。

韩富虎疯了，真的疯了，他躲在车门后，连开数枪，勉强遮着前后，他回头吼着同伙：“雷子，横竖都是他妈一死，拼了！”

“拼了，老子早活得不耐烦了。”另一位悍匪激动得额上青筋暴露，一拔安全钥，甩手就是一颗香瓜雷，可不料强中更有强中手，一声奇怪的闷响，那飞向警车的手雷在空中像被一只大手抓住了，直接被击出路外轰然炸开，满场警察无人现身。

完了，韩富虎哀叹了一声，丝毫不用怀疑，这些警车后不知道有多少枪口已经对准了他。之所以没开枪，那是等着抓活的。

一百米外，全副武装的狙击手透过夜视镜，正看着三个嫌疑人的一举一动，平静而又冷漠地汇报着：“目标锁定。”

“待命。”

现场的指挥来自于第××特警基地，犯罪率越高的地方，警力的素质也会相应越高。东江省厅把轻易不动用的反恐特警队伍都调出来了。

指挥员持着喊话器，一如平时在训练场地上那样，丝毫不带感情色彩的口吻喊着："给你们十秒钟时间，缴械投降，否则就地击毙！计时开始，十……九……八……"

声音被功放扩到最大，冷冽得似乎刺人心魄，像挟着千军万马的气势，随着渐渐露头的枪口，被包围着的犯人感到了极大的威慑。

"七……六……五……"

声音铿锵如铁，是一股凛然不可犯的威严，在一片肃杀的红蓝警灯中，排山倒海地涌来，让人心悸。

终于有人受不了了，焦涛扔了武器，从车里爬出来，高举着双手喊着："投降，别开枪，我投降……"

后面雷洋一看，火了，扬手就是一枪，焦涛应声而倒，几乎在他开枪的刹那，一颗子弹呼啸着擦过车窗，洞穿过雷洋的额头，这位悍匪保持着开枪的姿势，直挺挺地向后倒下去。

贴身的兄弟轰然倒地，韩富虎手一哆嗦，枪拿不稳了。

"四……三……二……"

生命进入了倒计时，在最后一秒钟，韩富虎闭着眼，咬得下唇出了血。他把枪口紧紧地顶在太阳穴上，眼前飞掠过一幕幕让他留恋的人世间，他知道，不管是拼着最后的血性疯狂，还是放下武器投降，等待他的都是同样的一个结果。

"妈的，老子的命，老子说了算。"他脸上浮着诡异的笑容，这一刻仿佛顿悟了。

"砰！"一声枪响，全场死寂。

只有他身边放着的手机里还响着惊恐的声音："富哥，富哥，你怎么了……富哥…"

指挥部在五分钟后得到了这里的战报，击毙一名，畏罪自杀一名，另一名重伤。

指挥部里唏嘘四起，大家长舒了一口气。看过很多大型行动的过程之后，最惊险的警匪大片也会索然无味，因为现实比故事总是惊险很多，惊险到惨烈！

屏幕上，现场正在清理拍照，伤者姓焦名涛，子弹穿透肺叶，正被运上救护车紧急手术。闪耀的警灯下是忙碌的警察，很多人到现在为止都不知道自己参与的是什么案子，更不知道发生了什么事。对于这个职业，不管是屏幕上还是在现场，看惯了那种血淋淋的场面，有时候会平生一种冷静。

指挥部，同样一片寂静。只有交易现场的清点回报。

“……目前已经确认，货品是高纯度GHB，禁运麻醉品，被嫌疑人嵌在化妆品里通关非法运输，已经清点出来的有一百公斤左右，整车去掉伪装，累计有五百公斤以上，清点时间还需要两到三个小时……”

枪械、麻醉品，这个足够分量的大案让东江省厅的一群中层瞠目结舌了，不过脸上多少还有点喜色，毕竟是东江警方破获的大案要案。不少人都悄悄地瞥眼看着李厅长，新型毒品刚刚在禁毒大会上提出，还在研究阶段，而这里已经抓到实例了，一案的功绩足够让东江警方在全国名噪一时了，

当然，现在很多人已经记不起，几个小时前集体质疑岳西警方那位老警的事了。

行动接近了尾声，但一场更大的行动又展开了，滨海、寓港本市的“扫毒”行动拉开了帷幕。作为呼应，远在岳西的五原市也在同一时间开始行动，交通监控上满屏疾驰的都是警车，两方省厅的指挥员在亲切地通话，偶尔会传来爽朗的笑声。

这一夜，是所有警察扬眉吐气的日子。

“平秋。”李厅长不知道什么时候换成了这种和蔼的口吻，待许平秋回头时，他起身，指指屏幕问着，“这位韩富虎是不是案卷中提到的‘富佬’？”

“不是，富佬是本案真正的幕后，手里应该掌握着供需的名单、渠道以及这些年他们的毒资流向、洗钱渠道。”许平秋道，想了想，回

身对着仍然迷茫的同行道，“这个团伙在运输中惯用的是舍车保帅的做法，没想到的是他们今天用了三路疑兵，第一路是在新垦，这一路是我们的人，我们前期工作很深入，不但打进了走私集团内部，而且其中一个团伙头目被我们的人取而代之，我想他们对我们这位已经起疑，所以索性用了这样一个弃子，给他拉上一辆废弃的枪械部件，然后再通过内线举报他。如果有问题，就是咱们自己打自己的脸了，如果没问题，就只当给其他两路打掩护了。”

明白了一点，有位同样在刑侦上和许平秋有过数面之缘的同行出声问道：“第二路用通缉人员疤鼠一伙，表面上明目张胆，不过现在看来，还是很有深意的，最起码把我们的目光都吸引到他身上了。”

“对，这个犯罪团伙能屡屡逃脱打击，我一直怀疑他们中间有一位谋略眼光很强的人，傅国生被捕，是贩毒加谋杀的双重罪名，对方不可能不知道我们肯定要进行深入侦查，而这个时候却把劣迹斑斑的王白、莫四海两人放出来，几乎是告诉监视的警察，他们要有动作了。我现在怀疑，王白、莫四海，或许根本不知道后面的动作。”许平秋道。

这个不难证实，不过不得不否认对方成功了，在G102深港高速出事，大批的缉私、高速交警、警力被调往此处，而另一处通向滨海的H32高速全程放开了，那辆满载着GHB的货厢车，就在这个时候大摇大摆地过关了。

全场寂静，都在第一时间想到了一种可能。

“查查海关的302检查站，那儿有内应。”李厅长轻描淡写道了句，机要把这句话记下来了。这种事大家都见怪不怪了，利益的驱动下，不敢出卖的东西还真不多。

停顿片刻，李厅长问道：“平秋，看来我们还是上当了。”说是上当，不过是笑着说的，现在大家看明白了，计划里那个关键的部分，也就是用买家钓鱼的关键部分没有露出来。李厅一直支持许平秋，恐怕是因为知道这个计划的缘故。

“对，上当了，我只想过非此即彼，没想到他们处心积虑做了两路幌子，幌子还都是干货。任何警察看到缴获如此之多，肯定想不到，这也是掩护，更大的还在后头。”许平秋道。

虽然上当了，不过他仍然笑着道：“博弈的时候，谁的后手多，谁的赢面就大，虽然我们没有看到对方的后手，可对方同样无从知道我们的后着。和他们做交易的嫌疑人张安如，在两周前已经被我们秘密传唤，之所以能抓到这个人的原因，是因为上一次交易，送货人就是我们的人，‘包袱’提供了他的画像。所以，这一次交易全程都是我们设计的。虽然钓出鱼来了，没想到差点被挣破网，谢谢东江各位同行，没有你们，这个任务根本完不成。”

有人鼓掌了，是为这个精彩的筹划，可更多也是为这位同行的心胸，放下门户之别，倾力合作，可不是所有人能做到的。一人鼓掌，引起了一室人鼓掌，一排技侦都羡慕地看着林宇婧，同样报之以一阵掌声，辛苦半年，今天才觉得一切都有所值了。许平秋却是有几分江湖味道地双手合十，满口直称“谢谢”。

“不要谦虚啊，太谦虚就是骄傲了。”李厅长开了句玩笑，随后还是有点狐疑地问道，“正常情况下，我们是接触不到犯罪团伙的核心的，你一直在这儿等，是不是……难道追到富佬了，究竟是谁？”

“其实一直就在我们眼前。”许平秋示意了一眼林宇婧，她在调着资料，就听许平秋说道，“我本来以为是傅国生，不过监视过程中，所有关键节点都没有他通话指挥的迹象，而且他好像被架空了，所以应该另有其人；后面在王白一伙人落网时，我怀疑是韩富虎，可这么悍烈的匪类，我就算再高看他，也不应该是有谋略眼光的人……那就只剩下一个人了，谁能把傅国生、焦涛、莫四海、王白、韩富虎这些人全部连结到一起？这几个人各有山头，还不是一个团伙。”

答案，慢慢地在林宇婧的电脑上显示出来了。不少人看到时，眼光里俱是惊讶、愕然，甚至带着不相信的成分，发出一片唏嘘之声。

——是沈嘉文。傅国生的姘头，那位风情万种、一直被监控忽略过的人，满屏都成了她的照片，和本案所有牵涉的嫌疑人都有交集。她也像一个美丽的符号，把这些人渣巧妙地全部联结在了一起。众人此时才想起，本次行动中很多关键的节点，她都以一个不关键的形象出现，几乎所有人都把她当成那种普通传话拉线的姘头，更重要的是，运输开始后，这个女人在港口就消失了。

“应该是她，韩富虎最后一个通话去向是海上，唯一漏网的，只有行动开始时就已经上船的这个女人。”许平秋有点懊丧地说道。

“坏了，我们主要目光放在王白、莫四海以及后来的交易上，如果是她的话，那应该已经出境了，寓港可是蛇头聚集地，找辆船出海太容易了。”东江省厅那位刑侦同行懊悔说道。只要离开东江，消灭本案的痕迹，加之直接联系人一死，怕是就算抓住她也难指证了。

“还有机会，如果运气好的话，也许我们能追回毒资和供需渠道。”许平秋笑了，这一句话真是语不惊人死不休了，刑侦这一行传说中的奇人没有几位，而许平秋无疑就是其中还在职的一位，今天大家算是领教了，处处出奇，后手绵绵不绝，似乎已经料敌于先机一般。

看到同行的惊讶，许平秋却稍有难堪地说道：“大家别看我，最早发现沈嘉文有问题的不是我，是内线。在这个问题上我的失误很大。”

就像心有灵犀一般，许平秋话音刚落，林宇婧那部怪模怪样的高频手机又响起来了。此时惊讶的警察们才发现，决定今天胜负的，不是这位声名远扬的许神探，而是那个不知道藏身于何处的内线，那是射进敌方阵营的一颗榴弹，再坚固的阵营也会被洞穿、摧毁……

“你们距离目标还有多远？”许平秋焦虑地问。

“不知道，反正不远了……妈的，这臭娘们儿又骗了我一回，怎么着也得把她弄回去。”

对方恶狠狠地回应道。现在，这句流氓味十足的话没人笑了，只觉得比天籁还动听，抓住一个毒枭，那可是足以让警衔都熠熠生辉的事，哪怕仅仅是参与者的身份，也觉得这是一种无上的荣光。此时，所有人和前方的那位心灵上都产生了共鸣，有着同样的心思：

把这个娘们儿，弄回来！

第六章
曙光来临的前夜

终极标靶

浪高三点五米，风向东南偏东，一艘渔轮在海中颠簸着，起伏着，只有船头的航标灯折射在起伏不平的海面上，周遭一片漆黑，只能听到浪花的声音，扑面而来的是带着腥味的空气。

船舱里很湿，很潮，很黑，沈嘉文从船舱里出来，上了旋梯。船上的船员正在校正航向，看到她进来时，船老大邓汀一恭敬地叫了声：“老板。”

“还有多远？”沈嘉文问道，通红的眼睛熬得血丝满布，这一夜她仿佛老了十岁。船老大看看海图回了句：“几十海里，再有半个小时就到公海上了。”

“你们看着点……老邓，你来一下。”沈嘉文唤道，自行出去了，站在船头。

这一趟栽了，船员们基本都知道了。如果普通货物走私的话，对于他们没有影响，无非是挣点辛苦钱而已；可老板就不一样了，经常在沿海地带的老板们赌上全部身家走私一趟，成船的货物只要通关进港，眨眼就是富甲一方，不过如果被查到的话，很多人选择是直接跳进海里，一了百了。

见惯了那些一夜暴富和一夜赤贫的事，船员都不惊讶，只是看着娇滴滴的女老板有点可怜而已。邓老大出了机舱，随手拿着罐饮料到了舷头，递给若有所思的沈嘉文，安慰道："沈老板，别想不开啊，输赢正常事，这条海路，能有一半挣钱的就不错了。"

"呵呵，你跟了富虎几年了？"沈嘉文突然问道。

"七八年了吧。"邓汀一道。他有点不解，只听沈嘉文又淡淡言道，"换老板吧，他回不来了。"

"什么？"邓汀一吓了一跳。沈嘉文拍拍船老大的肩膀道："我可能也回不去了，把我送公海上，有人接应……钱会照付你，以后有事，我会让一位叫金龙的联系你，不过短时间恐怕没有什么生意可做了。"

"沈老板……这个，出了什么事？就走私点货也是罚没的事，韩哥的身家，我这个小渔船可装不下。"邓汀一不太相信道，走私海路七八年，韩富虎积累了多少身家，他就算不知道也猜个八九不离十。

"身家倒是还有，就是命没了……别问了，就当没认识他和我，对你有好处……再快一点，出到公海上叫我。"沈嘉文叹气，拍着邓汀一的肩膀道了句，又把饮料递了回来，转身下船舱去了。

简单的后事交代完了，也许这能为未来留下一颗火种。她进仓时回头看了眼，好不落寞。

飘飘的衣袂，飞扬的长发，在昏黄的航标灯下，让邓汀一看得愣了下，这难道还是曾经和韩老大泛舟海上，羡杀同道的沈美女吗？发生了什么事，那位叱咤这一行数年的韩老大居然没命了。他的心跳了跳，回想着成船的货，心里暗自庆幸着，亏是在陆路被逮着了，否则自己的身家也得报销了。

心神刚定，猛然间海啸突出一般，刺耳的警笛声响起来了，十几束探照灯照向渔船，领头一艘站着十余人，有人在持着扩音大喊着："渔船0235号，我们是海关缉私队，马上停船，接受检查……"

这是惯常遇到的海上临检，针对的就是这些挂羊头卖狗肉的渔船。邓老大刚走两步，沈嘉文奔上来了，老邓安抚道："没事没事，咱们是空船，一会儿问你就说是我家属。船舱只要没货，他们一般看一眼就走。"

"哦，那拜托了。"沈嘉文握握邓老大的手，转身下去了。那手好冰凉，让老邓异样了一下。

停船，搭桥，临检。不过和平时仅来几个人不同，只见板桥飞身上来的缉私武警足有十几人，而且个个如临大敌，真枪实弹地守着船头船舷。带队的武警直接闯进机舱，接管了船只，嚷着船长和大副出来了。邓老大赔着笑脸，递着烟笑道："各位各位，我们刚出海，不是回来的，船上是空的，真的，不信你们查查。"

"检查。"领头的二话不说，把船长和大副控制了。沈嘉文站在门口，侧身让过了，请道："查吧。"

叫开门的缉私警突然笑了，他脱了帽子，向船上喊着："小二，下来。"

"别动。"有人看沈嘉文刚刚一动，马上枪指上了，随即她被两名剽悍的缉私人员反铐上了。怒极的沈嘉文口不择言骂着："我是船长家属，你们是谁，凭什么抓人？"

"呵呵，不认识我们，认识他吧。"缉私警道。

旋梯上，下来了一位狼狈不堪的男子，打湿的衣服还没换，脸色惨白，正是晕船吐得翻江倒海的余罪。他故作惊讶道："哇，姐姐，你怎么在这儿？船长怎么会是你家属？难道你和水手还有一腿？"

有人忍不住笑了，沈嘉文却惊得眼睛都几乎凸出来了。余罪上前半晌，她才惊恐地问道："你、你到底是谁？"

"我告诉你，你答应一定坚强啊。"余罪像是万分怜惜，却也很有几分得意地说道，"我是警察，你不会意外吧。"

沈嘉文突然明白了这一切究竟是怎么回事。她一双美目几乎要冒出火来。

"你、你……"刚说了两个字，沈嘉文一下子气得两眼翻白，嘤咛一声，昏厥了，软软地靠着门倒下了。有缉私警赶紧跑来搀着，省海关署直接指挥的任务，她正是要抓的人。

“看看，告诉你了要坚强点嘛。”余罪贱贱一笑，倚着门。终于没有白辛苦一趟，他摆摆手示意着另一位道，“老二，查证的事你办吧，我不会。”

“谁是老二？”02号特勤不悦了。

“你是2号，不叫老二叫什么？反正咱们俩一个小二、一个老二，都够二的，屁颠屁颠从路上追到海上，追女人没有咱们这么辛苦的吧？”余罪道。

02号特勤笑了，他指挥着人控制现场，他本人却戴着手套，在这个小小的船舱里翻找着。不一会儿，就在一个精致的小皮箱里发现了护照、钱、银行卡、加密的PDA。他一个人忙不过来，指挥着余罪把全程录下来，在又找到两部手机和几张SIM卡时，他异样地笑了。

“你笑什么，这么贱？”余罪问。

“这得把禁毒局的同行嘴笑歪了，想抵赖都没门了。”02号道，看余罪不解，他奇怪地问着，“小二，你在警校里是不是个差等生？”

“你怎么知道？嗨，说谁呢，谁差了？”余罪不服气了。

“一看你这傻样就知道，抓人难，定罪更难。可这回，一点都不难。”02号高兴说道，“这些卡里，应该能和他们毒资转账的上家联系到一起，这两部手机和SIM卡，应该是韩富虎最后通知她用过的。说不定PDA还存着禁毒局最想得到的分销名单……哈哈，完整的证据链，这么大功劳，怎么让你个草包全摊上了。”

“老二，别他妈以为给你个笑脸，以前的事就不算了啊。等这事了了，再给你算账。”余罪心喜之下，笑着威胁道。

“单挑你打不过我。”02号笑道。

“我警校兄弟百八十号，群殴殴死你。”余罪恶狠狠地道。

“那你得先找着我，任务一结束，你想见我都难。”02号得意道。

两人你一句我一句，多是互不服气，人身攻击，不过一个战壕里拼了一夜，也没什么芥蒂了。

搜索完毕，02号看到沈嘉文已经悠悠地醒来，耷拉着眼皮，咬着下嘴唇一言不发。两人从仓里出来时，却不料沈嘉文突然对着他呸了一口，余罪尴尬地躲着，不迭地说道：“姐姐，别怪我啊，你不说下半生幸福全靠我了……我给你找了个好归宿啊，不用这么风里雨里打拼了。”

呸，又是一口，吓得余罪落荒而逃。上了仓口时，02号拉了他一把道：“小二，你不要这么贱行不行？你小心把人家气出个好歹来。”

“哎呀，其实我真有点可怜她。”余罪一屁股坐到仓口，感慨道，“出事恨不得掐死她，现在这样，又恨不得把她放了……老二，你说我这是一种什么心态呢？”

“何必想那么清楚呢，咱们是警，她是匪，天生就是天敌。”02号坐下来，点了支烟递给余罪。余罪抽了口，问道：“有那么激烈吗？我觉得她也不是那么坏，一女人家，挺可怜的。”

“兄弟，到她这个层面了，玩的是智商，根本不用玩枪了……知道交易点打得多凶吗？老许把邵万戈都调过来了，还是重伤了一个咱们的兄弟。他们那边手雷都用上了，韩富虎记得不？”

“记得，怎么了？”

“砰，朝自己这儿来了一下。”

02号指着自己的太阳穴，做了个饮弹自尽的动作。余罪吓了一跳，那个老帅哥，没看出来居然是个死硬分子。这会儿02号却有感慨了，揽着余罪的肩膀道：“这些人都是提着脑袋闯荡的主，什么词都能用，就‘可怜’这个词用不上，他们自己都不可怜自己……”

虽然不可怜，可也让两人唏嘘不已。等着接应的时间里，02号又想起了一件事，问余罪道：“小二，我还是没想通，你小子怎么发现她有问题的？”

“老二，这个事关于感情，说了你也不懂。”余罪回敬道，“比如在你眼里，他们就都是人渣对不对？”

“对呀，难道不是吗？”02号道。

“不是，在我眼里，他们先是人，后是渣。”余罪道。这一句果真把02号难住了，直到接应的直升机来了，他也没想通“先是人，后是渣”和“人渣”有什么区别。

涉案船只和船上涉案人员被缉私队分别押解，沈嘉文这个重点嫌疑人被押上了直升机，从海面上直飞滨海市。

据指挥部的坐标定位，抓捕的地点离公海已经不到二十海里……

直升机出现在滨海北郊一个训练场上空，翘首期盼的警队亮着警灯，围了一个大圈，给天空的直升机夜航指示降落方位。

省厅全部出动，一正四副五位厅长，加上省府的特派员，还有紧急调至的新闻喉舌，从直升机出现时就已经架起了高倍摄像机，一例震惊全国的新型毒品案破获即将出炉。据官方透露的消息，此次缴获总案值超过八千万的新型麻醉毒品GHB，抓获涉案人员四十余名。有的新闻单位已经挤破头，就为要一张到现场拍摄毒枭的通行证，更据说这次抓捕也相当有戏剧性，居然是从海面上把已经即将潜逃出公海的嫌疑人抓捕归案。这其中究竟有多少能炒作的传奇故事，让所有人包括在场的警察都趋之若鹜了。

凌晨四点四十五分，直升机安全降落，在层层包围的警车中让开了一条路。十名女特警押解着蒙着头的女毒枭下了直升机，刻意留给记者十几秒的拍摄时间。然后全体警车簇拥着押解车辆，驶向看守所。

“怎么不让我下去？”余罪火大道。这场面要一亮相，余哥就要成为万千少女争相献身的偶像了，终身大事肯定不用发愁了。他几乎按捺不住想跳下去，却不料被02号死死揪住了。

“兄弟，求求你了，别添乱行不行，你这一下去，都知道你是卧底了。”02号求着道。

“知道就知道，怎么，谁还指望再当一回呀？”余罪不悦道，又要往下跳。

“那可就成黑社会的公敌了……知道公敌什么下场？就像咱们眼里

的通缉要犯一样，哪个警察看着你都眼红，抓了你就立了大功。你要成公敌，迟早得被那个，你懂的。”02号唬着道。

这句管用，终于把余罪吓住了，却有点兴味索然了，咧着嘴骂着：“真你妈没意思，老子出生入死，凭什么他们在女记者面前风骚啊？”

“兄弟，那是东江省厅领导。”02号哭笑不得道，“再说你也没出生入死呀。吐了一路，还得我照顾你。”

“老二，这事谁也不准说啊，敢说我跟你急。”余罪回头揪着02号，恶狠狠威胁着，自己晕车晕船的那糗相，就他看见了。两人互掐上了，飞行员听着忍不住哈哈一笑。两人尴尬之余，倒是安生了。

大队的警车走了，省厅领导在记者的簇拥下，前往这个基地的作训室召开紧急新闻发布会了。

直升机的航灯灭了很久，才看到又一行人向直升机走来。走到近前时，门自动开了，02号跳了下来，把现场缴获的手提箱递给前来的许平秋，许平秋转给东江省刑侦上的同行，那位同行崇敬地敬了一个警礼，快步上车，风驰电掣而去。

大案告破，许平秋笑着，擂了擂02号的肩膀道：“好样的……立才，这位是即将归队的特勤，抓机会赶紧拉拉关系啊，否则就被别的队抢走了。”

“哎哟，那没说的，肯定来我们禁毒局了。”杜立才急着握手，02号敬了个礼，随后两人的手狠狠地握在一起。不同战线的相逢，那是格外亲切，而像这种在一线身经百战的，正是禁毒岗位求之难得的人才。

两人惺惺相惜，却不料把后面下来的那位忘了。余罪鼻子重重哼了声，给了句很不和谐的评价：“切，贱性，活得不耐烦才去呢。”

杜立才气得又瞪上眼了，一旁的林宇婧掩着嘴笑了，高远看组长这么尴尬，赶紧脸侧过一边，装作没看见。余罪大咧咧地上来，不过那德性更让人想笑了。他半干不湿的衣服贴在身上，一股臭烘烘的海水味，T恤扯破了一处，露着肩窝，连严肃的许平秋也忍不住笑了，小兵大功，怎么封赏真让他为难了。

还未来得及安慰一句，又一辆车飞驰而至。车上跳下来王武为、李方远、孙羿、严德标。几人刚刚从寓港赶来，准备一起去探望受伤的二队队员李航。

可不料刚下车，孙羿一看到余罪便怒从心头起，恶向胆边生，奔上来就掐。余罪撒腿就跑，众人不知道发生了什么事，问02号怎么了，他笑而不语。

不用问了，追人的孙羿喊出来了："王八蛋，骗老子往海里跳，知道那儿离海有多远吗？你倒扔下我坐飞机回来了……知道老子受的什么罪么？差点被人崩了，还被警察抓起来一顿好揍……"

"兄弟兄弟，别这个样子，我比你惨啊……枪林弹雨中，差点回不来了……你不还喘气着吗？有什么过不去的？非逼着我给你送花圈呀。"余罪和孙羿过着招，你来我往，干上了。鼠标在跟前不起好作用，教唆着两人打一架，看谁占理。

杜立才本来黑着脸的，一下子被几人气笑了。许平秋摇了摇头，抬头示意着："走吧，这几位得找好教员，好好端正一下思想。"

众人一阵大笑。许平秋走了几步，上车时又停下来，狐疑地问着杜立才和林宇婧道："我就想不通了，他发现了沈嘉文的什么破绽？又是怎么追上她的……你们知道吗？"

林宇婧和杜立才两人摇摇头。回头时，余罪和孙羿还在撕扯着，高远在拉架，其实连他们俩也想不通，偌大的一个毒枭，已经快跑到公海上了，人栽了倒不冤枉，就是栽在这个菜鸟手里，简直太冤枉了……

大案余韵

"厉害，厉害……还是兄弟单位有办法。"

杜立才猛拍桌子，惊得一室同行都惊讶地看他。他回头晓得失态了，指着电脑道："最新消息，通过沈嘉文随身物品找到了毒资线索，收缴毒资四千三百八十余万元，还有在滨海的不动产，总价值超过一亿元。他们的毒资居然是以海外投资的形式回流的。”

“她招了？”林宇婧问。

“由不得她了，韩富虎的最后一个电话是通给她的，她又同时指挥了余小二、王白、焦涛三路出货，都能指证她。而且寓港出警的刑警队长陶泽海，又指认了她，抵赖难度可大了。真悬啊，要是到公海，这个案子在韩富虎这里就得结案。”杜立才兴奋道。

连着四日，惊喜不断，漫长的艰难侦破迎来了收获的春天，每天都有新的消息传来，岳西赴滨海的行动组已经搬进了省禁毒局整理本案相关卷宗，每每知道案情有所进展，总是让人兴奋好一阵子。

“那傅国生究竟是一个什么样的角色呢？”高远问。对于那位傅老大他记忆犹新，可总也不觉得他竟然是个无关紧要的人物。

“呵呵，要是嫌疑人不说，咱们打破脑袋也想象不出来。咱们监控觉得她是傅国生的姘头，可事实却是她认识韩富虎在先，又通过焦涛认识了傅国生，傅国生是靠她的资助起家的。据莫四海交代，他说沈嘉文很不满意傅国生畏首畏尾的作势，很多事她都瞒着傅国生干，包括这一次贩运枪械。纯粹是韩富虎给了王白一个便宜，王白、莫四海几个人合伙准备大赚一笔。”

杜立才说完，看把下属们一个个听得越来越迷糊了，他又增加着难度道：“还有更匪夷所思的，据隔离审查的警察陶泽海交代，他只认识这个女人，两人曾经发生过不正当关系，而且他领过不少检查站的人到莫四海的唐都玩过，那个贼窝和红楼的效果一样，专拉海关和警方的人下水。还真想不到，这个女人居然是本次连环走私的主谋。”

“咦？对了，小二可是最先发现沈嘉文有问题，难道……”李方远想起了，脸上露出惊讶的表情，难道他知道这些复杂的关系？杜立才也想起这个本案最让他纳闷的地方了，狐疑道：“对呀，这小子从哪儿看出有问题来了？直接就去海上追人去了。”

每每讨论都卡在这里，那是当晚最辉煌的一笔，但这一笔却写得莫名其妙，他们本来以为是许处的火眼金睛发现的，可不料许处也是一头雾水。一愣间，滨海市的同行有人问了：“杜组长，您是说追到毒枭的卧底探员吗？”

“给我们介绍认识认识啊，警中都传神了，说是位退役的神秘部队人员。”另一位也问上了。

“咱们的案卷里好多转折的地方都用一个代号代替，是不是就是他？”又一位好奇地问上了。

“这个保密，不能问的。”有位面容姣好的女内勤压抑着，不过还是好奇地问了句，“杜组长，告诉我们他帅不帅就行了。”

这话问得杜立才没来由地觉得尴尬了，点着头道：“很帅，简直帅呆了，不过这个人可不归我管辖。我都没见过。”

众同行以为又是托词，反而有点失望。只有同组人员看着杜组长牙疼的表情，都在肚子里暗笑，谁说不归他管，管不了而已，昨天两人在煤炭大厦还吵了一架……

铁门洞开，寓港市公安局下属刑侦四大队的滞留处，走出来耷拉脑袋的三个人。

看守点着人头，梁华、何大勇、陈祥瑞……万顷一带，都知道这几人曾是新老大余小二手下的悍将，诨名分别叫化肥、大臀以及粉仔。当夜新华电子厂被查封，这三位和严德标一起被端了，因为警察内鬼陶泽海的影响，刑警队以涉嫌走私枪械、谋杀双重罪名把几人滞留，却不料事后方知，那位纷传被人“杀害”的嫌疑人郑潮，已经是“6·20”专案的重要人犯，跟着陶泽海一起被隔离，这才知道是一场闹剧。

“走吧，放你们了。”看守的警察道。

三个人兀自不信，跟着反应过来了，撒丫子就跑。

出了门口却听到有人喊“站住”，把三个人吓得一哆嗦，都站住了。门口的严德标勾着指头，那三人看清了才万分惊喜地凑过来，要抱着标哥哭诉一场。这会儿严德标顾不上了，直给三人塞着路费道：“别多说，也别多问了，赶紧回家，反正你们攒的钱也是有点的，找个生计，再别出来了啊。钱没多少了，为捞你们仨，我也快成穷光蛋了。”

“标哥，老大呢？”大臀拿着钱，吸溜着鼻子问。

此时还能想起老大，江湖人士看样子还是有义气的。鼠标压低了声音道：“别问老大了，那天晚上他贩卖枪械，估计得……砰！以后江湖上没这号人了……”

鼠标做了个打头的动作，那意思是，得被毙了。大臀失魂落魄，化肥却像抓住救命稻草般拉着鼠标道：“标哥，二哥不在了，你带我们干吧！大不了兄弟们凑钱买辆车，有二哥敢贩枪械的威名，绝对有人找咱们做生意。”

“对，就这名头都吓死他们。”粉仔恶念顿生，看样子也是想重操旧业。

鼠标听得哭笑不得了，争取让这三个货出来还费了老大劲，这要出来怕又是祸害了。他贼眼一转悠，表情哀伤道：“兄弟们，二哥走的时候给我说了一句话，我得告诉你们。”

什么？三个人立刻恭敬了，侧耳倾听着。

“他说，如果他回来，就带着大伙过好日子，要是他回不来，就让大家各回自家。这条路一条走到黑，迟早得陷死在里头，他不想看着大家跟他一起陷进去，所以他就单枪匹马去了……你们要再犯事，对得起即将去九泉之下的二哥吗？”鼠标大义凛然地问着，痛苦到不能自制，就差泪花飞溅了。

“那我们走了……”化肥飙着泪，感动了。

“标哥，你保重啊。”粉仔抹了把泪，兄弟情深，实在难舍。

三个人哀痛地走了，一步三回头地看着鼠标，走了不远大臀又奔回来，使劲抱了抱鼠标，千言万语一句话：“标哥，我们要混不下去，还回来找你啊。”

鼠标憋得哭笑不得，把这三个活宝送走，他想放声大笑时，可又有一种笑不出来的感觉，这些人虽非同路，可让他想起了警校里的狐朋狗友，一起摸爬滚打透着亲切。等他坐到车上时，回头看了眼余罪，小声道："余儿，我告诉他们你要被打头了，不用回来了……还别说，化肥、大臀俩哥们儿，还真有点义气。"

"走吧，废什么话。"余罪道了句，很深沉，不是装的。

伪装的生活已经结束了，再怎么也让他多少有些留恋。

余罪今天是专程来办这件事的，否则让刑警队深挖这几个小走私分子的事，怕是也得住个三五个月才能出来，就因为这事余罪和杜组长还争执了很久。杜立才拍桌子不允，一是余罪身份敏感，不宜暴露；二是对那帮走私人渣，杜组长根本没有什么好感，岂会出面让放人？

两人吵得厉害，最后余罪嚷着找到正和东江省厅开会的许平秋才把问题解决，不得不说许处对余罪还是蛮照顾的，这种事也亲自出面了。

副驾上坐着02号特勤，他回头看了余罪一眼，那眼神中居然有深深的留恋。他笑着问："小二，你不会喜欢上这种生活了吧？"

"喜欢个屁。"余罪道。

"我不是说警察，是说对立面。"02号问。

"那当然，大把分钱，梁山好汉的生活啊。"鼠标接上了，三个人都笑了。余罪若有所思道："还真是啊，我还真怀念当老大的日子，名声在外，上门找的人，几句谈下来，直接订金就付了，呵呵，爽……看现在我们过得什么样？还被关上宾馆，居然让学习警察条例？"

"就是，我们放出去都是一代警神了。"鼠标附和着。

02号哭笑不得，让他们学条例那是要招进队伍，敢情许处的好心又被当成驴肝肺了。他语重心长说道："小二，鼠标，哥比你们早进队几年，不过我说你至于因为这么点小事和杜组长叫板吗？杜立才虽然是个组长，那可是省禁毒局直属的专案组，别看带的人不多，放地方上，不比哪个地市的公安局长差……你们倒好，和人家拍桌子对骂。"

"我没骂，他骂了……"鼠标得意了。

"骂就骂了，他能把我怎么着？老子现在还不想当警察呢。大不了不干了，买条小舢板到海上走私去。你去不去，鼠标？"余罪不屑道。

“去，当然要去。”鼠标无条件支持道。

02号不劝了，他也给气着了，看来警察条例学得根本不管什么用。

三个人办完事，在路上驶了两个多小时，径直回到煤炭大厦了。那位已经准备归队的02号片刻不离地跟在余罪身边，这可不是亲密，而是命令，估计是一怕他暴露，二怕他胡来。余罪几次要和02号瞪眼，想想又算了。

曾经的事，也都是命令，和他犯不着撒气。进楼的工夫，余罪故意停下脚步，这02号像侧面也长眼了一般，也是同一时间停下了。余罪嘿嘿一笑道：“可以呀，老二。”

“那当然，从你接受任务起，我就一直奉命保护你，大部分时候，你都发现不了我，怎么样？想学的话，教给你。”02号笑道。

“吹吧你……那你现在给我来个消失我看看。”余罪故意道。

02号不急不恼，边笑边看着余罪。余罪也嘿嘿一笑，把鼠标打发上楼，一把揽着问：“老二，你到底叫什么？”

“很重要吗？”02号道。

“当然了，你就要解密归队了，难道让我以后见了，大老远吼着‘老二’？”余罪笑道。

“这个可以告诉你，我叫马鹏，鹏程万里的鹏。”02号说着自己大多数时候隐瞒的名字。对于特勤，能亮出名号也是一种奢望，不过现在没什么顾忌了。

“哦，不好听，有歧义。”余罪皱皱眉头，以他常给人起绰号的水平，瞬间摇头评价着，“马棚……呵呵，还没猪圈好听。”

说完他看着马鹏的脸色，不得不承认，即便马鹏三十出头了，长相还是蛮帅的，不像余罪形容的那么不堪，余罪似乎想故意刺激他。

可不料对方这脸整个像石膏糊的，根本对刺激没反应，反而劝着余罪道：“我知道你心里不爽，可咱们这一行从来都是这样，你就算做了再惊天动地的事，也不会有千百双粉丝的手在你面前挥舞。有些事是不能曝光的，比如贩毒分子的武力，比如那天行动在高速路上引起的混乱，造成六起车祸的事。还有你的身份，时间再长一点你就会理解了，离开了集体你什么都不是，包括犯罪团伙也一样，个人的力量太有限了。”

这话很中肯，之于余罪，更是一种来自前辈的关怀。余罪也笑了笑，终于说了句能听的人话：“对不起，马鹏的名字很好听。恭喜你啊，老二，从今以后你有名字了。”

马鹏笑着回道：“得了，你还是叫我老二吧。你不客气的时候，我比较放心。”

说罢两个人并肩到了电梯口，今天巧了，平时不回来吃午饭的林宇婧、高远居然出现了，大老远高远喊着余小二。余罪一看林宇婧，急得直瞄电梯为什么还不下来。

自从归队两人还没独处过，但这么剽悍的妞儿余罪老觉得她眼里不善，没准要找个机会报那献身之仇。马鹏发现了余罪的不舒服，奇怪地问道：“你怎么了，好像不愿意见到队友？”

“谁说的。”余罪不承认了。两人已经奔到了近前，说是回来拿一套设备。林宇婧指挥着高远去拿，近距离看着余罪，突然道：“跟我来，我问你个事。”

“就在这儿问呗，我现在属于重点保护对象，不能离开老二的视线。”余罪道。

“没事没事，只要不离开所有人的视线就行了，你们去吧。”马鹏笑着道。关键时候，把余罪推出去了。

此时电梯到了，余罪赶紧跟着马鹏、高远往里面挤，却不料被拉住了。他哎哎哎几声，眼看那两位已经进了电梯。回头时，林宇婧似笑非笑的眼神盯着他，声音低了几个分贝问着：“咱们的账是不是该算算了？”

“师姐，不用那么认真吧？我也是为了完成任务，你以为我愿意？”余罪道。这一句惹得林宇婧握拳扬手了，不料余罪没动，笑着看着身前左右，林宇婧可下不了手了，却也没打算放过余罪，一捏余罪的胳膊。余罪一吸凉气直喊疼，不由自主地跟着林宇婧的脚步，不迭地叫着："别掐别掐，疼死了……"

特警出身的林宇婧不是盖的，等拖到楼外一侧放手时，余罪疼得直咧嘴。林宇婧瞪眼时威慑力特强，不过不瞪眼时，还是蛮漂亮的。这会儿不瞪眼了，余罪却感觉威胁更大了，觍笑道："别啊师姐，我郑重道歉，其实就冲动了那一下下，早知道冲动的惩罚这么严重，那个……"

"怎么样？"林宇婧笑着，看着抚着手腕的余罪。

余罪嘿嘿一笑道："那就多冲动两回。"说罢就忙抱着头。不过什么也没发生，等余罪放下抱头的双臂才发现，林宇婧还那么似笑非笑地看着自己。

余罪明白了，看来每个女人都喜欢别人赞她两句，小姑娘老媳妇都逃不出个定律。

"惩罚还没开始呢，你少嬉皮笑脸。"林宇婧脸色一整，又吓了余罪一跳，他紧张地看着严肃的警姐，一时无计可施了。而此时林宇婧挺了挺胸，看着余罪的样子，说道："看你这德性，我揍你都有损武警的威名……这样吧，你要是告诉我，你怎么盯上沈嘉文的，我就放了你。"

"哦，那个呀。"余罪一听释然了，这是给众人留下的最大的一个秘密，他谁也没告诉，连老二马鹏问了几次他都搪塞过去了，此时林宇婧估计是思路在这个上面打结了，舍得放他一马了。余罪双眼骨碌一转，开始憋坏水了，这么大的秘密不换点实惠，都愧对金牌卧底小郎君的名头了……

警人贱招

林宇婧的大眼眨着，好像在揣度余罪坏笑里的含义，那含义很浅，大痞子小流氓见到漂亮姑娘都那种德性。不过她自恃收拾得住这货色，对于他，只能又气又好笑而已。

林宇婧等着答案，余罪可卖关子了，觍着脸问："那个可以告诉你，不过，有什么好处？”

“敢朝我要好处？好处就是不揍你了，够不够？”林宇婧威胁着，一瞪眼睛特别大，也特别亮。

余罪一笑，虽然有点惧，可还是按捺不住心里的蠢蠢欲动。他咳了声，小声道：“别人不知道你好像应该知道呀，就是追踪器放她身上了。”

“我知道呀，你怎么放她身上了？怎么可能一点都没发觉，她的警惕性不至于那么低吧？”林宇婧狐疑道。

行动中02号的主要任务就是保护这个“包袱”，保护的方式就是身上的信号源，因为前一次失利的原因，许平秋调了省厅不多的两种试用性同位素信号源，当时全在余罪身上，可不知道最后怎么能出现在沈嘉文身上。正是这个信号源，捉回了潜逃的沈嘉文。

余罪又笑了，他掏着身上的烟，掰了个过滤嘴，相当于信号源的大小，然后在林宇婧眼前，放在手心一拍，再摊开手时……咦，没有啦？

林宇婧傻眼了，然后他又一拍，过滤嘴又出现在手心了。

林宇婧惊声问道：“这是怎么回事？”

“在告诉你之前，我得做一个动作，你得保持纯洁的心态以及高尚的情操，不能往歪处想，可以吗？”余罪很严肃地问道。适才亮的那一手镇得林宇婧直点头。

于是余罪貌似严肃地靠近了林宇婧，在林宇婧还异样的时候，突然间来了一个拥抱，紧接着余罪兴冲冲地凑上脸去吻时，却不料喉结一疼，动作滞了，眼往下一瞟，林宇婧的食指顶着他的喉结，瞪着眼看着他，看来早有防备了。余罪不敢再往下进行了，讪讪笑着，恋恋不舍地把大胸姐放开了。

“余罪，你还真是欠揍啊。”这回林宇婧真有点生气了。

“我这是告诉你真相，不要把严肃的事情想得那么不堪。”余罪严肃道。

两人相视，一个严肃，一个疑惑。严肃的余罪慢慢笑了，那笑里仿佛藏着答案，一个让林宇婧百思不得其解，却又简单至极的答案。

林宇婧突然想起了，她在监控中看到余罪和沈嘉文有过这么一次拥抱，一警醒赶紧往腰后摸。半晌，她哭笑不得地从腰间的皮带后摸到了那个小小的香烟过滤嘴。

答案就在这里，她哑然失笑了。

“信号源有药片大小，两个，外层是一层强力胶，当天沈嘉文穿着裙子，外层披的风衣，我就把第二个放在她风衣腰带和衣服之间，她一直警惕我和那辆车，总不会想到她本身出问题了吧？就像刚才，你也很警惕，照样上当了。”余罪笑着道。

“第二个？那第一个呢？”林宇婧问。

“嘿嘿，我压在她鞋子高跟和前掌之间的空隙里，她一直以为我给她提鞋子是献殷勤呢。”余罪贱笑道。

“那你怎么会觉得她有问题？”林宇婧侧头不解地问，那个伪装的女人，还真看不出来居然是条大鱼。一问这个，余罪奸笑不已，奸诈地指着自己反问道：“你看我这德性，勾搭你都得冒着被痛殴的风险，至于被那么漂亮的娘们倒贴吗？她一殷勤，我就觉得里头肯定有问题，谁知道居然歪打正着了，哈哈……其实我也以为是韩富虎呢。”

余罪哈哈大笑着。答案揭晓了，林宇婧的脸也拉不住了，看着余罪忍俊不禁地笑着，谁能想到，大案最终是在这小动作上打开缺口的，要没有那追踪，还真无法去找已经到了海上的沈嘉文。她带着点关切地说道：“你也不怕被人家发现，真是傻子。”

“嘿嘿，这是练过的，叫艺高人胆大。她一直防着别人，总不可能防着自己吧？再说我这一手千锤百炼，她防不住呀。”余罪说着，把林宇婧手里的过滤嘴又要了回来。见林宇婧不信，他拍着手道：“我在你一眨眼的瞬间，能放到你身上，我保证你发现不了在哪儿，哪怕我们就这样面对面。”

“吹牛，不信。”林宇婧不服了。

余罪二话不说，直接啪啪拍了两次手，然后做了套假动作，先在林宇婧左肩处拍一下，然后另一只手在林宇婧右肩处拍一下。林宇婧脑袋左右一移，视线移开的一瞬间，余罪两手一摊，看，过滤嘴没有了。

这可是在监狱里从短毛那儿学来的绝技，无所事事的人渣生活已经让余罪练得非常纯熟了。也亏得余罪天资聪颖，除了学习以外的其他事，他都保持着浓厚的兴趣。

林宇婧赶紧掏口袋。她穿着便装，没有肩章，就胸前一个口袋，扣子还系着。她疑惑间，却发现颈下的扣子已经被解开一个，那小小的过滤嘴正掉在胸前。抬眼时，发现余罪正斜着眼睛，饶有兴趣地往里看。

“我要掐死你。”林宇婧面红耳赤，不敢往外拿了，伸手就抓余罪。余罪这回防备上了，一矮身，顺着墙根就溜，在几个车位缝隙间打转。林宇婧追了几个圈愣是没抓着，这时看到一辆熟悉的车缓缓向这边驶来，她猛地停下了，保持着挺胸而立，不苟言笑的警容。

跑出去的余罪嘻嘻哈哈，却是差点撞上那辆车，那车赶紧刹车，余英雄可不管三七二十一，回身“咚”地一擂车前盖，怒骂道：“他妈的会不会开车？”

“又是你，说什么来着……你给我站住。”后座车窗伸出个脑袋，正是杜立才，指着就训上了，另一边许平秋也开门下车了。这下余罪觉得丢脸了，回头看林宇婧时，她正幸灾乐祸地瞧着。余罪一拧脑袋，掉头就走，甩了句：“切，吓唬谁呢？我可不归你管。”

不等杜立才反应过来，余罪加快步子就跑。气得杜立才一副胃痛模样，指着这货对许平秋道：“许处，这、这……越来越不像话了，我就没见过这么操蛋的学员……哎，宇婧，来。”

许平秋笑了笑没作评价，只听杜组长问的第一句话就是这家伙怎么跑出来了，林宇婧编了瞎话说是陪他下来买东西。两位领导明显心里有事，许平秋问着这若干日几位留守的心情如何之类的话，这下杜立才可有的说了，讽刺道心情好得不得了，余罪、严德标，加上孙羿，三个人斗地主还不过瘾，非拖上02号打麻将，晚上睡觉还嫌宾馆里的热水不自在，商量着要去洗桑拿，还是杜组长训了一顿才把他们给压下去。

许平秋听得莞尔一笑，直摆手道："算了，都还是些毛孩子，再过一两天就回去了。你们也做好准备，这边的案子移交完毕，一两天后一起动身。"

"那我去送送他们。"杜立才道。

"不用了，他们带着车，得一路开回去，有新任务，可今天下午得忙乎一会儿。"许平秋道，看了眼林宇婧，奇怪地问了句，"宇婧，你全程看过这个案子，你对那个傅国生怎么看？"

"傅国生？虽然这次贩运不是他组织的，不过他也应该是一个涉案人吧？"林宇婧就案说案。

"对，线人吉向军的死与他有关，我怀疑可能是王白找人动的手，但是现在为难的是，王白这家伙是个几经打击的惯犯了，在交代问题上一直避重就轻，连贩运枪械也全部推到韩富虎身上，别说谋杀了……更难的是，这位傅老大从进看守所到现在，一言不发。"许平秋道，说出问题来了。

"证据充分，他们抵赖也没有用。"杜立才道，不过狐疑又起，"贩毒贩枪定死了，要是谋杀定不来了，对咱们还有点麻烦。只有旁证而取不到口供的话，案子还会有很多周折的。"

"所以，下午得忙乎一会儿，一会儿立才你去找余罪，东江预审方面传来话了，让这哥俩见见面，开导开导。傅国生是个重要人物，这个犯罪模式他掌握得最好。"许平秋道。

这话听得杜立才吃了一惊，愕然道："我去……找他……见傅国生？"

"这是命令。"许平秋直接道。杜立才不敢吭声了。

三人上了楼，许平秋回他的住处叫着02号商议什么事。林宇婧和高远带着设备刚准备走，却不料杜组长从住处招着手，让林宇婧进来，一进门便虎着脸道："你下午别去省禁毒局了，通知余罪，去第三看守所，许处和我也去。"

"啊？我？"林宇婧颇感惊讶，为难了。

“这是命令。”杜立才拉着脸道，又强调了句，“马上就去。”

林宇婧哭笑不得了，她知道杜组是拉不下面子。领导余罪在她看来似乎难度不大，不过这事好像得用一种特别的方式处理，否则会引起那位逆反的。好在这对于组里唯一的一位女性警员没有难度，她思忖已定，敲响了余罪的房间门，推门而入时，她看着那三位盘腿坐床上眼巴巴瞅着自己的货，倚在门口直接说着：“下午谁陪我出去一趟，余小二例外，我不想看见他。”

“我我我！”孙羿和鼠标扔了扑克，举着手争着往门口冲，一个穿着大裤衩，一个光着脚丫，早被憋坏了。林宇婧得意地看了余罪一眼，对鼠标和孙羿格外热情，这可把余罪惹火了，上前卡着孙羿的脖子，捏着鼠标的肥腮，直往后推了几步，雄赳赳气昂昂地站在林宇婧面前，很爷们儿道：“凭什么我例外？今天谁敢跟我抢，我跟谁决斗啊。”

王霸之气外露，暂时慑住了鼠标和孙羿，虽然有点惧林宇婧，可越在这种场合，越不能示弱。余罪等着林宇婧开口和她叫板呢，却不料林宇婧嫣然一笑道：“好啊，那就你了。”

正中下怀，林宇婧“嘭”地一声关上门了。只听里面一片叫声，估计几人又互掐上了。她忍不住咬着嘴唇笑了，此时她觉得好似找回点面子似的，颇为得意……

重回囹圄

“严德标，《保密条例》第三款第二条是什么？”

杜立才组长推开门时，突然问了一句。

鼠标立时起立，然后就没下文了，张着嘴，瞪着眼，好像思维在极速的活动，但就是找不着条文的影子。不用说，这家伙学的没有忘的多。杜立才一指孙羿，孙羿立时跳起来，兴奋地要回答，不料杜立才换着问题道：“《保密条例》，第四款第九条，什么内容？”

“啊？”孙羿一抓脑袋，被问迷糊了。

“啊什么啊，你们参加的这次案件是两省省厅联合办案，连保密条例都背不下来，将来案情外露，首先要查的就是你们……02，帮他们强化一下记忆。”杜立才道。马鹏自动留下了。那两位立在原地，连余罪都在耻笑他们。

杜立才一走，余罪脸上绽开花了。这时林宇婧一敲门，一勾手指头，余罪起身整整衬衫，一摆手说道：“兄弟们，你们好好学习，天天向上啊，我陪警花逛逛商场，嘿嘿。”

说罢奸笑着走了，两人恨不得逮着这货踹一顿。人比人气死人，人家敢和杜组长叫板，这俩可没那魄力。两人坐下，又翻出枯燥的条文，鼠标随口问着马鹏道：“二哥，这条文难道真那么重要？天天追着让背。”

“当然重要了，你要犯了事，就得按条例来。”马鹏半躺着，笑着道。其实监督时间里，他和两位菜鸟大部分时间也就是聊天打屁。

孙羿翻着两本条文，却是在找刚才杜立才提问的，找到一看上火了，咧咧骂着：“他妈的，四款九条是本条款自保密人签订之日起生效，老杜阴我。”

其余两人哈哈笑了，这时孙羿奇怪地问着鼠标道：“怎么老杜从来就不问余罪呢？”

“哎，对呀，老找咱们的不自在。”鼠标这才想起了，从来没人逼过余罪学习。一旁听着的马鹏看两人这么糊涂，笑得更厉害，半晌才解释一句：“你俩小笨蛋，以后被保密的核心内容是本案案情，而本案案情的最核心的内容就是他，最容易泄露他身份的就是你们俩，不强化你们强化谁？”

哥俩瞠目结舌了，面面相觑着，有点紧张，像在互问：这算不算知道得太多了？

“他妈的，被调戏了？！”

兴冲冲下楼的余罪，发现同去的还有杜立才、许平秋时，他回头异样地瞪着林宇婧，很不爽的样子，可人已经到这地方了，只能硬着头皮上车了。

上车后杜立才回头把案情的概况递给余罪，保密级别I，嵌在PDA里，只有不容分说的一句："五分钟看完。"余罪机械地接住了，又是很不爽地瞪了林宇婧一眼，然后飞快地翻阅着，就是案发那天所有嫌疑人已经交代的事情。组织上已经把这几个团伙的大概整理清楚了，很多人只识名不知人，好在资料反映翔实，连个人的绰号也排上了。

不到五分钟就还回去了，杜立才问道："这么快？关系搞清楚了。"

"差不多了吧。"余罪道。

杜立才生怕有误，把自己了解的细细和余罪说着：傅国生这个角色在团伙里很特殊，焦涛的表哥，又救过莫四海，但更特殊的是他遇到沈嘉文之后。据疤鼠王白交代，这个女人曾经是韩富虎的马子，而且是韩富虎在香港泡到的一位港姐。后来因为他在海上走私，想借傅国生打通陆上的关系，所以就把这位港姐送到了傅国生的身边，而傅国生根本不认识韩富虎。可据莫四海交代，又是另一个样子，他猜测沈嘉文和傅国生的表弟焦涛有一腿，很多事都瞒着傅国生干，包括这一次贩运枪械。纯粹是韩富虎给了王白一个便宜，几个人合伙准备大赚一笔。而沈嘉文本人的表现又令人异样了，在预审室常常哭得稀里哗啦，说对不起傅国生。更匪夷所思的是据隔离审查的警察陶泽海交代，他只认识这个女人，两人也发生过不正当关系，而且他领过不少人到莫四海的唐都玩过。

其实也不难，在做大与做稳上起了内讧，沈嘉文伙同焦涛拉走了傅国生的大部分班底，大干了一票，然后狠栽了。

说了半天，口干舌燥，杜立才又回头问余罪道："明白了？这几个人的关系很复杂，沈嘉文背叛了傅国生，不要在这个上面刺激他。"

"这个关系很简单嘛，需要说这么多吗？就是用不正当男女关系把所有人关联起来。"余罪道。

杜立才愣了下，点点头：“也对。”

林宇婧扑哧一笑。杜立才又觉得不对了，训斥道：“你脑袋里装的什么乱七八糟。”

“法律术语界定，还不就是不正当男女关系？”余罪道，这回连许平秋也笑了。杜立才转着话题：“得，就这些，知道任务了？”

“什么任务？”余罪愣了下。

杜组长也不悦地看了林宇婧一眼，重新布置道：“傅国生是在没有任何直接证据的情况下被抓回来的，现在指证的都是间接证据，大部分是口供，专案组的意思是让你和傅国生见一面，毕竟你们之间最了解，劝劝他，要这么扛着，对咱们、对他，都不好。”

“你们这不是难为人吗？”余罪苦着脸道。

“这怎么叫难为人？”杜立才不悦道。

“啊，我出卖了人家，现在再让我去见人家，说服人家出卖别人，出卖自己……可能吗？就哄三岁小孩，你也得拿两颗糖吧？”余罪道，又和杜立才叫板上了。杜立才那张总是大义凛然，不顾别人感受的表情让余罪一直受不了。

一句话把杜立才又给气住了，似乎这歪话挺有理。林宇婧憋着不敢笑，许平秋却是插嘴了，接着话头道：“糖就摆在他面前，你就是劝他拿起来而已，当然，愿意不愿意合作在他了。”

什么糖呢？在座的当然知道了，坦白从宽，抗拒从严呗。

大多数时候这一条还是管用的，但不限于那些自知将死的重罪，比如杀人、贩毒一类，可偏偏对方摊上的，是两种事都有。余罪呵呵怪笑了两声，没有再说话。

警察圈子里不近人情的地方，和嫌疑人没有人性的地方一样多。他寻思着，眼睛里闪烁着难色，这件事不提也罢，真提起来，让他心里觉得堵得厉害。那位在监仓朝夕相处过的人渣，提起来就像警校的狐朋狗友一样，让他是那么的难忘。

不经意间，突然感觉手背上有莫名的感觉。他异样地侧头，没想到一旁的林宇婧用手指在他的手背上写着：对不起。余罪蓦地缩回了手，翻着白眼，藏着手，一点也不给警花姐面子，看得林宇婧好不懊丧。

一路无话，按照惯例，整个团伙要被拆成四零五散，最起码不会在一个看守所，以防串供。此去的省司法厅直属的第二看守所，坐落在绿水环绕的珠江之畔，这是一个规格很高的看守所，从铁门驶入时，能感觉到阳光明媚，处处花香，下车的时候却如置身于一个巨大的花圃。此情此景，让余罪平生了很多感慨。

连坐监狱也分三六九等啊，据说这是大案要案的嫌疑人关押地，看这条件，面朝大海，春暖花开，还挺优厚。

来接的是专案组的预审组长，警督衔，只有两人，把众人领进会议室来了个短会，详情自不必细说，这些人是直接侦破此案的，大致交代了一下嫌疑人的近况。两位预审员认识许平秋，不过好像对沉默不言的余罪兴趣颇浓，只不过都是些胡子拉碴、满身烟味的老爷们儿，余罪实在懒得正眼去瞧。

方案很快定下来了，预审处留一人，这边余罪加上杜立才，其他人倒没异议。不过余罪却摇摇头道："不行。"

那再配上一位书记员？不行，余罪摇头，绝对不行。

那究竟怎么行呢？余罪说道："要见就一个人见，有外人在，他不会说话的。不信你们试试。"

外人？难道同行都是外人，嫌疑人才是自己人？

预审方面的老警察面面相觑，看不懂了。杜立才使着眼色，示意好歹给预审方的同行点面子。哪知余罪不为所动，直接说道："要么一个人见，要么不见，其他方式只会适得其反，现在他不一定恨警察，但他肯定恨我恨得要死，再怎么说，是我把他们出卖了。"

这个坚持说服预审方了，带头的安排着会面，不由得对这位年龄看似不大，不过很有主见的"卧底"多看了两眼。余罪的表情很肃穆，给人一种深不可测的感觉。

只是林宇婧觉得余罪是在装，不过装得蛮像那么回事。在她看来，不管是傅国生还是沈嘉文，栽在余罪手里都有一定的巧合成分，真要论警务素质，余罪恐怕连个派出所的小片警都有所不如。

安排的时间不长，不多久余罪便被面无表情的法警带到了一间审讯室。除了带隔板的椅子、预审员的座位，别无他物。曾经在警校的时候余罪接触过这些。严格地讲，所有警察的审讯方式以及技巧，都是一种诱供，没有哪一个嫌疑人会痛快承认可能导致自己牢底坐穿的罪行。

就是这样一种矛盾，造就了一对天敌，衍生了一种猫鼠追逐的游戏，警察以击溃嫌疑人心理防线为目标，而嫌疑人同样会把警察气得暴跳如雷。在这种不可调和的矛盾中，非赢即输，非输即赢，没有和解的可能。

那我该说什么呢？

余罪看看头顶上，房间四角的摄像头，没有死角的监控，能看到这里的一举一动，他又感觉到了那种心底迷茫的感觉，仿佛自己犯下了一种不可饶恕的错误一般，等待着审判的人是自己。这种惶恐甚至更甚于他被无辜送进看守所的那种感觉，那时候心里只有愤怒。

那么我是正义的化身吗？余罪在找着那种让他变得坚强的理由。曾经和那帮人渣在一起，可恶可憎，却又可爱可笑，就像那拨永远只会胡闹的狐朋狗友；每每再想起他们，总会有一种亲切的感觉。反倒是现在看到正义凛然的同行，让他觉得不怎么自在。

冥想的时间，余罪听到了脚步声，几乎不用判断，他就能听出那是傅国生的脚步。在监仓里，余罪不但练就了能偷东西的两根指头，同样练就了一双能辨识不同声音的耳朵，无论是查仓的管教来了，还是被审的同仓回来了，一听一个准。

门开了，傅国生低着头进来了，对于这种环境他似乎已经熟悉得不能再熟悉了，直接一屁股往审讯椅上坐着，放下隔板，抬手，整个动作行云流水。不过在他抬眼的时候，突然间所有的动作都停止了，包括视线，包括脸上细微的动作。

他看到了余罪，看到了坐在预审席上的余罪，他的眼睛几乎凸出了眼眶，那是一千一万个不相信。不过瞬间他又恢复了常态，一下子像苦修冥想的顿悟一般，脸上浮现着兴奋的笑容，然后他毫无征兆地开始大笑，哈哈大笑，声音怪异得像夜枭，直到笑得猛咳起来，还是边咳边笑，笑得眼泪都流出来了。

余罪也在笑，两人像是揭开了一个玩笑的谜底，都笑得不可自制。

这一对狱友、一对冤家、一对猫鼠终于又见面了。监视的一群警察，被傅国生的异常表现诧异到了，只有许平秋很正常，他淡淡地说道："你们做好心理准备，有他在，不光会刺激嫌疑人，咱们也不例外。"

这句话颇有深意，在预审听来很难懂，不过林宇婧似乎明白，因为从一开始，余罪给所有人的刺激都不小。这时传音器里突然传来了余罪的声音，他先开口，并理直气壮道："老傅，你是不是得感谢我？"

感谢？谢从何来？

出卖了人家还想让人家谢你，即便是在场的警察也觉得余罪有点无耻了……

知音难觅

没有最刺激，只有更刺激。屏幕上的傅国生突然间敛起笑容，点点头道："对，应该谢谢你。"

"不客气，你一定没想到我会来吧？"余罪直接问，平和得连他自己也不相信。

"没想到，还以为又是那个预审来打嘴官司，真没有意思啊，单独关押着，不如咱们那时候在监仓，南来北往人渣一堆有意思。"傅国生笑道。

"我也挺怀念那个时候，你老嫌白云看守所条件太差。现在条件好了，你又嫌太寂寞了，人的欲求很难满足啊。要我说这里就不错，吃喝拉撒全由国家管了，养老送终全由监狱办了，比在外打拼强多了。”余罪痞痞道，似乎又回到了监仓里那个“余小二”的角色。

“我也挺怀念那个时候，对了，余二，你刚才说让我谢你什么？”傅国生话转回来了，似乎清醒了，没有被余罪用旧情套住了。

余罪笑了，是惯有的那种贱贱的笑容，他直言道：“如果我不出现，你心里将有一个永远的谜团。我一出现，你就全想通了，难道不该谢谢我？”

傅国生又笑了，像一种极度自嘲的笑，当突然发现最信任的人是敌对阵营里的人，那种冲击对他而言，足够毁灭性的了。他笑着道：“你还像以前那么无耻，没脸没皮。”

余罪被这个评价逗乐了，笑着道：“以前了解我的人都说，叫贱人是夸奖我……没有你夸得这么深刻。”

傅国生的笑容又消失，随即又回来了，像自言自语道：“厉害，你们赢了，你要是警察，我就是走私道上十年来最大的傻瓜……我还是想不通啊，警察队伍里怎么可能有你……”

他一边狐疑地说着，一边审视着余罪，坐没坐样，弯着腰，斜着脑袋，翘着腿，怎么看也像自己人。余罪笑着接着他的话道：“是不是奇怪怎么可能有底线这么低的人，当了警察，比如像我？”

“对。”傅国生点头道。两人心有灵犀，谈话特别容易。

“这个不奇怪，和你们走私团伙一样，扩招了。”余罪道。

傅国生一愣，张嘴哈哈大笑了。余罪和他相对而笑，也张嘴哈哈大笑起来。

旁观的警察队伍可脸绿了，都盯着杜立才，杜立才恨不得找个地缝钻进去。许平秋没吭声，不过老脸确定也有点挂不住，这段视频要让同行看到，怕是要成笑话了。

预审室里笑声持续了好久，好久傅国生才动动身子，看着手上锃亮的铐子，叹了口气，像是无限怀念以前一样看了余罪一眼，开口问着：“你来看我……有什么目的？”

“看看，不就是目的吗？组织上给我一个任务，让我劝你出卖一下同伙，再出卖一下自己。”余罪无辜道。听得傅国生直皱眉头，这是真话，不料真话之后有更真的话在等着，余罪补充道，“不过这个任务我没准备完成。”

“为什么？”傅国生残存的兴趣被撩起了。

“因为傅哥你呀，不但是个聪明绝顶的坏蛋，而且还是一个很有理想和追求的罪犯，你要劝我投诚还行，我要能劝您倒戈，没门。”余罪道，轻飘飘地给了一句恭维。

不管怎么说，这句话很顺耳，傅国生笑着问：“你在耍心眼，想套我的话？”

“还用套吗？几百公斤GHB放在那儿，还有百八十杆雷明顿，没事都能关你两年查查，何况傅哥您老人家那么多案底，这拨悍匪，可都是傅老大您培养出来的。”余罪道。一针见血，意指傅哥你算是玩完了。

“我说我没有干，你相信吗？”傅国生严肃道。

“不用相信，这一次根本就不是你干的。”余罪道。

“你怎么知道？”傅国生大生知音之感。

“因为这个案子干得太他妈糙了点。”余罪道。

“太对了，糙得不能再糙了，这群傻逼，见了钱就不要命了。”傅国生也火冒三丈地说道。难得听到傅老大爆粗口，似乎这事实在太坠他的威名了。

“这次行动起码犯了四个致命错误，我捋一下你看对不对。第一，不该用我。用过一次的，都不保险，只有那种根本不知晓的情况下，才会坦然做一件事，第二次不管怎么样，都会有怀疑了。”余罪严肃道。

“对，何况你一身毛病，太嚣张了，这种人绝对不能再用。”傅国生道。

“第二，疤鼠这类货色，更不能用，他只适合在某个点上用一下，而不能全程用，他是一个最容易暴露的目标，只要暴露，后患无穷。”余罪道。

两人曾经在监仓里无数次点评那些失败的案例，讨论出过很多“真知灼见”。此时仿佛又回到了那个环境，傅国生点点头道：“对，这是最大的一个败笔，虽然吸引到了警察的注意力，可是他一落网，基本就等于自毁长城了，这一片地区再不能往下混了。”

“第三个错误，时机把握得不对，应该充分利用天时、地利的条件。比如，再耐心等上几天，哪怕是雨天，警方的监视就会放松；如果台风更好，那样的话即便是警方撒开网也无法准确指挥收网……如果充分利用了天时和地利的条件，可以为交易赢得充分的时间和更大的安全性。”余罪道。

“对，他们太急了，急不可耐。”傅国生悔道。

“最后一个错误，他们不该把你排除在外，不让你操纵。”余罪道。这一句把傅国生噎住了。余罪笑了笑，补充问道，“你不会还很牛地说你是老大吧？”

“呵呵，对，我们内讧了，否则警察没有机会的，这次交易，自始至终我就不同意。他们想起用你，我坚决不同意。你虽然是个贱人，还有比你更贱的人，相比而言，你倒不是那么可恶了。”傅国生淡淡道。

“那这样来说，你以前同意和亲自操纵过的交易不少喽？”余罪轻描淡写，随口一句。

傅国生笑了，笑着道：“当然。”

“我第一次贩运嵌在硬盘里的毒品，也应该是你的杰作喽？我想别人设计不到这么精巧，还巧妙地利用了两种价格给人不同心态，让送货人坦然过关。”余罪问。

“呵呵，好像是。”傅国生笑了，他看了眼监控，又补充道，“现在看着咱们谈话现场的人，一定心跳加速，因为我一句话，有可能给他们的肩上加上一颗星星……呵呵，不过很可惜哦，没有证据啊，你也是……余二，你现在什么警衔？求求我，说不定我会给你升升职。”

“嘿嘿，我不用，我是一毛党，懂不懂？”余罪问。

“什么是一毛党？”傅国生愣了下。

“就是警校学员，肩上只有一杠，学员服装，穿这种衣服的，叫一毛党。”余罪道，看傅国生对本行不太了解，他又解释道，“这一毛党，如果在自由世界，就相当于街头烂仔的水平……要傅哥您这身份置换一下，在我们这个团伙，得警监衔。”

傅国生一愣，然后又放声大笑了。两人又是相对张着嘴哈哈大笑，睥睨一切规则的那种放肆大笑。放肆大笑之后，傅老大又有点眼红，似乎对自己栽在“一毛党”手里很不忿，可不忿之后，又是一阵大笑。

监控室里还真被两人的谈话给说得心跳加速了，隐约间也都听出来了，敢情这位傅老大以前果真干过不少组织贩运的事。几位预审，想得有点冒火，审了这若干天，倒不如几句谈笑透露出来的信息量大。

谈话还在继续，不过余罪感觉有点词穷了，但傅国生谈兴颇浓，指摘了一堆警察的坏话。余罪听着，俱是报之以竖个大拇指道：“说得太对了，这些人我刚才还看见他们了。”

两人又是哈哈一笑，在预审也觉得这谈话太过操蛋的时候，变化来了。余罪点了支烟，抽了两口，走上前去递给傅国生，傅国生像是不敢受之一样，凝视了好久，才接过去叼在嘴上，浓浓地抽了两口，对着天花板开始吐圈圈了。

监控室里难住了，该叫停还是让继续？预审拿不定主意。本来期待这位卧底劝一劝，谁想劝都没劝，尽说自己人的坏话了。他征询着一直盯着屏幕的许平秋，许平秋摇摇头道：“再等等。耐心，要有耐心，有句话叫知音难觅对吧？他们就是知音。看，嫌疑人对他一直就不反感，哪怕被他出卖了。”

这话说得让杜立才看了半天才看出点苗头，两人还真像一对知音兄弟，不分你我。

“其实，傅老大，我可以不来见你，我知道如果有机会，你会毫不犹豫地让我从这个世界上消失。但我如果有机会的话，比如现在，我想说句，谢谢你。”余罪看余烟将尽，轻声道了句。

“谢我？谢我成全了你？”傅国生不屑道。

“不，谢谢你在案发的前一晚提醒了我。”余罪道。

“我提醒你了吗？”傅国生似乎不愿承认。

“其实出卖他们的，不是我，而是你。”余罪道。

“笑话，我到现在为止，没有和警察说过任何有关案情的话，包括你。”傅国生道。对此他似乎很得意。

不过余罪却不着急，他抽了口烟，吐着圈圈，一如监仓里曾经那个余小二，笑着问：“那你应该很好奇，为什么没有人出卖，这些人都落网了，对吧？其实就即便我是警察，我接触到你们的核心东西也很少，但为什么后来全盘皆输呢？难道除了指挥不利的原因，你没有想过其他？”

“有吗？”傅国生问，似乎被说得心里起疑了。

“那我说，你看有没有，出事的前一夜，你莫名其妙来找我，后来我想明白了，一定是有人觉得你的目标大，一直被人追踪着，所以让你和我出现在一起，她是生怕我没有进入警察的视线，所以请你来渲染一下……能指挥到你的人，以我所知，第一个想到的人就是沈嘉文。”余罪道。

傅国生异样地看了余罪一眼，没有接话茬儿。

猜对了，傅国生也许有什么无奈之处，不得已当这个棋子了。余罪接着道：“我试过你，还记得吗？我问你，是不是嫂子给你戴绿帽了……正常情况下，听到这句话不生气都不算男人，而你就没生气，可你又是个男人，于是我那时就想，你们不仅仅是同居的关系，或许还有其他更深层的关系，只是我不知道而已。”

傅国生眼皮跳了跳，皱起眉头了，那个不经意的话题他想起了，谁想到这个貌似根本没有心机的余二，居然在这种恶心事上动脑筋。

“但真正触动我的不是这些，是你的那句话，你告诉我，犯罪本身就是毒品，如果你从中尝到了自由的味道、尊重的味道、权势的味道，就戒不掉了，老天是公平的，给你多大的享受，将来同样会给你多大的难受……我那时感觉到了，你一定在什么地方失意了，人在春风得意的时候，不会那么有感触的。”余罪说道。傅国生脸又恢复平静了，那点心思被余罪瞧出来，他倒觉得很正常了，毕竟一起在监仓里待过那么长时间。

“你告诉我，我这莽撞性子，非被人打死，你还告诉我，嚣张的程度，只会加速被人砍死的速度。还告诉我，这条道可是一条道走到黑了，将来别后悔……咱们这个世界好就好在是个弱肉强食的世界，比如我灭了郑潮，没人觉得我不对，只觉得他太差了；可坏也坏在这儿，有一天有更强的如果灭了你，比如同行，比如条子，你除了认命，什么也做不了。”

余罪说完叹了一口气，那是一种深深的叹息，人性的光辉偏偏在人渣身上一闪而逝，显得那么的闪亮。余罪看着傅国生平静得如同在沉思的脸，轻声道：“虽然我们都是人渣，但我在你身上嗅到了人味，是这个人味出卖了你，是因为你也许不忍看到我年纪轻轻就被人设计去背着黑锅坐监，对吗？”

傅国生深吸了一口气，挺直了腰，一言未发，眼睛如星如水，深沉得让余罪看不懂。

“那晚过后我就判断我如果走货一定会出问题，但我不知道问题会出在哪儿。当沈嘉文折节下交，甚至暗示我可以投靠她时，我知道问题在哪儿了。坦白讲，把你们这群贩毒的送进监狱我一点也不内疚，你们做的恶事被毙了也不冤枉……可我现在很难受，因为我一直觉得你不像传说中的那些十恶不赦的贩毒分子。但我想你这种智商上的优越感一定会让你不甘寂寞，也一定干过许多让你不堪回首的事，所以你生活在那种焦虑、恐惧中，胆战心惊而又自鸣得意。这种感觉我有过，只有到尘埃落定的那一天，心才会放进肚子里，就像在监仓里，光着腚四仰八叉躺在冰凉的水泥地上也能睡得着……而在外面，条件再好，也不会有很好的睡眠。”

余罪说话的逻辑有点凌乱，但他相信同样的感觉傅国生听得懂，那是作为嫌疑人最深切的体会。那是被剥夺一切权力后，一种常人无法想象的坦然。

“那你想劝我怎么样？”傅国生突然问道，好像心理的防线已经松动了。

“结果怎么样，我们都知道，焦涛、沈嘉文、莫四海、郑潮，他们会像被挤牙膏一样，慢慢地挤干肚子里的货，在漫长的羁押时间里，有些事会被一点一点挖出来，而你已经没有外面的依仗，除了等待别人为你做这个决定，什么也做不了。”余罪道。这是一句真正的实话，一个牵涉众人的案件，查上一年半载都是短期的，警察难，作为嫌疑人煎熬起来会更难。

“你还是想劝我坦白从宽？”傅国生笑了。

“不，劝你给自己找个痛快，还记得咱们仓里那个瓜娃吗？有天我问他，小子，你要只能活三天，你干什么，你猜他怎么说？”

“怎么说？”

“他说呀，第一天使劲吃，第二天使劲喝，第三天自己刨个坑埋了自己，树个碑写上几个大字：谁也别来打扰老子。哈哈。”

“哈哈……”

两人相视而笑，笑得眼中有泪，笑得不可自制。那是一种绝望的笑容，余罪也知道自己的来意，把卧底身份亮给傅国生，打破他心理上最后的防线。只是在看到傅国生那绝望的笑容里，余罪不知道心里哪儿难受，眼睛酸楚。他等笑声渐稀，说道：“其实那样挺好，活着就是人渣中的极品，总不能死的时候也像渣吧？怎么着也得像个人物，难道就这样被小法警拎着吆来喝去？你可以试试，换一种活法，比如，要瓶拉菲，再要几块西餐鹅肝……这可不是什么人都能享受到的特权啊，可傅老大你有，不信你试试？”

傅国生又笑了，被余罪的痞相和无赖逗得哈哈大笑，两人又是一阵笑得不可自制。半晌傅国生使劲敲着隔板，状似疯狂了，对着摄像头道：“听见没有，给老子来瓶拉菲，要八二年的！”

余罪悄悄地竖着大拇指，赞了个：“这才是我的偶像，傅老大。”

也许是自知无路可逃，也许是想找回那仅存的一点尊严，傅国生脸上泛着变态似的潮红，恶狠狠地看着余罪道："余二，要是我还有机会，第一个灭了那个贱人，第二个就是你。"

这才是两人去掉所有伪装后的真实关系。余罪慨然道："没问题。如果给我重来一次的机会，我他妈不上警校了，跟着傅哥你当马仔。"

"真的？"

"当然是真的，您不知道我有多羡慕您那种美女如云、金银如土的生活。"

"哈哈，你他妈就注定一个穷鬼命，享不了福。"

"那是，要不我他妈郁闷呢，哪如傅哥你就算坐在看守所里，狱警也得给您几分面子，就比如现在，你指挥他们，太容易了，只要您开口，他们比孙子还听话。"

"哈哈……"

两人越说越投机，傅国生的疯狂被撩拨起来了。预审奔着推门进来了，一进来傅国生手铐敲得当当直响，训斥道："没听见老子说什么，八二年的拉菲！"

预审员怒目而视，却不料傅国生不屑道："不就想知道那个杀人谁做的？问我呀，我知道。想求人总得有个态度吧？"

预审员惊得一哆嗦，跑了。

余罪笑着指着门口道："他去请示了，马仔当不了家，就他们一年的工资，给大哥你买不起一瓶酒啊。"

傅国生又哈哈大笑了。两人又在商议着，提点什么要求才能显出身份，最过分的那种。

两人不知道的是，从省厅的预审处传出了紧急命令，命令离红叶酒庄最近的一个110报警点，马上取一瓶拉菲往看守所送。这一路警笛轰鸣，风驰电掣，终于等到预审组长端着一瓶红酒，走进了预审室里。

"大哥，慢用。"余罪轻声道，似乎愧疚因此少了几分。

"滚蛋，别让老子再看到你。"傅国生不屑地命令着余罪，仿佛他仍然是老大。

监视屏幕上，法警一左一右，一位给傅国生倒着酒，另一位拿着刀叉喂吃着鹅肝，享受着这一特殊待遇的傅国生又回到了那种叱咤风云的老大作派，边吃边道："那杀人案是疤鼠干的，怎么把人从四楼上运下去？那不很简单嘛，疤鼠以前就在火车站扛包，麻袋一扣，绳子一扎，从窗户上就吊下来了嘛，当时知道你们有监视，下面有车接应。接应的是莫四海，他找的谁我不知道……我曾经好歹也是个老大，所以有些细节，我真不知道……线人怎么发现的？哈哈，我根本没发现他有问题，只是多留了个心眼试试他，如果收到假货气急败坏地回来找我，我自然给他真的，当然，如果不回来，我们就得去找他了……"

在监控室的许平秋还在痴痴地看着场面戏剧性的变化；林宇婧眼神好不诧异，没想到线人死于一个简单的测试；杜立才有点复杂，既惊讶这个结果，又生气那个过程，他实在搞不清嫌疑人脑子里这些乱七八糟的逻辑，好说歹说不交代，被余罪这么乱扯一通，居然全说了。

"走吧，咱们的任务圆满完成了。"许平秋脸上露着微微的笑意，得意中有一种无奈。

"余二得好好再回炉炼炼，这思想问题太大。"杜立才揪心道。

"错，该练练的是我们。"许平秋停下脚步，回头对二人道，"我们眼里看到的是嫌疑人，是他们的罪不可恕；而他眼里看到的是人。所以他能看到我们看不到的东西，在我们这位置上，一直有一些我们永远理解不了的东西。"

有区别吗？杜立才摇摇头，苦笑了，他总觉得许平秋对于余罪这个二流子警校生有点过分袒护了。

三人相随出门不远，看到余罪时却异样了。他蹲在预审室的门口，像受了某种委屈一样，眼睛红红的，像偷偷哭过。林宇婧要叫人时，被许平秋拦住了。许老头像是很欣赏一般，静静地看着余罪，他突然想起了，在警校的射击场上，余罪抱着那位晕枪的女生，他不吝向任何人伸手，现在，又把手伸向了末路的毒枭，帮了他一把，也推了他一把。这个人，他需要重新审视一番了。

但他依然没有看懂，许平秋想，应该是自己当警察太久的缘故吧。

这一日“6·20”贩毒案的预审因为傅国生的开口又向前推进了一大步，据反馈到专案组的预审情况汇报，一下午审出了一起谋杀案，两起藏毒案，战果还在不断扩大。东江和岳西两省省厅共同上行文请示部里，对岳西省这个禁毒专案组记集体一等功。也在这一日，林宇婧拿到了预订的机票。两天后的航班，大家苦熬了半年之久，此时回头，不管外勤还是组长，对这个城市反而有点留恋了。

归途慢叙

“请乘坐CZ2356次航班飞往五原的严德标旅客，迅速到A10号登机口登机，您乘坐的航班马上就要起飞了……”

机场的卫生间、吸烟室、购物区都响着空乘甜美的声音，不过站在机口的余罪却是焦虑地看着表，鼠标这死货，广播两遍了还没有回来。一旁等着的孙羿要问，被余罪挡回去了。林宇婧又从机舱里出来了，不悦地问道：“他到底去哪儿了？怎么一点纪律性都不讲，飞机都不晚点了，他倒晚点，不是一块来的么？”

“这个……这个很难解释的。”余罪为难道，说着却是眼前一亮，如逢大赦地喊道，“来了，来了。”

来了，果真来了，只见鼠标飞奔着，终于在最后一遍广播开始的时候踏上了机舱。林宇婧没好气地白了他一眼，反倒是余罪拉着气喘吁吁的鼠标坐到了舷窗边上，替标哥抚抚前胸，看看同来的人都已经落座，关切地问着：“找到了吗？”

“没有，房东也不知道，再没回来过。”严德标懊丧道。

找谁呢？当然是细妹子了，那是鼠标在滨海留下的一段美丽恋情。因为队里的召唤抛下妹子，恐怕要成为标哥此生最大的遗憾了，已经找过几次，今天又趁候机去过一次，还是失望而归。

“随后再说吧，去老家找她。”余罪小声道。

“找什么呀，忙着走，你光把我的地址留给她了，我没留她的地址，只知道是韶关那边人，韶关多大你知道吗？比咱们省城还大。”鼠标恨恨道。

“没发现啊，鼠标，你还是情种？”余罪取笑道。

“……那是我的第一次，也是她的第一次，能不珍惜吗？”鼠标郑重道。

“什么第一次？”孙羿凑上来了，好奇地问。余罪附耳一句，孙羿哈哈大笑了，笑得鼠标浑身不自在，回手拽着孙羿训他笑什么。孙羿就说了：“你太落伍了……嗨……”

起飞了，这个话题断了，直冲云霄的航班载着离家半年的余罪，他现在感到了一丝留恋，似乎有一种恍如隔世的感觉，如今在这种感觉里又有些归心似箭。他现在很想家，很想学校，想回家像以前一样睡上几天懒觉，还想再和以前那样回学校和宿舍的那帮狐朋狗友踢踢球、喝喝酒，瞅哪个学校的学生不顺眼，结伙揍他们一顿去。那颓废的生活此时想起来，真是如同天堂啊。

“起来，坐我那儿。”

飞机刚飞平稳，有人说话了，是林宇婧。她拉起孙羿让他去坐自己的位置，孙羿不愿意和后面的杜立才坐一块，却哪知禁毒局这位警姐的臂力不是盖的，自己强行被赶到后两排。林宇婧一屁股坐到孙羿的位置，又拽着舷窗边的鼠标，命令道：“去后边自己找个座位。”

“啊？不能这样吧？当我不存在不就行了。”鼠标不悦了。

“保密条例，不该听的不听，不该问的不问，你真想听，听完下飞机还得集中学习一周啊。”林宇婧道。一听这个，鼠标赶紧起身走了，生怕又像在滨海那样，被关在房间里来回背条例。

搞定鼠标，林宇婧看了异样的余罪一眼，故意说道：“看什么看？长脾气了啊。”

“你是跟我说公事，还是说私事？”余罪问，表情很平静。从见傅国生回来，余罪若干天都提不起精神来，他也不知道自己怎么了。

“公事，杜组长让我问问你，有没有兴趣到禁毒局，有的话，可以破格录取。”林宇婧道。这个工作不是一般人想干就能干了的，一般的招聘除了对口的大专院校，就是武警、特警退役的人员，最起码很少直接招聘本省警校学员，这一次算是破天荒了。

“老杜？招我？”余罪笑了。

“别对杜组有成见，他是面冷心热。”林宇婧解释道。

“不去。”余罪直接回绝了，不是一般的坚决。林宇婧用异样的眼光看着他，问道：“你可想好了，禁毒局的待遇可比普通警员高很多，每年挤破脑袋的大专院校毕业生多了去了，就那我们都不一定要。”

“不去就不去，废什么话？每天看老杜那脸，我都得少活好几年。”余罪道，仍然是坚决回绝。

林宇婧纳闷，一般在大案告破的时候，每个人的心情都会很好，这个论功行赏的时候，很多人都会升职。然而余罪这位同志连警籍都是火线加入的，本来她以为要入特勤籍，可没想到许处长居然舍得放人，给杜立才提了这么个建议。别说余罪不乐意，杜组长还不乐意呢。

“那你准备干什么？”林宇婧问。看余罪的表情，不像破大案的，倒像犯了案的，好不懊丧。

“回泰阳，当个派出所所长啥的，不挺好？”余罪突然道。林宇婧一愣，余罪自降身份又补充道，“副所长也行，指导员也罢，这个要求不高吧。”

“不高，不过地方和省城不是一个概念，有空降公安局长的，可没有空降派出所所长的，总不能省厅往泰阳派个派出所副所长吧？”林宇婧笑了。再怎么说余罪还是个警盲，不太懂警务，警衔和职位很多时候都是两张皮。

余罪不屑了，重重强调道：“那我当个片警，总行吧？穿上三级警司服，吓唬吓唬我们家门口那些土鳖。”

林宇婧愣了，然后笑得浑身直颤。笑了半天，睁开眼时，余罪眼巴巴瞧着她，于是她明白了，这不是开玩笑，这就是余英雄的理想。余罪哼了哼，侧过脸不理她了。

“嗨，别生气啊……你这个理想恐怕实现不了了。”林宇婧道。

“为什么？”余罪问。

“你是荣立一等功集体出去的人物，你觉得能让你当片警去？”林宇婧反问道。

“我不向组织伸手，不提要求，自降身份都不许？”余罪道。

林宇婧哭笑不得了，半天才反应过来，这家伙还没脱出警校生的胚子，是真不懂，就从简单的开始问了：“许处没和你交流过？”

“交流什么？”

“你选择方向除了禁毒局、省厅直属的特勤中队以及继续深造，可能没有其他选择，刑警队都供不起你这尊大神了。”

“哦，那你说，我不是一般人了啊。那这深造是干什么？”

“就是到特警队进行体能、技能训练，或者到高等警官类大学学习。”

“不去，再念书都念傻了。”

“那你……好像没地方去了。”

“活人能让尿憋死，此行你知道我最大的收获是什么？”

“是什么？”

“就是学会了当一个不被尿憋死的活人，我琢磨着就我这水平，还真不应该去挣警察那点工资，简单地讲，你看海边那些走私户，一个小舢板就养家糊口，一辆小货厢就发家致富，其实机会多得很啊。咱以前什么都不缺，就是缺乏发现这些机会的眼光……”

林宇婧愣了，她不知道这家伙是吐露心声，还是故意说怪话，当余罪贼贼的眼光看向她，她明白这家伙纯属故意，于是她也故意说道：“好，那恭喜未来的余富翁找到发财门路啊，不过你要作奸犯科，将来被鼠标或者孙羿抓住，哎哟，那得多丢人啊。”

余罪笑了，这一趟滨海之行，让自己变得洒脱了点，最起码不为就业什么的发愁了。林宇婧却是有点可惜，她本以为，余罪会欣然而往的，毕竟禁毒局也是省城数得着的好单位，看余罪心思根本不在这个上面，她胳膊动了动余罪，换着话题道："公事完了，该私事了，有点私事得和你说清楚。"

"你是指什么私事，咱们两清了啊。"余罪赶紧说道。

林宇婧嫣然一笑，一抿嘴时，腮上飞红，露出两个好看的小酒窝，看得余罪愣了下，其实他很不愿意两清，实在是怕这妞不谈风月论拳脚，那他的赢面太小。他像被林宇婧的眼光电了一下子，赶紧侧头，这样子让林宇婧觉得好笑了，笑道："那天骗你走……我知道你不太愿意去见傅国生。"

"那算什么，你就不说话，人家下命令，我不照样得去？哎，都说天网恢恢，其实咱们身上也有一张网，你脱不出去。"余罪感慨道。不过听出来了，对林宇婧并没有什么意见。林宇婧掏着上衣口袋，握着拳头伸到余罪面前，眉色一挑，笑着问："猜，这是什么？"

"我要眼睛能透视，绝对不看你这里。"余罪笑着一指她的拳头，但眼光却贼贼地看向林宇婧的脸，然后视线下移。这飞机上肯定没有林宇婧发飙的地方，余罪做个夸张动作，像故意刺激林宇婧一般。

"那你应该练习好透视功能，然后再看这里。"林宇婧笑着，把余罪的脑袋推到一边，然后手移了移，"唰"地一下亮了出来。余罪这回是真的愕然一惊，不解地看着林宇婧。

是个香烟的过滤嘴，他严重怀疑是那天塞到林宇婧胸前的那个。

"教教我怎么玩，反正你也闲着。"林宇婧像是找话题。余罪捻起了过滤嘴，笑道："把戏拆穿不值钱了，就像犯罪团伙一样，你侦破了案子才发现，就那么回事……我教你，我拍手的时候，其实过滤嘴并没有消失，而是夹在我的指缝中，但我向你亮的是手心，看！"

一拍一亮，反手时，过滤嘴夹在指缝下面，技法果真很不值钱，手熟而已。林宇婧饶有兴致地学了几下，不过手不够快，余罪明显发现林宇婧的手被长年训练摧残了，拳面是平的，骨节畸形了，估计是打沙包打的。他看着那手，心疼了片刻，教着要领，不一会儿林宇婧居然学得像模像样了。这招学完，林宇婧又想起来了什么似的，指着自己的胸前扣子道："那天你是不是解了我一个扣子？"

"呵呵，你记性倒好……这也想学？"余罪哑然失笑了。再一示范时，那手指简直夺光掠影，不管林宇婧怎么防备，第一个扣子总被解开。余罪笑着道："告诉你啊，这是在看守所一老贼教我的，那可是行窃十几年的老手，他只要挨着你，你身上就得丢东西……"

"不相信。"林宇婧觉得余罪有点吹牛了。

"嘿嘿，我知道你不相信，所以你身上的东西已经丢了。"余罪得意道。

林宇婧一惊，赶紧摸口袋，然后脸"唰"地红了，瞪着余罪。余罪得意得把刚刚从林宇婧身上偷到的东西递给她，一亮出来他也脸红了，是一个叠得四四方方的卫生巾。他苦着脸给林宇婧塞进口袋，捂着前额，第一次老脸泛红道："对不起啊，不知道你亲戚来了。"

"真不要脸……给你，喜欢就拿上玩吧。"林宇婧倒大方了，把那玩意儿往余罪口袋一塞，红着脸跑了。余罪赶紧塞进口袋深处，生怕被同学发现。

回头时，鼠标回来了，刚一坐下就直骂余罪道："他妈的这叫什么事，你们坐这儿互摸，我站那儿腿直哆嗦……太不把我当兄弟了，说，你摸人家哪儿了？大红个脸就回去了。"

"我没摸着。"余罪很严肃而诚实地说道。

"那你这么紧张，她摸你哪儿了？"

余罪一捋袖子，按住鼠标，直接用拳头回答了。

杜立才看到余罪站起身来，还以为他有什么事，却不料是按着严德标在打，旁边不少旅客都在笑。这个学员，真让他大失所望，即便是办了件案子，仍然让他很失望。他更没有注意到，身旁的林宇婧脸红了一片，像藏着秘密怕被组长发觉一般，一路直到降落都一言未发。

世界，只需要两个小时就能改头换面。当看到起伏山峦如苍劲的水墨画线条绵延在机身下方，当看到熟悉的城市轮廓出现在视线之中，当北方的干燥代替了已经熟悉的潮热，那种熟悉而又陌生的感觉，就像近乡情怯一样，格外地清晰。

许平秋因为本省省厅观摩会滞留在滨海市，归程只有这一拨参案人员。出了机场各人上了来接的警车，林宇婧有点留恋地看了上专车的余罪和严德标一眼，却不料正和余罪的眼光碰触到一起，她慌乱地躲开了，余罪有点失望地移开了，所有的一切，在今天以后，怕是都会放在记忆中。

回家了，头回感觉到国家的人待遇就是不一样，省厅派出的警车直把余罪送到泰阳家门口，司机像接了一个重要任务一般，从头到尾一句话都没说，下车就走人，继续送严德标回家。走的时候是冰天雪地，回来的时候已经是绿色浓郁，开心果园的门口已经摆上了大西瓜。余罪刚到门口就听到了熟悉的声音，是老爸在和几个肥婆讨价还价。

“哎哟我说大姐，我们这儿当然比外面地摊上贵了，咱这东西绿色环保，纯天然的，绝对没打任何激素……真的，不骗你，草莓个小才好吃，那外面一个一个长得跟西红柿一样，全是转基因的玩意儿……好咧，您挑，放心任挑任拣……”

不用怀疑，这是卖剩下的水果，又被老爸忽悠出去了。余罪笑吟吟地站在门口，等着余满塘不经意看到时，欢喜得一个趔趄奔上来，却被儿子抱了起来。他欣喜若狂地拽着儿子的腮帮子，哈哈大笑着，跟不相识的顾客得意道：“瞧，我儿子，警察！我儿子是警察，怎么能骗你？不说了，买一斤送半斤，今儿我高兴，哈哈！儿子，怎么回来也不给爸打个电话？嗨，臭小子怎么黑成这样了，洗煤了还是捡炭了，哈哈……”

这份热情让余罪幸福得醉了，老爸也高兴坏了，叫帮工去买了几件啤酒，几道小菜，没打烊就叫着左邻右室的商贩们在街边支开桌，吆五喝六地给儿子接风洗尘。酒量不大的爷俩一个德性，喝到半截就都钻桌底了。第二天爷俩醒来时，你问我，我问你，都不知道咋回家的……

久别重逢

叮铃铃的电话响了几遍，余罪翻着身，从宿醉的状态醒过来，不耐烦地喂了声，听到了里面焦急的声音：“余罪，你的电话怎么好几天都打不通？”

“谁呀？说话这么冲。”余罪迷迷糊糊道。

“我，欧阳擎天。”对方道。

余罪稍微清醒些道：“哦，班长啊，你说。”

“明天毕业典礼，全体参加，怎么联系了几天联系不上你？我通知到了啊，来不来随你。”班长在电话里道着，说完便挂了。

余罪磨蹭着下了床，口干舌燥的，穿着短裤下楼在屋子里乱翻了一通。家里解渴的东西不缺，一会儿出来，他嘴里啃着个苹果，怀里抱着小西瓜，刚出来便看到老爸回来了。余满塘一看儿子这德性，不入眼了，张嘴训着：“你多大了，快娶媳妇的人了，还光着屁股乱跑……也不怕邻居笑话。”

余罪嘿嘿傻乐了，不是怕邻居笑话，而是老爸身后跟进来的贺阿姨笑了。每每有贺阿姨在，余罪总得扮个乖样衬托老爸的威风，他赶紧往楼上跑，边跑边道：“爸我今天走了啊，明天毕业典礼，我拿毕业证去。”

“哦，知道了。”余满塘道，不过又一下想起什么来了似的问着儿子，“余儿啊，你单位有指望没有，是在省城还是回来？外面待了大半年，我咋越觉得你没谱了呢？”

此番回来，除了吃喝玩乐，啥也没说。小余心里有事，可老余就觉得心里没谱了，余罪在房间里回道：“没事，爸，你甭操心了，好几个单位抢着要我呢。”

这话说得，让老余听得不相信了，回头对贺敏芝笑着道：“我这儿子呀，连吹牛都比他爹吹得大……我估摸着呀，这毕业回来，没个十万八万上不了班。敏芝，丫丫考得咋样？”

“能怎么样，她妈就是卖水果的，能聪明到哪儿？”贺敏芝明显搪塞，不想谈及此事。两人把成筐的苹果、蜜橘往车上搬，一会儿余罪下来帮忙了，要走时余满塘才想起来什么，掏着胸前挂着的钱包，要给儿子路费，却不料余罪推拒道：“爸，小看我不是？给个几百打发，不要，我有。”

“嗨，这事我就弄不明白了，你们在外面集训什么的，还挣钱？”余满塘不相信还有这等好事。可这种事余罪给父亲解释不清，他揽着老爸道：“爸，你不懂，那是封闭式集训，就算有钱也没地方花去，您上次给我的钱我一毛钱也没花出去。”

“不对，没地方花正常，那钱还能多了？”余满塘警惕地问。

“你又查我的卡了？”余罪生气道。

“废话，不看紧点，我怕你手脚又不干净了。”余满塘也吹胡子瞪眼了。

“爸，那是我借的钱，准备办工作用的。”余罪马上换了口吻，一副严肃的态度看着父亲。老爸又要呵斥，却不料余罪抢着道：“爸，工作的事你别管，我自己借，自己办，自己还……”

“你、你，什么意思？”余满塘好不失落道，几乎是痛苦了。

“我不想让你一直管了呗。”余罪道。

“那你让谁管？”余满塘拽着儿子，更失落了。

“自己管呀？老子管得多了，儿子没得干了呀，你说是不是？所以这次呀，我准备自己做主，自己找工作，不但不花您老的钱，还准备再挣一笔钱，给咱爷俩一人娶个媳妇。您说成不？”余罪说着笑了，看了看贺阿姨。余满塘一听释然了，也咧着嘴笑了，笑着却又把几张钞票塞进儿子手里道：“最后一回，能不借就不要借，落人情呢，借朝你爸借呀，爸又不让你还，对不对……中午自己吃饭啊。我走了。”

余满塘说着，生怕儿子不要似的，硬塞到儿子手里，小步颠着，上车走了。余罪站在门口，拿着钱，闻了闻，好一股水果的清香味道。

草草收拾了行李，只带了两身换洗的衣服，出门打车直奔长途站。要返校了，也是自己最后一次去学校了，家里好吃懒做了几日，还真没意思，真想那帮狐朋狗友了……

豆晓波最先到的校，一看201宿舍还锁着，让他好不郁闷，拨打着电话，一遍遍催着室友们。随后到的是李二冬，两人心焦到校门口等上了，把慌慌张张从出租车上下来的郑忠亮等回来了。

这是个去滨海的逃兵，两人拽着他数落了一顿，却不料这家伙过得挺滋润，直说在老家很有可能成为光荣的片警。至于滨海那事，郑忠亮很有大仙风范地说道，虽然哥的精神承受得起，可胃不行啊，咱北方人吃惯糙米饭了，搁那儿天天拉肚子，谁受得了。

说话间，又来一辆特警标识的车，车下跳下两人，只见一身训练服的张猛和熊剑飞往那儿一站，敬礼送人。送他们回来的是位女警，虽然黑黝黝的吧，好歹也算朵警花。车一走，这哥俩跩得尾巴朝天了。

“知道哥干啥了？哥和特警一块儿训练了四个月，现在打你们一群，不带眨眼。”张猛牛气哄哄道。

“哥算长见识了，以前拍开一块砖，我就觉得是神人，这回我见着一巴掌拍一摞砖的啦。”熊剑飞凛然道。

“还是个女的。”张猛补充着。

“就是我的教官。”熊剑飞崇拜道。

两人的去向问清楚了，挨打了四个月，变化也看得清楚，一个比一个黑，一个比一个凶悍，拳面上手心上厚厚的一层茧。张猛甚至叫嚣着：“他妈的余罪呢？以前老和我过不去，这回回来，哥一个胳膊挑战他，三分钟把他打趴下。”

之后是骆家龙来了，还是十分文气，一问干什么去了，骆哥开始大倒苦水了，声称自己每天就在编目录，都编得快吐了。不过以骆家龙这小身板，顶多也就能干这个。

人越聚越多，孙羿和吴光宇开着二队的警车大摇大摆回来了。车后厢一拉，哇，十几件啤酒，大家商量好了，散伙酒喝不到天亮不许走。不一会儿这帮老同学里就缺汉奸、余罪和鼠标了，有人打电话催着，有人抢着警车要试试手感如何，也已经有海量的，早掀开箱子仰头灌上了。

正在校门口众人乱嚷的时候，又一辆牧马人开过来了。一看这车，孙羿和吴光宇有点眼馋，小声嘀咕着：这是解冰的车，没毕业人家爸妈就给买了一辆，四十几万呢。听得众人又是腹诽不已。

骚包什么呢？信不信把轮给你扎了。

乱嚷的声音一下子静默了，两个阵营天生无法调和，高调的解帅哥停车放下玻璃问着："同学们，你们都来了啊……孙羿，见严德标了吗？"

"报告解队长，没看见。"孙羿故意道。

解冰脸上一糗，又把玻璃摇上去了。张猛拽着孙羿问解冰什么时候成队长了，孙羿笑着道："解冰在二队牛逼得不行，所以大家就直接叫他队长了。"

哦，故意挖苦人家呢，不过也有人听说解冰跟着队伍破了凶杀案受到了表彰。一问之下，吴光宇点点头道："那还真没假，否则不至于牛逼成这样。"众人小话说着的时候，解冰却是一直在车里打电话，一会儿摇下玻璃又问着严德标的电话，却是没人理他，这帅哥，悻悻然地走了。

"真他妈扫兴，我怎么就不能看见他呢！"张猛道，潜意识里一直把解冰当情敌呢。郑忠亮教唆着："向你挑战，单挑，把他打趴下，然后安美女就归你了。"

"一边去，死逃兵，还好意思回来。"张猛直接把郑忠亮的脑袋推到一边。

"喂喂喂，兄弟们，看看看，那他妈是谁呀……我不会眼花了吧？"豆晓波眼尖，看到了路对面不远处，停下来一辆红色的马六，副驾上西装革履的帅哥正和一位美女告别，哇，吻别，之后车嗖嗖向后退着，一打转走了。那位踱步向大家走来的帅哥大家都看清了。

——汉奸，汪慎修。他习惯性地一甩很有型的长发，好一派青春年少、倜傥风流的模样。他看着众兄弟，招招手，跑上来了。

“哇，咱们这一堆里，出高富帅啦。”孙羿愕然道。

熊剑飞使劲抿口啤酒，一抹嘴凛然道：“这家伙在滨海的时候就卖精卖血逛夜总会，这又是哪一出啊。”

“不会给哪个小富婆当小白脸包养了吧？”郑忠亮道。

“哎哟，那可幸福了。”豆晓波羡慕道。

“真他妈没出息。”张猛道。

说话间汪慎修到了近前，一看还是那不修边幅的模样。面对匪里匪气的一帮同学，他像是稍稍有点难堪，不过还是和豆晓波揽上肩膀了。真到面前了，大家反而不好意思说人家是被包养的了。

“谁呀？”豆晓波问。

“刚处的女朋友。”汪慎修眉飞色舞，稍显隐晦道。

“可以呀……都穿上阿玛尼啦？”张猛讽刺道。众人扑哧一笑，汪慎修却是呵呵一笑，没作争辩。大家问着他从滨海市回来后干什么去了。这哥们儿说被派到市局下属的打拐办实习，不过他没去，问去哪儿了，汉奸却没说，还是那么神神秘秘地笑着。

“据我夜观天象，昼观人相，你小子阳气下滑，晦色满面，这是属于沉迷之象，一定是沉迷于女人而不能自拔。”郑忠亮道，惹得众兄弟又是一阵大笑。

“大仙，沉迷女人不丢人，好歹也有目标，连生活目标都不知道，那才叫丢人呢。”汪慎修道。

哟，这话有水平，说得兄弟们心里七上八下的。那个精英选拔早已落幕，各人都在岗位上干了不短时候了，可除了日复一复的繁琐，并没有感觉到其他什么，甚至连眼下这个并不看好的工作也不知道是不是自己的。满场人就孙羿知道实情，不过他可没胆量去触犯《保密条例》，一直闭口不言。一时间兄弟们开骂了，言语间连许平秋也捎带上了。

不知不觉进了这个郁闷的话题，把久别重逢的喜悦冲淡了不少。

等待的工夫，解冰开的那辆牧马人去而复返，刹车到众人面前。可这回开门的不是解冰，而是安嘉璐，一下车，那一身警服快要亮瞎兄弟的眼了，孙羿急切地拍着巴掌嚷着：“欢迎安美女来慰问大家啊！”

“少贫，问你，鼠标呢？”安嘉璐像是很急。

众人说还在路上，她回头像是叫某人下车。人一下来，哇！熊剑飞看傻了，豆晓波看愣了，其他不明所以的人也看迷糊了。眼前黑黑瘦瘦、曲线窈窕的一小姑娘，一看就是南方人，不过这人却把滨海市归来的几个哥们儿都看蒙了。

豆晓波一步跨出来问道：“你是……细妹子？”

那名叫“晶晶”的姑娘使劲点点头。熊剑飞一咧嘴，上前瞅瞅道：“啊，真是细妹子，你怎么来啦？”

一问，那姑娘突然嘤嘤哭了起来，抹着眼睛，说不上话来。安嘉璐这回可有得数落了，手指点点一帮男生道：“啊？你们真不把同学当朋友啊，解冰帮人来了，居然没人理他。这位姑娘来咱们学校找过好几次，江主任谁也找不到，最后给我打电话，让我想办法。奇了怪了，余罪、鼠标、豆包我怎么一个都找不着？严德标呢，我就在这儿等他，太过分了吧，没看出来，还有当陈世美的本事啊，都让人家姑娘哭着找到学校来了……”

数落间，有的人不知道，问豆包咋回事，知道情况的李二冬、豆晓波、熊剑飞小话一说，把哥几个都听傻眼了，看看晶晶那小模样，骆家龙回头小声问道，“不可能吧，这姑娘才多大？”

“鼠标哥的口味一向嫩，你又不是不知道。”李二冬奸笑道。

“哇，千里寻夫啊，咱们这里头最福气的就是鼠标了。”汪慎修的观点和别人不一样，不过一听这话，再听细妹子居然是从千里之外的东江省来的，让这干兄弟心生敬意了，谁也不开玩笑，都异口同声声讨鼠标这个忘恩负义的东西。

来了，终于来了。众人看到余罪付着车钱，鼠标从车里钻出来，两人勾肩搭背，说说笑笑，大老远余罪嚷着道：“兄弟们……想我不？给点面子，告诉我，没有我的日子，你们很寂寞！”

哟，没人理他，都不怀好意地瞪着他们。余罪发现安嘉璐时，愣了一下。安嘉璐像是兴师问罪来了，指着鼠标道：“严德标，你给我过来。”

“遵命，女神有什么指示。”鼠标赶紧奔上来了，那窃喜的样子还真像偷了油瓶的小老鼠，不过走到近前看到豆晓波身边的姑娘，他的行李啪嗒掉地上了，整个人像是被雷劈了，一下子惊喜若狂，一下子悲从中来，指着细妹子回头大嚷着：“余儿，你看是谁？细妹子，细妹子来找我来了……我去滨海咱们住的地方，找了你好几次……细妹子！”

“标哥！”那姑娘眼泪飞溅，扑向鼠标，两人紧紧地拥在一起，一个叫细妹子，一个叫标哥，哭得稀里哗啦，然后互相抹着泪。鼠标问她怎么跑这么远来了，她说我想你。鼠标又动情地道，我也想你，然后又拥在一起，继续哭得稀里哗啦。

兄弟们先是有点动情，又是有点肉麻，最后受不了了，都侧过脸了。只有安嘉璐抹了抹眼睛，露着欣慰的笑容，鼠标听细妹子说多亏在五原碰上这么位好心大姐，还找了份帮人卖衣服的活才熬到今天。鼠标感动得无以复加了，拉着细妹子到了安嘉璐面前，抹着泪来了个九十度鞠躬，安嘉璐赶紧说是解冰帮的忙。鼠标此时没有什么前嫌了，又到解冰面前鞠了个躬，把解冰搞得手足无措。

“快快……”余罪背起鼠标的行李，掏着口袋，大钱小钱一股脑儿往鼠标手里一塞，摆着手，“去吧，去吧，自个儿找地方叙旧情去。”

“可这……”鼠标指指兄弟们，似乎不好意思。

“去吧，你一贯重色轻友，还不好意思呀？”余罪笑着道。众人一笑，齐摆着手道：“去吧去吧，等明天回来你再老实交代干什么了就行了。”

鼠标泪里带着笑，喊着：“谢谢兄弟们，回头我一定老实交代！”又惹得一群哥们儿哈哈大笑，解冰也颇念同学之情，请两人上车。安嘉璐回头异样地看着余罪，问了句：“余罪，你们去滨海干什么了？”

“打工呗，挣钱呗。”余罪瞎话脱口而出。

“不对呀，鼠标、豆包……还有熊剑飞，还有谁来着，都去了。”安嘉璐狐疑道。

“我们组团去打工了。”余罪着重强调道，其他人也都点头了，对，组团打工去了。这工没白打，还给鼠标打回来个媳妇儿。

知道也问不出几句真话，安嘉璐鼻子哼了哼，上车走了。人一走，余罪也招着手：“兄弟们，走走走，开喝啊，谁还没来。”

“董韶军没来。”有人嚷着。

“对呀，谁后来见他了？”余罪问。

一问没下文了，好像谁也没见过。有人拨着电话——停机。这时候余罪想起不同人不同的遭遇了，细细问过，敢情留下的十人，都被送去了不同的地方，除了张猛和熊剑飞两个头脑简单的，以及汪慎修自谋出路外，其余人都是大倒苦水。这么多苦水，倒是让余罪不觉得自己很苦了，瞎编了个自己在派出所实习的瞎话，一干人前后相随着，说说笑笑地回了宿舍。

这一夜闹得好凶，从窗户上扔出来的啤酒瓶子就不知道有多少。有后来的同系同班生，都被这一伙人撒酒疯似的拽着灌了几杯。而那首兄弟歌，也响彻在楼道里——

兄弟哪，我的兄弟，难忘的就是你。
聊天，打屁，
陪我的总有你。
兄弟哪，我的兄弟，感激的就是你。
考试，作弊，
帮我的总是你。
兄弟哪，我的兄弟，最亲的只有你。
泡妞，搞基，
受伤的总是你！

兄弟哪，我的兄弟，最爱的只有你。

吃喝，嫖赌，

买单的就是你！

兄弟哪，我的兄弟，我会想着你。

钞票，美女，

都他妈不如你！

校园里弥漫着这沙哑的、低沉的、醉醺的说唱，风纪处的指导员来过了，不过没有再为难谁，都知道这是大家警校生涯的最后一夜，哪一届毕业都这样，喝一场，闹一场，哭一场，疯一场。

可以理解，要不疯癫成这样，都枉做兄弟一场了。

平安天下

当宿舍里宿醉的外地学员睁开了发红的两眼，没来由地有一种肃穆的情绪缓缓升起。大家默默起身，整理着心爱的学员服，抚得平平的，连一点褶皱都不想留在身上。当本市的学员赶到校门口，也同样有一种肃穆的感觉，放慢了匆匆的脚步，迈着训练时的正步，甩着臂，一步一步中规中矩的进了校园。

校园广播，正播放着校歌，那是属于所有警校学员和警察的歌——《人民警察之歌》。铿锵的旋律回荡在校园里，低年级已经放假，但留下的许多志愿者在布置着这里一年一度的毕业典礼。早来的同学已经有不少了，在主席台上忙碌的，在操场上清理的，在挂着会标的……临门不远摆了一组宣传画，那上面是在警察岗位上声名远扬的各届校友，没有职务，只有一个事迹和一个学员编号。

旁边的台上，放着成摞的本校印刷品可供随意取阅。那是牺牲在岗位上的警察，他们的事迹不一而足：有的是在和犯罪分子搏杀时牺牲的，有的是在抗洪救险中献身的，有的是累死在岗位上的……每个人也被警校赋予了一个永久的学员编号。

这本书的名字叫《慷慨赴死，平安天下》。

如果社会全部沦丧得只剩一块净土了，那这片净土应该在警营；如果警营也沦丧，那它应该在警察的心里。这个环境无疑是一个净土，哪怕是全校最调皮捣蛋的学员，也会怀着一种崇敬的、肃穆的心情走进操场，那些英雄的名字，即便最无视他们的人，也不否认，不会比他们做得更好。

安嘉璐来了，和易敏、欧燕子、叶巧铃几位女同学在志愿者队伍中帮忙，路上听说了严德标捡了个千里寻夫的媳妇，还笑得前俯后仰。即将阔别学习、生活了几年的校园，总是有那么点不舍，几个人分发印刷品的时候，不经意看到那些事迹时，有的人眼睛红红的，悄悄流泪了，尽管这些故事已经在教科书里看了无数遍。

“现在我告诉你们一个秘密。”安嘉璐小声道，翻着警校的自制教材，第十六页，指着一个邵兵山的名字道，“这个在爆炸中和嫌疑人同归于尽的英雄，他的儿子和咱们是同学。”

“谁呀？”易敏几人好奇了。

“邵帅。”安嘉璐轻声道，她看到了邵帅的身影，几年同学印象不深，这个人总是那么沉默寡言，不怎么合群，现在看来，恐怕是有什么别的原因。

最容易发感慨的易敏什么也说不上来了，她看着同学，有一种很复杂的情绪。欧燕子轻声道：“真可怜……这么算来，他父亲牺牲时，他岂不是才两三岁？”

“可不，后来母亲改嫁，去了外地，他一直就在本市，从小学就开始寄宿，是他父亲的好多战友接济才到今天的，许平秋就是他爸的战友。”安嘉璐又小声爆着料。这个料来自于武建宁，他父亲是省厅秘书长，无意中提到了特招名额，排在第一位的，正是这位英雄二代。

“他们来了……”欧燕子话音变了，顺手一指，众人看到却是余罪等一拨害虫，一群人正揪着刚到的鼠标，不知道在问什么，偶尔哈哈大笑，与这个氛围不十分相称。易敏对余罪从没好感，小声道：“这个贱人，我怎么一看见他高兴，我就生气呢？”

“你当面这么称呼他，他更高兴。”欧燕子道。

安嘉璐扑哧一笑，揽着两人道：“算了算了，都要毕业了，还有什么念念不忘的，说不定过几年见着，不知道要有多亲切呢。”

“见别人还成，我就是不想见到他。”易敏道了句。看来两人积怨实在太深。

不一会儿，解冰带着自己的那拨小团队也来了，在一帮女生面前献着殷勤。陆续间学员们快聚齐时，校领导也陆续到场了，等主席台上的领导们次序坐定，毕业典礼正式开始了。

在国歌、校歌的伴奏下，整齐的国旗方队，带着一届数百名学员从主席台前走过接受检阅，然后是来自省厅和市局的代表讲话，特别提到了今年的学员中有人实习期间就智破大案，因此也对全市的招聘计划产生了影响，据说今年省城到各县市区，都向本省警校敞开招聘大门。而且省厅制订的招聘计划，也开始向省警校应届生倾斜。

听到这个，余罪有点沾沾自喜，可不料喜悦马上被打破了，来自市局政治处代表敢情是要树个楷模，给侦破大案的学员发奖，但上台领奖的是解冰，他还代表本届学员作了一次事迹汇报。那事迹是侦破两名失足女被杀案，这案子可谓轰动一时。解冰的事迹汇报引起了下面同学的一阵阵惊呼和掌声，特别是那一条条细致入微的推理，悬念制造得十分吸引人。

“余儿，恭喜你啊，哥这打酱油的命传给你了。”鼠标好笑道。下飞机后连余罪本人也接受了一番保密条例的培训，至于那三级警司头衔以及那身警服，组织特别交代不许穿出来显摆，除非加入特勤籍。

“打打酱油也好，总比当个牛逼人物一天提心吊胆强。”余罪笑道，从滨海回来，自己似乎少了些锐气，得过且过的心情居多。余罪甚至也怀疑自己是不是被那些事刺激到了，觉得什么事也提不起兴趣来。

团队？团伙？他脑子里一直浮现着大臀、化肥、粉仔、老傅，甚至在看守所那些让他印象深刻的人，深刻到他似乎对警察这个职业有一种下意识的排斥。当然，尽管他也想成为其中一员。这种极度矛盾的心情，他一直理不清头绪。

报告没完，耳听八方、眼观六路的鼠标哥又发现新大陆了，示意着余罪看操场之外。咦？一辆锃亮的现代警车，一位警徽闪闪的女警正向队伍里这边走来，尽管今天旁观者不少，还是吸引了不少人的眼光。

是林宇婧，她正在搜索着目标，整齐着装实在不好找。

“她是不是找你？”鼠标严肃地问。

“肯定不是找你。”余罪小声道。

“行啊你，你找了个让大多数人垂涎三尺的大胸姐，包括哥在内。”鼠标淫笑道。

“身在福中不知福，要碰上细妹子那样的姑娘，我发誓以后不干坏事了，要不咱俩换换？”余罪笑道。

“嘿嘿，你想得美。细妹子心里只有一个偶像，就是我。”鼠标用幸福的语气道。

汇报结束了，解冰下台了，接下来是王岚校长的讲话，这是一个结束辞。白发苍苍很有型的老校长在本校很有威望，这位像上个世纪来的老人，每天定时在操场和学员一起晨跑，公务以外时间，骑的居然还是一辆破自行车。很多毕业很久的学生，回学校看着依然如故的老校长，还会恭恭敬敬地叫一句“王老师”。

对了，他曾经就是刑侦专业的痕迹检验教员，执鞭二十年，麾下走出了很多警中名人，比如有神探之名的许平秋，比如全省缅怀的英雄模范邵兵山，比如现在还在位的市局局长，都是他的学生。

他起立了，身上少有领导的架子，拿着话筒看了一眼本届学生，清清嗓子道：

“同学们，记得在入学典礼上，我的第一句话是‘我是你们校长王岚，恭喜你们考入警校。’而今天，我还是校长，你们将不再是学员了，所以我应该直接点说，恭喜你们，毕业了。尽管很多人是蒙混过关的，好在大好青春年华、血气方刚，你们应该有更广阔的天地，而不应该圈在这个只能纸上谈兵的校园里。所以，恭喜所有即将走出校园的学员同志们，毕业了。”

笑声和掌声同时献上，老校长一贯的亲和力展露无疑，饱经沧桑的经历总会让老人在述说一件事时妙语连珠，很多人是他的粉丝，喜欢他不经意迸出来的真知灼见，今天，是最后一次了，大家都有点舍不得。

王岚校长笑了笑，继续道：

“毕业了，这不是结束，而是一个开始，是你们正式选择人生道路的开始，你们中间，将会有很多人不会走上警察的岗位，没有选择这个职业的同学，不管是什么原因，我理解并尊重你们的选择，而且很钦佩你们的勇气。不过我得提一个要求，将来不管干什么，千万别违法乱纪啊，否则现在你身边的同学将是你的敌人，要真的不幸对决的话，大家都会很难堪的，对吧？”

哄笑声和掌声一起响起，谁也没想到在这个正式的场合，老校长依然和平时一样如同聊天的讲话风格，大家听起来入耳多了。

王岚又看了一眼整齐的方队，记忆中他已经记不清多少次站在讲台这样看着即将走上警察岗位的学生，那些陌生而又熟悉的面孔，总能让他百感交集。能送一批批、一代代热血青年走上警察岗位，是自己一生的幸事，可能同样也是一生的不幸之事……

他清了清嗓子，继续说道：

“对于矢志于警察事业，并且如愿的同学，我想说几句，是我自己的几个愿望，也是我对所有学生的愿望。首先，大家做好从头开始的准备，不要怀疑，即便从学校毕业了，你们仍然一无是处，所有的东西都需要从头学起，警校可以教会你业务，但教不会你做人。所以我希望，大家不要急着想当警察，更不要急着用《警察条例》的高标准去衡量自己，我希望所有人能静下心来，从头开始，从学做一个人开始，做一个普通的人，一个对家庭负责、对社会有益的人。我们一百九十万的警察队伍，都是从普普通通的群众中来的。我希望你们至少先成为一个合格的普通人，因为，只有先成为一个合格的普通人，才会是一位合格的警察。”

掌声随着老校长的声音四起，有很多人觉得这个标准并不高，特别是鼠标、豆包之流，鼓掌鼓得更是热烈。一直以来他们就把校长当作自己的知音，以校长的高足自居。

掌声稍歇，王岚校长笑了笑，继续说道：“标准不高，都能完成。第二个愿望是，我希望在你们的行列中，不要出现英雄。”

淡淡的一句，下面的学员中躁动四起，似乎是与警校的教育宗旨背离了，市局来人投过去讶异的一瞥。却不料老校长依然故我地说道：

“英雄这个字眼对于我们这个职业太过沉重，他意味着割舍亲情，意味着忍辱负重，意味着流血牺牲，意味着要经历普通人无法想象的痛苦，而这个充满痛苦的经历，又往往是以悲歌落幕的。虽然我的学生中有很多人成为了英雄，但我想起他们的时候，不是自豪感，而是惋惜和痛苦。如果没有当英雄，他们会是一名普通的警察，一位孝顺的儿子、一位模范的丈夫、一位合格的父亲，相比而言，我宁愿他们一直普普通通，籍籍无名，我也不愿站在他们的追悼会上缅怀，哪怕世人给他们的评价是慷慨赴死，平安天下。”

老校长抹了把眼睛，像是想起了旧事，人群中有人痛哭了，是邵帅。他一把一把抹着泪，人群中窃窃私语着，有很多同学已经知道这位烈士遗孤的同学，都抱之以同情的一瞥，而且没有人觉得校长说得不对，哪怕就是英雄，他的身后，也会留下多少让人扼腕叹息的不幸。

定了定心神，看了眼似乎对此话不甚满意的市局来人，王校长又持着话筒，继续道：

“但是，我最后的愿望，又希望你们不要成为懦夫。很多走上警察岗位的人，在或长或短的时间里都会发生改变，他们变得功利，变得市侩，变得麻木不仁，虽然他们个人的生活可以冠之以幸福的字眼，但却是警察这个职业的悲哀，我希望这种悲哀不要出现在你们身上，因为你们如果穿上了警服，那就意味着一种责任。当你们看到了违法犯罪，看到良善被欺，看到公道沦丧，看到邪恶嚣张，我希望你们挺身而出。因为这种情况下，如果第一个站出来的不是警察，那就是所有警察的耻辱。没有起码的良知和血性，不配穿一身警服，更不配当人民警察。”

这一句振聋发聩的话语，让余罪感觉到全身一凛，如芒在背，他一瞬间想起自己无数次徘徊在黑与白的边缘，而自己的选择让他觉得脸红心跳。他悄悄地看着四周，除了肃穆还是肃穆，即便是不知道什么时候已经站到他身后的林宇婧，也是一脸肃穆，那声音，仿佛有洗涤灵魂的功效，让余罪觉得似乎心里的阴暗都被放到了阳光之下，无所遁形。

“我的话就这些，同志们，恭喜你们，你们毕业了……作为你们的领路人，我力尽于此，今天我以一名普通警察的身份，向即将接受平安天下责任的你们，致敬！”

老校长声音黯然，肃穆地敬了一个礼，台下数百名学员，齐齐还礼。他看着整齐的方阵，仿佛看到自己的学生即将走向刀锋暗战，走向危险使命。他颓然而坐，即便是那代表着无数勋章和平安天下的无上荣光，也掩不住此时心境的苍凉。

良久，全场肃然，一双双带着遗憾的眼光似乎还等着老校长再叮嘱几句。在滞立的学员群中，不知道谁带头鼓起了掌，瞬间那掌声如雨如雷，轰然在操场上响彻着，久久不息。

“你应该很后悔，没有在警校好好学习。”林宇婧对余罪附耳说道。余罪笑了笑，退了一步回应道：“你错了，只要今天走进操场参加典礼的，都不会后悔。”

也许听君一席话，胜读十年书，林宇婧抱之以理解的一笑。台上授证开始了，多少年了，王岚校长一直固执地坚持在这个仪式上由自己亲自授证，一个简单的仪式，在学员心中却能感觉到异常的神圣。

“你来干什么？”余罪问林宇婧。有她站在身边，实在太招眼。

“公事，一会儿再说。”林宇婧退了一步，和家属站到一起了。

她看到了很多熟人：雄赳赳的张猛，丝毫不像在羊城被人揍得那么惨；贼头贼脑的李二冬，穿着学员服，倒也蛮像那么一回事；还有很帅很拉风的汪慎修，她对这个人印象不怎么好，总觉得这个人心事不像其他学员那么单纯。紧接着又看到兴冲冲的严德标，这孩子乐极生悲，上台时还绊了一跤……她开心地笑了，这个开心果果，浑身都是笑料一般，什么时候看他都开心。

余罪上台了，从老校长手里接过毕业证书的时候，他恭敬地敬了个入校来最肃穆的警礼。老校长像是知道些什么，多看了他两眼，拍了拍肩膀以示鼓励。

在各班开始留影，三五结伴摆姿势照相时，余罪跑到一直等着他的林宇婧身边，笑着问："说吧，我正式毕业了。"

"挺跩的啊，还是旧事，今年禁毒局有四个指标，我们局长听取滨海一案的汇报后，点名要你，上面的没问题，许处也同意你去禁毒局，就看你了。"林宇婧道，笑眯眯地看着余罪。她希望余罪经过一段时间的考虑，应该有一个正确而肯定的选择。

"不去。"余罪摇头不屑道。

"你别真把自己当根葱啊，虽然破了一个案子，但那很大程度上是瞎猫逮了只死耗子，还真拽上了？"林宇婧生气道。

"可不叫你说了，既是瞎猫，不可能哪回都逮住耗子，我现在想想老许坑我的那些事就后怕。我们校长说得多好，不好好地做个普通人，非要干那危险事。"余罪想了良久才吐露心声，看来态度很坚定了。

"你只听半截，校长还说警察就是一种责任。"林宇婧劝道，一看余罪懒洋洋的模样，又不无威胁地说道，"你可想好了，特勤籍和警籍是两码事，你不接受组织安排，就甭指望穿那身三级警司的服装，如果不在保密单位任职，给你的就是普通警员的身份，你就得从头做起了。"

"我说我现在连警察也不想当了，你信吗？"余罪道。这话真把林宇婧吓了一跳，她欲言又止，余罪补充道，"这个我懂，傅国生说过，你赢得多大的享受，将来就会有多大的难受；校长也说了，穿上警服，也意味着一种责任……我想来想去，还是活简单点好，最好不要负那么大责任。”

把一个毒枭和一个校长说的话放在一起，林宇婧愣了，不过马上她又明白了，大道至极，其道共通，余罪比同龄人经历过更多的事情，感触恐怕会更深一点。只是可惜在滨海大案中脱颖而出这么个好苗子，偏偏志向是宁愿当根草，真不知道局长和厅里领导听到会是一种什么样的表情。

余罪走了，像要回宿舍。林宇婧快步追着，余罪回头瞥了眼，不乐意道：“我都说清楚了，我明天就回泰阳，我去考户籍警还不行？别烦我好不好。”

“还有点私事。”林宇婧一指场外的车，笑道，“今天我休息，约你去逛逛岳西，这个你不至于没有兴趣吧！”

“嘿嘿，这个兴趣……还是有的。”

余罪笑得两眼眯成线了，以一种不怀好意的眼光盯着林宇婧，贱贱地说着。林宇婧一笑一拧车钥匙，那边余罪倒也不把自己当外人，直接上车了。

于是警花司机载着这位刚毕业的学员，招摇地从操场边上驶过，把认识余罪的同学惊得下巴齐刷刷掉了一地，起哄的、吹口哨的、喊叫的，从操场延伸到校门口，听到最多的一句话是：“余贱，你犯什么事了？”

大伙儿明显是故意的，余罪不屑解释，隔着车窗，向狐朋狗友们很得意地竖起了一根中指。

林宇婧笑了，她知道，这才是余罪的本色。不过她没有介意，只是觉得有点可惜，笑笑一踏油门，车绝尘而去……

《余罪：我的刑侦笔记3》即将出版，精彩预告：

受够卧底生活的余罪主动要求被下放治安队，谁知刚上岗便被手段过人的城市女贼频频戏弄得手，而这反倒再次激发起了余罪的刑侦热情。他开始依靠闻所未闻的反常规手段，深入到城市一起又一起的盗窃案中，再次成为警、匪双方眼中的焦点人物……

一个外国专家携带的专利技术在机场失窃，许平秋亲自邀请“反扒专家”余罪出马，誓挽回警方声誉。在一众伙伴的协助下，余罪与似乎无所不在的窃贼们展开了一场“最高智商”与“最极端手段”的周旋较量。然而随着不断的缜密推理与抽丝剥茧，余罪发现，自己已经一步步接触到了这座城市的罪恶核心，大战一触即发……

敬请期待《余罪：我的刑侦笔记3》

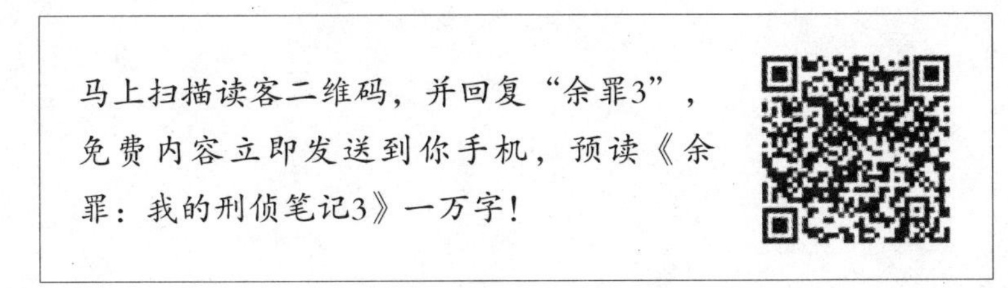